INTRODUCTION À L'ADMINISTRATION PUBLIQUE

Une approche politique

Édition mise à jour

J.I. Gow, M. Barrette, S. Dion, M. Fortmann

INTRODUCTION À L'ADMINISTRATION PUBLIQUE

Une approche politique

Édition mise à jour

gaëtan morin éditeur

Données de catalogage avant publication (Canada)

Vedette principale au titre:

Introduction à l'administration publique: une approche politique.

Éd. mise à jour. –

ISBN 2-89105-509-8

1. Administration publique. 2. Science politique. 3. Québec (Province)–Administration. 4. Québec (Province)–Politique et gouvernement – 1960-   . I. Gow, James Iain, 1934-   .

JF1352.I57   1993   350   C93-096620-1

Montréal, Gaëtan Morin Éditeur ltée
171, boul. de Mortagne, Boucherville (Québec), Canada J4B 6G4, Tél.: (514) 449-2369
Paris, Gaëtan Morin Éditeur, Europe
27 bis, avenue de Lowendal, 75015 Paris, France, Tél.: 01.45.66.08.05
Casablanca, Gaëtan Morin Éditeur – Maghreb S.A.
Rond-point des sports, angle rue Point du jour, Racine, 20000 Casablanca, Maroc, Tél.: 212 (2) 49.02.17

Révision linguistique : Suzanne Blackburn

Imprimé au Canada

Dépôt légal 4e trimestre 1993 – Bibliothèque nationale du Québec – Bibliothèque nationale du Canada

2 3 4 5 6 7 8 9 0 1   G M E 9 3   6 5 4 3 2 1 0 9 8 7

Table des matières

Avertissement

Dans cet ouvrage, le masculin est utilisé comme représentant des deux sexes, sans discrimination à l'égard des hommes et des femmes et dans le seul but d'alléger le texte.

Avant-propos

Rares sont les livres en français qui placent le thème de l'administration publique à la portée des non-initiés. Ce manuel vise donc à combler cette lacune. Écrit avant tout à l'intention des étudiants de première année universitaire en science politique, il pourrait également se prêter à l'enseignement pré-universitaire avec une assistance particulière du professeur auprès des étudiants. Chacun des chapitres peut servir de texte de référence pour les cours plus avancés de premier cycle ou pour animer la discussion dans les séminaires de second cycle. Le livre s'adresse aussi aux disciplines connexes à la science politique (sciences sociales, écoles d'administration), aux fonctionnaires et aux autres praticiens, en définitive à tous ceux que le phénomène administratif intéresse.

L'objectif est d'initier le lecteur aux dimensions sociale et politique de l'administration en tant que lieu de pouvoir et composante essentielle du gouvernement des sociétés. C'est cette dimension que les quatre auteurs, politologues, enseignent dans leurs cours. Le plan comprend onze chapitres et une conclusion-synthèse, ce qui correspond au nombre de séances d'un cours d'administration publique réparti sur une session. La succession des chapitres reproduit une démarche en trois étapes : la première décrit la discipline qui étudie l'administration publique ; la seconde analyse les moyens d'action qui assurent le fonctionnement administratif ; la troisième met l'accent sur l'insertion de l'administration dans le système politique.

L'administration publique est trop souvent considérée, par les étudiants et par le public en général, comme un univers ennuyeux, peu digne d'intérêt, fait de structures inamovibles et de bureaucrates assoupis. La discipline qui l'étudie ne fait pas recette non plus car on lui reproche son aridité. Les étudiants en science politique lui préfèrent les relations internationales qui ouvrent sur le monde, le milieu agité des partis et des élections, ou encore le débat des grandes idéologies d'hier et d'aujourd'hui. Dans les écoles d'administration, on s'intéresse surtout à la « vraie » gestion, celle du secteur privé, considéré comme plus dynamique.

L'administration n'est pas un sujet d'importance secondaire et ne doit pas être perçue comme tel. Nous vivons dans un monde administré où les bureaux, les offices, les régies et autres organes de l'État interviennent dans toutes les activités sociales. Aucun sujet n'est ennuyeux en soi, et si l'étude de l'administration suppose un certain apprentissage technique, elle recèle aussi un univers étonnant, extrêmement riche en contenu social et humain, un monde insoupçonné de relations de pouvoir, de coopération et de conflits, où il reste tant à découvrir.

Le sujet de cet ouvrage est l'administration publique en général, et non une administration précise (celle du Québec par exemple). Les auteurs ont voulu éviter de s'enfermer dans la description d'une réalité contingente. Les ouvrages qui livrent de telles descriptions ont leur intérêt, mais d'ordinaire ils se démodent très rapidement tant les structures changent et les personnalités passent. Si l'administration se modifie dans ses structures, certains principes d'action et de jeux de pouvoir s'inscrivent beaucoup plus profondément dans sa réalité ; en cela, ils offrent aux étudiants autant d'objets de réflexion qui seront encore valides le jour où ils devront affronter pour de bon le marché du travail. Apprendre à interpréter le phénomène bureaucratique est infiniment plus utile que de mémoriser un organigramme de circonstance.

La discussion des thèmes se situe sur le plan de l'analyse et des concepts, au-delà de l'empirie trop étroite. Mais elle se garde bien de s'élever jusqu'à la théorie abstraite. Les auteurs ont pris soin d'illustrer leurs raisonnements par des exemples ou des mises en situation, en privilégiant la réalité du Québec, celle qui est proche de nos étudiants. Bien qu'il soit fait référence à d'autres pays occidentaux, ce sont les administrations québécoises et canadiennes qui tissent la toile de fond de façon à mettre en perspective les modes d'analyse proposés.

Les auteurs se sont répartis les thèmes des chapitres selon leurs spécialisations et leurs intérêts propres. Chacun a soumis ses chapitres à l'attention critique de l'équipe. Par conséquent, le manuel traduit une diversité de sensibilités et de styles, mais demeure unifié par l'objectif commun, qui est de donner des instruments d'analyse de l'administration comme lieu de pouvoir et composante du système politique.

PREMIÈRE PARTIE

Penser
l'administration

Pour analyser le fonctionnement de l'administration publique, il convient en premier lieu de la situer parmi les objets d'étude en sciences sociales. Ainsi, dans un premier chapitre introductif, l'administration apparaît à la lumière de sa dimension politique, laquelle guidera tout le développement de ce manuel. Un second chapitre traitera de la science administrative, son histoire, ses approches normatives et critiques et ses variations nationales et idéologiques. De cette façon, la première partie dressera un tableau d'ensemble de l'administration publique et de la discipline qui l'étudie. Elle se termine par la présentation d'un cadre d'analyse mettant l'accent sur les relations de pouvoir dans l'administration : le cadre d'analyse stratégique élaboré par le sociologue français Michel Crozier.

Chapitre **1**

L'administration

comme objet politique

James Iain Gow

PLAN

DÉFINITION

LE CONTEXTE DE L'ADMINISTRATION PUBLIQUE

LES COMPOSANTES ET LEUR IMPORTANCE POUR LE
SYSTÈME POLITIQUE

CONCLUSION

BIBLIOGRAPHIE

Qu'un parti politique gagne les élections, qu'un groupe révolutionnaire prenne le pouvoir, ou qu'un mouvement d'indépendance nationale mène un pays à la souveraineté politique, tout ne fait que commencer. En effet, à moins de militer pour le simple plaisir de militer (ce que certains bien sûr peuvent faire!), on entreprend des actions politiques pour atteindre un but, pour modifier certaines choses. La première victoire étant acquise, on doit alors surmonter l'épreuve du pouvoir.

Comment passer d'une mentalité et d'un comportement de lutte aux attitudes propices aux réalisations? Quelles personnes doit-on réunir pour réaliser le programme? Comment établir l'ordre des priorités et par où commencer? Quelles sont les ressources que l'on peut consacrer à chaque grande priorité et où les trouver? Comment se donner les moyens d'être efficace sans porter atteinte aux droits des citoyens et sans saper leur enthousiasme participationniste, que ce soit pour les instances du parti ou les institutions politiques locales?

Toutes ces questions concernent un grand acteur et un processus politique méconnu, à savoir l'administration publique. L'administration, acteur et activité, est méconnue parce qu'elle joue un rôle de second plan; ses activités commencent là où celles des gouvernements et des législatures s'arrêtent. Ainsi, plutôt que de poser des gestes spectaculaires, elle limite normalement son action à des faits multiples et quotidiens par lesquels l'État se manifeste concrètement, qu'il s'agisse de payer ses impôts, recevoir une contravention, subir une fouille aux douanes, inscrire un enfant à l'école publique, utiliser sa carte d'assurance-maladie ou prendre conscience du débat sur l'affichage en français.

Comme nous avons rarement l'occasion de faire la somme de ces activités, la plupart d'entre nous sous-estimons l'importance des actions et des pouvoirs de l'administration publique. Dans ce chapitre d'introduction, nous exposerons les diverses facettes de l'administration publique en tant qu'objet d'étude et nous soulignerons l'importance politique de chacune.

1.1
DÉFINITION

La difficulté à définir l'objet de leurs études qu'ont les spécialistes de nombreuses sciences sociales serait amusante si elle n'était pas aussi une source de mésententes, d'incompréhension ou même d'erreurs. L'administration publique est un de ces domaines où les auteurs ne s'entendent ni sur la nature exacte de l'objet étudié, ni sur sa place parmi les sciences sociales. Laissons le traitement de cette dernière question au prochain chapitre et essayons de bien cerner la matière. Pour ce faire, il faut considérer le substantif «administration», qui est au coeur de l'expression, et le qualificatif «publique», qui le distingue d'autres formes d'administration.

Selon une définition très large, l'*administration* traite «des activités coopératives de groupes dans la poursuite de buts communs» (Simon, Smithburg et Thompson, 1961, p. 3). Ainsi, toute activité collective possède sa part d'administration. Quand il s'agit d'activités organisées en services publics ou privés, *administrer* veut dire «assurer, en tant que responsable, le fonctionnement de ce service, dont on assume la direction, l'impulsion, le contrôle» (*Trésor de la langue française*, 1971). Le mot «administration» est aussi employé pour identifier un ensemble d'institutions ou de personnes chargées d'administrer. En outre, il contient l'idée des connaissances nécessaires à l'administration et le pouvoir administratif (Sauvé, 1982a et *Le petit Larousse illustré*).

Deux autres mots, à savoir «management» et «gestion», sont utilisés pour décrire les phénomènes en question. Ainsi, *management*, d'origine anglaise, veut dire:

La mise en œuvre de tous les moyens humains et matériels nécessaires à la marche des services publics [ou privés] (Sauvé, 1982b).

En tant qu'activité, management est très proche d'administration. Il semble qu'on utilise management pour indiquer une approche plus moderne, plus dynamique, administration ayant déjà servi dans le secteur public lorsque les fonctions étatiques étaient plus restreintes, davantage tournées vers l'ordre public que vers l'utilisation optimale des ressources humaines et financières (Payette, 1992; Gagné, 1984, p. 7-8). Il est aussi employé par ceux qui veulent soutenir l'idée d'une séparation nette entre les domaines respectifs de la politique et de l'administration, le management étant alors présenté comme un champ qui doit être réservé aux spécialistes (Hodgetts, 1983, p. 35). On comprend maintenant que le choix des mots n'est pas vain, il sert à renforcer la position de celui ou celle qui les emploie.

Le mot *gestion* également est souvent utilisé comme synonyme d'administration et de management (Gagné, 1984, p. 3-8; Nioche, 1982, p. 638). Cependant, au sein des administrations québécoise et canadienne, on considère que la direction administrative comprend la conception des politiques d'ensemble, tandis que la gestion se rapporte à l'encadrement des fonctions d'exécution afin d'assurer l'utilisation optimale des ressources[1].

Tout en reconnaissant l'ambiguïté des trois mots, nous préférons administration pour les fins d'une approche politique. Non seulement est-ce l'expression consacrée en science politique, mais de plus nous voulons éviter toute terminologie qui soutiendrait la thèse de la séparation étanche entre les dimensions technique et politique de l'administration publique. Dans les pages qui suivent il sera évident que ce qui caractérise l'administration publique, à nos yeux, est la présence, à tous les niveaux, des dimensions politique et technique.

Quant à savoir si une administration est ou non *publique*, on se réfère à deux sortes de critère, l'un formel ou organique, l'autre de substance ou de fond. Dans le premier cas, on sera guidé par le type d'organisme en question ou par la nature de son lien avec l'État; dans l'autre cas, plutôt que d'examiner le statut formel d'un organisme, on cherchera à savoir si ses objectifs relèvent de l'intérêt public et si cet organisme produit des biens et services publics. Dans ce volume, nous utiliserons le critère organique, soit les administrations relevant de l'État ou contrôlées par lui, donc les ministères et organismes de l'administration, les institutions des secteurs décentralisés tels que les secteurs municipal, de l'éducation et des affaires sociales, ou encore les services publics industriels et commerciaux, telles les entreprises et les régies publiques.

Notre définition de l'administration publique rejoint celle du rapport Molitor préparé pour l'UNESCO:

> [...] d'abord, tout organisme public ayant reçu du pouvoir politique la compétence et les moyens nécessaires à la satisfaction des intérêts généraux [...] Ensuite l'activité de cet organisme envisagé dans ses problèmes de gestion et d'existence propres, ainsi que dans ses rapports avec d'autres organismes semblables comme avec les particuliers pour assurer l'exécution de sa mission (Rapport Molitor, 1958, p. 187).

En somme, il s'agit des activités, des institutions, des personnes et des connaissances qui touchent la préparation et la mise en application des décisions des autorités politiques à tous les niveaux d'un État.

Nous croyons donc qu'il faut chercher la présence de l'État pour identifier une administration publique. Pourtant, il serait intéressant de chercher un critère plus rigoureux qui permettrait de distinguer l'intérêt public de l'intérêt privé, le bien public du bien privé. En règle générale, nous trouvons que l'idée de l'intérêt public ou général est trop floue pour servir de critère d'identification à une administration. Tous ont leur idée sur l'intérêt public et, même lorsque la majorité d'une population est en faveur d'une politique, il reste toujours un débat, à savoir: combien de ressources doit-on investir pour réaliser un tel objectif? C'est la raison d'être des autorités élues en régime démocratique; en adoptant des lois et des budgets, elles décident des secteurs prioritaires ainsi que de la répartition des ressources qu'on leur consacrera et des pouvoirs nécessaires à cette fin.

Une approche comme la nôtre peut être qualifiée de juridique puisqu'elle se base sur une distinction de droit (l'État versus ces formes d'administration non étatique). Les économistes n'aiment pas une telle approche, car ils considèrent que l'État fait beaucoup de choses dont certaines plus ou moins politiques. Ainsi, lorsqu'il fait fonctionner une entreprise commerciale ou industrielle, vendant des biens ou des services à des clients qui paient pour les recevoir, sa situation ne diffère pas beaucoup de celle de l'entreprise privée. Ce genre de réflexion amène les économistes à considérer que les seuls vrais biens publics sont ceux qui sont d'égale disponibilité pour tous les citoyens, sans que leur consommation par les uns diminue celle des autres. Autre caractéristique du bien public: ceux qui ne paient pas pour l'obtenir en profitent tout de même (Breton, 1966; Olson, 1971, p. 14; Savas, 1987, p. 37-44). Ainsi, des exemples de vrais biens publics pourraient être la défense, la justice, le droit criminel et civil, mais aussi un barrage ou un phare. Par contre, lorsque les célibataires doivent verser des impôts pour l'éducation, les citadins pour des subventions aux agriculteurs ou les personnes sans infirmité pour l'aide aux handicapés, alors cette approche économique soutiendrait que ces biens et services ne sont pas de purs biens publics.

Pour les fins de ce livre, nous considérerons que tout ce que font les administrations qui relèvent de l'État est du ressort de l'administration publique, mais la notion de biens publics ou collectifs nous permettra de mieux comprendre notre sujet. D'abord, il y a peu de biens publics purs qui l'ont toujours été. En effet, nous pouvons considérer que plusieurs activités de l'État moderne sont forcément politiques ou collectives mais, à différentes époques et en différents lieux, que tout ce que fait l'État aujourd'hui a été déjà assumé par le secteur privé: armées et police privées, ponts et routes à péage, instruction privée ou religieuse, etc. Dans le contexte actuel, la distinction nous rappelle que bon nombre de choses faites par l'État pourraient être concédées ou déléguées à des agents non étatiques, qu'il s'agisse de l'enlèvement de la neige ou des ordures, de la production de l'électricité ou d'émissions de télévision, du contrôle des professions ou de l'acheminement du courrier. En fait, le degré d'intervention étatique est une question qui relève du débat public. La distinction nous rappelle aussi que l'administration d'une politique ne nécessite pas que les services administratifs l'exécutent. L'essence du travail administratif n'est pas l'action, mais bien la préparation, la supervision et la vérification de l'action, que celle-ci soit menée par l'administration ou contrôlée par elle (Mehl, 1967, p. 10 ; Garant, 1966).

De cette façon, on peut distinguer les missions de l'État des fonctions de l'administration. La liste des missions de l'État varie souvent car l'intervention des gouvernements est sans cesse sollicitée dans des domaines nouveaux (par exemple, des réglementations nouvelles sont nécessaires afin d'assurer la protection des citoyens contre la pollution nucléaire ou contre les interventions abusives des ordinateurs dans leur vie privée). Cependant, alors que la liste des interventions étatiques est infiniment variable, les fonctions administratives elles sont communes à toute administration et sont invariables. Somme toute, elles correspondent aux étapes du processus administratif que nous verrons plus en détail au chapitre 3. Pour le moment, retenons que toute activité étatique passe par les mêmes étapes: information, prévision, planification, programmation, exécution et contrôle (Plantey, 1975, p. 114-144). C'est ce qui explique pourquoi un grand nombre de fonctionnaires appartient à deux communautés, celle de leur ministère ou organisme et celle de leur spécialité ou profession. Dans les ministères les plus variés on trouvera des agents de planification et de gestion financière, des spécialistes des ressources humaines et de la communication, des juristes, des vérificateurs-comptables, etc. Leur loyauté sera partagée entre leur ministère et leur communauté professionnelle.

Le domaine de l'administration publique est maintenant cerné: il s'agit des activités, des institutions, des personnes et des connaissances impliquées dans la préparation et la mise en application des décisions des autorités politiques compétentes d'un État. Ainsi définie, l'administration publique se distingue de l'administration de l'entreprise privée, de celle des coopératives et associations volontaires ainsi que de l'administration ecclésiastique. Nous verrons quelques conséquences de telles distinctions dans la section suivante avant de passer aux implications et aux enjeux qui en découlent.

1.2
LE CONTEXTE DE L'ADMINISTRATION PUBLIQUE

Toute administration publique doit être comprise dans le cadre qui lui est propre, dans son contexte historique, politique, social et économique. Elle fait partie des institutions d'un État, ses employés vivent dans une société donnée, et si on la considère souvent comme un monde à part, elle est influencée par tout ce qui se passe dans une société, par les changements politiques, économiques, culturels, technologiques et même religieux ou spirituels. Voyons quelques-uns de ces facteurs de plus près.

Il est très important de comprendre le contexte *historique* d'une administration. Par exemple, il est souvent dit que la bureaucratie moderne est un phénomène ayant émergé avec le capitalisme et les relations marchandes, qu'il correspond au développement de l'état capitaliste (Weber, 1971, p. 230; Poulantzas, 1972, p. 178). Cependant, on sait qu'il y a eu des administrations bureaucratiques en Chine antique, en Égypte et sous l'empire romain. En fait, un historien a identifié plus d'une trentaine de grands empires bureaucratiques dans l'histoire, et ce sur tous les continents (Eisenstadt, 1969). Dans le monde occidental on pense parfois que la présence d'un État omniprésent, l'«État providence» vient en succession logique après un État plus limité, un « État gendarme ». Ceci est inexact pour deux raisons : d'une part, l'histoire des sociétés non occidentales n'a pas suivi ce chemin et d'autre part, l'histoire occidentale manifeste un mouvement plutôt en cycles qu'en ligne droite. La Grèce antique n'a jamais eu une bureaucratie très développée car ses unités politiques étaient petites et, pendant longtemps, on a tenu à faire participer les citoyens aux charges publiques, soit par l'élection, soit par le tirage au sort. Par contre, sous l'Empire romain une bureaucratie professionnelle s'est développée qui est un des facteurs qui expliquent la longue durée de cet empire. Au moyen âge, les bureaucraties disparaissent en dehors de l'Église et la forme de gouvernement, le féodalisme, est décentralisée (Sauvy, 1967).

Or, avant le libéralisme du XIXᵉ siècle, il y eut un État beaucoup plus fort en Europe, connu sous le nom de monarchie absolue. Le développement des villes et l'émergence de la classe commerçante favorisèrent la centralisation par les monarques aux dépens de la noblesse. Il s'agissait d'un État dirigiste sur le plan économique qui restaura la bureaucratie d'une façon permanente et spécialisée. La Révolution française acheva ce processus en démocratisant le recrutement aux corps techniques de fonctionnaires, en donnant aux employés civils un statut de serviteur de l'État (plutôt que du roi) et en créant un premier état-major moderne en le Conseil d'État.

Après un certain recul de l'État au début de l'ère industrielle, les problèmes générés par l'industrialisation et l'urbanisation poussèrent les États occidentaux à la fois à réglementer le travail, la santé, l'instruction, le commerce,... et à assumer des responsabilités en matière de bien-être et de sécurité sociale. Les interventions multiples ont eu pour effet la prolifération des institutions administratives, la montée rapide des budgets et des effectifs, une complexité grandissante des procédures et des délégations importantes de pouvoirs au profit des fonctionnaires[2].

L'histoire nous apprend qu'à certains égards la situation et les problèmes concernant nos administrations publiques sont nouveaux, mais qu'il y a aussi une longue histoire de ces administrations et qu'on peut en tirer des leçons concernant les institutions administratives, les carrières des fonctionnaires, les rapports entre fonctionnaires et chefs politiques, les impôts, le droit, etc. À titre d'exemple on peut bien vouloir éliminer la bureaucratie et la remplacer par une administration plus démocratique ou plus dynamique. Les trois mille ans d'histoire des bureaucraties nous obligent à rechercher les raisons de cette persistance.

L'histoire nous permet d'apprécier une administration. Ainsi, lorsqu'on veut savoir si elle est efficace, démocratique, centralisée ou décentralisée, arbitraire ou respectueuse de la légalité on a deux choix : comparer le présent au passé ou bien comparer un État à d'autres. Par exemple, lorsqu'on veut savoir si un État comme le Canada intervient beaucoup dans la vie économique du pays, on peut consulter les comptes nationaux sur une base historique ou comparative. En effet, ces comptes nous permettent de voir la part des dépenses de chaque gouvernement (fédéral, provinciaux et municipaux) dans l'ensemble de la vie économique. Ainsi, depuis soixante ans, au Canada, les dépenses de tous les gouvernements sont passées de 16 % du produit national brut à la fin des années 1920 à 50 % en 1991. Cependant, la progression n'a jamais été régulière et ce n'est que tout récemment que les gouvernements ont rejoint et dépassé le sommet du 45 % du produit national brut dépensé au plus fort de la guerre de 1939-1945. Sur le plan international, les comptes nationaux publiés par l'Organisation de coopération et de développement économiques (l'OCDE) montrent que la Suède est le pays le plus interventionniste et le Japon le moins interventionniste des États membres. Quant au Canada, il se situe au niveau des pays européens comme la France, l'Allemagne et l'Italie et nettement au-dessus des États-Unis, de la Grande-Bretagne et du Japon.

Dans les comparaisons internationales, il faut tenir compte du contexte *politique* et *social*. Concernant le contexte *politique*, il est à noter qu'en dehors du groupe de pays capitalistes représentés par l'OCDE, bon nombre de pays, socialistes ou communistes, rejettent toute distinction entre le public et le privé. Dans ces pays, la doctrine officielle envisage l'administration comme étant au service du peuple, du mouvement ou du parti qui est censé le représenter. Les fonctionnaires doivent appuyer activement le gouvernement et faire preuve de militantisme ; on rejette la notion de fonctionnaires permanents, spécialistes neutres au-dessus des luttes politiques. Dans les pays capitalistes par contre, on demande aux fonctionnaires d'être compétents et impartiaux et souvent de jouer un rôle d'arbitre entre différents groupes en conflit dans la société. Dans ces pays, l'administration publique est censée obéir aux gouvernements élus ; toutefois les fonctionnaires, parce qu'ils sont protégés par leur statut et leurs conventions collectives, sont à l'abri d'une soumission totale à ces élus. Dans plusieurs pays occidentaux, particulièrement en Amérique du Nord, on considère que l'administration publique est comparable à l'administration des affaires et à cet effet on lui applique des notions telles que rentabilité, productivité et rendement, empruntées au monde des affaires. Dans la plupart des pays du Tiers-Monde, malgré des emprunts de terminologie aux anciens pays colonisateurs, rares sont les gouvernements qui désirent une fonction publique neutre et indépendante. Cette fonction publique est plutôt considérée comme étant un élément essentiel de la construction d'une nation nouvelle et comme le moteur du développement économique et social ; elle doit donc être fidèle aux objectifs et aux leaders gouvernementaux. Nous reviendrons sur cette question au chapitre 11 lorsque nous traiterons des idéologies et des doctrines.

Au-delà des différences provenant des types de système politique, on observe des différences *sociales et culturelles* chez des pays possédant des systèmes politiques comparables. Par exemple, d'un pays à l'autre, on trouve des variations dans le degré de formalisme du comportement ou dans l'importance accordée à la ponctualité. Ainsi, Michel Crozier souligne la grande variété de comportements des bureaucrates des pays occidentaux ; il attribue la préférence des fonctionnaires français pour une bureaucratie rigide à leur égalitarisme prononcé. Selon lui, ce fonctionnaire préfère être gouverné par des règles formelles, trop détaillées pour être réalistes, que d'être soumis aux ordres d'un chef immédiat ayant des pouvoirs substantiels (Crozier, 1963). Pour sa part, Vincent Lemieux note, dans une étude comparative du patronage, que la présence de l'Église catholique dans les pays méditerranéens et au Québec a fourni, avec le langage des saints qui interviennent pour les fidèles auprès de Dieu, une métaphore qu'on utilise plus ou moins consciemment pour décrire le favoritisme partisan (Lemieux, 1977). Selon cette théorie, les citoyens de pays à forte tradition catholique trouvent normal qu'il leur faille un patron (ministre, député ou organisateur) pour intervenir avec succès auprès du gouvernement ou de l'administration. Il faut noter que si l'administration subit l'influence des moeurs et des coutumes, elle les influence à son tour. Par exemple, un changement d'horaire d'un service public pourrait modifier les habitudes alimentaires de toute une ville (la capitale) ou encore rendre la tâche plus ou moins facile aux jeunes ménages ayant des enfants à charge.

Quant au contexte immédiat propre à l'administration publique, on peut s'interroger sur les différences entre le *secteur public* et le *secteur privé* dans une société comme la nôtre. La différence ne tient pas à la taille des organisations (McCurdy, 1978). Les différences relèvent plutôt du mandat de l'administration et des modalités qui en découlent. Le mandat de l'État est beaucoup plus complexe que celui d'une entreprise privée, même s'il s'agit d'un conglomérat qui produit des choses aussi variées que des livres, de la bière ou de la machinerie agricole. L'État emploie des personnes appartenant à presque tous les corps de métiers et professions tout en étant le seul employeur possible de certains, tels les soldats, douaniers, contrôleurs aériens ... Parce que son objectif est de satisfaire l'intérêt public, tel que défini par la constitution et les lois, le critère d'efficacité d'une administration publique n'est pas le profit mais la production de biens et services de bonne qualité et à un coût raisonnable. Parce qu'il s'agit de l'État, une administration publique doit vivre avec des contrôles exceptionnels qui émanent des gouvernements élus, des législatures et des tribunaux. On lui demandera donc d'être démocratique, de justifier ses actes devant les élus et le public, d'assurer l'égalité de tous les citoyens et citoyennes en ce qui a trait à l'accès aux services publics et aux emplois dans la fonction publique, de respecter toutes les procédures établies sous l'empire des lois et règlements et enfin d'être impartiale et équitable tout en étant efficace. La tâche des cadres supérieurs de l'administration publique est donc plus lourde et plus complexe que celle des cadres de l'entreprise privée, et ce de l'aveu de personnes qui ont travaillé dans les deux secteurs (Gow, 1984, p. 101).

Une des plus grandes différences entre les administrations publiques et privées réside dans le mode de financement. Si certains services publics sont financés par leurs revenus propres, tout comme une entreprise privée, la majorité des fonds des administrations publiques proviennent des taxes, redevances, droits, etc. que doivent payer individus et corporations. L'absence de la nécessité d'être rentable pose un problème pour chaque gouvernement. Même si on admet qu'une activité, un service ou une aide financière est désirable, juste ou nécessaire, comment savoir quelles quantité et qualité offrir à même l'argent des contribuables? Depuis plusieurs années en Amérique du Nord, on parle d'une révolte des contribuables ; nombreux sont les contribuables qui considèrent que les taxes sont trop élevées et qui sont persuadés que le «gouvernement» pourrait facilement faire des économies dans l'administration publique. Toutefois, ils ne veulent pas que les services qui les intéressent soient coupés. Cette absence de liens entre les revenus et les dépenses est un des problèmes les plus importants en administration publique. Un service paraît gratuit au moment de le consommer (l'instruction publique ou les soins hospitaliers par exemple) tandis que le fardeau des taxes (impôts, taxes sur la consommation, etc.) paraît toujours plus lourd. Et pour comble de difficultés, les citoyens tiennent à la continuité de leurs services publics : d'après maints sondages, ils sont beaucoup plus hostiles aux grèves dans les services publics que dans le secteur privé.

Notons enfin qu'il y a une zone grise située entre les secteurs public et privé dans laquelle se retrouvent les entreprises et associations vivant en symbiose avec l'État. Parmi les entreprises privées, certaines ont été déclarées d'intérêt public par la législation touchant les transports et les communications ou encore par le Code du travail, alors que d'autres dépendent essentiellement des contrats gouvernementaux pour leur survie, comme l'armement et la construction aéronautique par exemple. Les premières font l'objet d'une surveillance spéciale par l'administration publique et les secondes jouissent d'un statut quasi public à cause des conséquences économiques (et politiques) d'une baisse d'appui gouvernemental. Enfin, en troisième lieu, on retrouve un bon nombre d'entreprises mixtes, c'est-à-dire où l'État détient une partie des actions et où l'autre partie appartient à des particuliers ou à des institutions privées. C'est ainsi que la Caisse de dépôts et de placements du Québec, le plus important investisseur institutionnel au Canada, détient des blocs considérables d'actions dans plusieurs entreprises québécoises dont Provigo et Domtar. Dans cette même zone grise, on retrouve également plusieurs associations volontaires, coopératives et regroupements de citoyens qui jouissent du statut d'interlocuteurs privilégiés du gouvernement et de l'administration. Dans la mise en marché des produits agricoles par exemple, le Québec, comme d'autres provinces, a adopté une formule par laquelle l'État délègue aux producteurs de nombreux produits le droit de limiter leur production et de contrôler leur mise en marché. On verra au chapitre 10 d'autres exemples de groupes ou d'associations qui jouissent d'un statut spécial auprès de l'administration. L'ampleur de cette zone grise nous signale que la distinction entre le public et le privé n'est plus aussi nette qu'elle l'était et que c'est parfois dans l'intérêt du gouvernement de confier une mission d'intérêt public à un agent non étatique.

Donc, il faut situer une administration publique par rapport à son histoire, sa place dans le système politique par rapport à ce qui se fait ailleurs, sa culture administrative par rapport aux valeurs de la société qui l'entoure et ses rôle et fonction par rapport à ceux des administrations des secteurs mixtes et privés.

1.3
LES COMPOSANTES ET LEUR IMPORTANCE POUR LE SYSTÈME POLITIQUE

Si on considère toutes les dimensions de l'administration publique, on comprend qu'il s'agit d'un élément vital pour toute société. Lorsque nous passerons en revue les composantes identifiées ci-dessus, nous expliquerons mieux cet énoncé.

Les *activités* de l'administration soulèvent des questions touchant le contenu des politiques publiques et des processus de leur mise en œuvre. Bien qu'il y ait d'autres disciplines qui s'y intéressent aussi, l'administration publique se spécialise dans ce que fait l'État, comment et avec quel résultat. Le champ des activités publiques est aujourd'hui immense, il touche la vie de chaque citoyen. Quand on tient compte de toutes les taxes et redevances, et ce à tous les niveaux de gouvernement au Canada, on estime qu'aujourd'hui 37,5 % du revenu de chaque famille canadienne est destiné à l'État (Pipes et Walker, 1979). Bien sûr, en revanche, le citoyen reçoit des biens et services de cet État, mais on comprend l'importance d'un fonctionnement efficace et économique des services publics. Près d'un tiers des Québécois reçoivent des prestations des administrations québécoise ou fédérale, dans

le cadre des grands programmes de l'État providence : pensions de vieillesse, aide sociale, assurance-chômage, indemnisation des accidents du travail, bourses d'études, etc. (Girard, 1984). L'administration de ces
programmes est une tâche immense qui mobilise des centaines de milliers
de personnes et qui implique des opérations en si grand nombre qu'il est
difficile de saisir leur signification. Par exemple, la Régie de l'assurance-
maladie du Québec doit payer annuellement quelque 55 millions de factures qui lui sont soumises par les médecins pratiquants du Québec. Pour la
bonne marche du système d'assurance-maladie, il est essentiel que ces factures soient acquittées dans des délais raisonnables, et ce au moindre coût
possible. Nous verrons les activités de l'administration publique en termes
de revenus et de dépenses publics au chapitre qui porte sur les finances publiques, soit le chapitre 5.

Tandis que d'autres disciplines ou approches vont mieux connaître les
problèmes associés à un domaine particulier tel que la politique agricole, la
santé publique ou la pollution, ceux qui s'intéressent à l'administration se
spécialisent dans les *processus* administratifs communs à tous ces domaines.
Cette étude, abordée au chapitre 3, s'interroge sur les façons de s'assurer que
l'État puisse agir de manière rationnelle, efficace, économique, honnête et
légale. La capacité des gouvernements de bien gérer l'administration publique est aujourd'hui au cœur des débats politiques. Ainsi, les partis à tendance conservatrice sont persuadés que l'État est inefficace et gaspilleur,
tandis que les partis de gauche sont conscients de la nécessité d'être de bons
gestionnaires, sinon d'être démis de leur fonction par les électeurs (Gow,
1984, p. 70). Les processus nous apprennent quelles sont les contraintes
techniques qui affectent la capacité d'un État de réaliser les objectifs de son
gouvernement. Après un chapitre général sur cette question (le chapitre 3),
nous y reviendrons au chapitre 5 où il sera alors question du processus budgétaire, soit celui qui détermine les ressources financières dont disposeront
les services administratifs.

Avec les processus, les *institutions* administratives sont vitales dans le
système politique. Elles font partie des institutions politiques, ou appareils
d'État, au même titre que les institutions législatives, judiciaires, militaires et
régionales (Miliband, 1973, p. 62-81). L'administration publique est donc un
ensemble d'acteurs institutionnels qui sont en étroite relation avec les ministres, députés, juges, partis et groupes d'intérêt d'une société. Parmi les
choses qu'il faut connaître de tout système politique, bon nombre impliquent l'administration : le système est-il centralisé ou décentralisé ? Les
fonctionnaires sont-ils dominés par les forces politiques ou possèdent-ils un
certain pouvoir de type bureaucratique ou technocratique ? Les citoyens ont-
ils des droits face à l'administration ou les tient-elle à sa discrétion ? Tout
projet politique doit proposer des réponses à ces questions. Nous traiterons
des structures ou institutions administratives au chapitre 4 et de leurs relations avec les autres institutions étatiques au chapitre 9.

L'administration n'est pas seulement un ensemble d'acteurs institutionnels, c'est aussi un ensemble de *personnes* qui constituent la fonction publique ou qui se retrouvent dans les secteurs public ou parapublic. Habituellement, on distingue au moins deux échelons parmi le personnel de l'État. Au sommet, on trouve les élites administratives. Il importe de savoir comment ces personnes sont choisies? Quelles sont leurs origines sociales et géographiques? Quelle est leur formation professionnelle? leur profil de carrière? Par exemple, existe-t-il des familles de fonctionnaires où les enfants suivent les traces de leurs parents, cadres ou employés? Est-ce que la fonction publique privilégie une formation professionnelle particulière ou les diplômés de différentes disciplines ont-ils des chances à peu près égales d'accéder aux sommets administratifs? Les hauts fonctionnaires ont-ils fait toute leur carrière au sein de la fonction publique ou ont-ils eu une expérience des secteurs privé, universitaire ou autre? S'agit-il d'une élite dominée par certains groupes ethniques, linguistiques, religieux, etc. ou est-ce que tous et toutes y sont convenablement représentés? Ces hauts fonctionnaires sont les conseillers des ministres et les gestionnaires des grands programmes gouvernementaux. De leurs capacités, de leurs compétences ainsi que de leurs attitudes et opinions dépend, en bonne partie, la capacité de l'État de prendre de bonnes décisions d'abord et de les exécuter par la suite.

En dessous des élites administratives il y a les employés ; qu'ils soient professionnels, techniciens, commis ou ouvriers, ils sont beaucoup plus nombreux que les élites. Il est aussi important de connaître leur origine, les cours qu'ils ont suivis et leurs appartenances sociales, ethniques, géographiques ou autres. Cependant, ils nous intéressent davantage sur deux autres plans, tous les deux très politiques : d'une part, ils sont en majorité syndiqués et il importe de savoir quels sont leurs attitudes et comportements en ce qui a trait à leur syndicat, aux relations de travail, à la grève, etc. ; d'autre part, comme ils sont des électeurs, leur poids dans le système politique doit être compris en rapport avec leurs idées politiques, leurs relations avec les partis politiques et leur cote auprès du grand public. Les questions traitant de la gestion du personnel dans la fonction publique font l'objet du chapitre 6.

L'administration publique est aussi un *art* ou une *science*, un ensemble de connaissances applicables à la compréhension et à la bonne utilisation des institutions, des processus et des personnels en question. Cet ensemble de connaissances peut être abordé en tant que science désintéressée qui cherche à comprendre le phénomène social sans l'orienter, ou en science appliquée qui cherche à améliorer l'organisation et le fonctionnement de l'administration (voir le chapitre 2). On y étudiera également les différentes doctrines administratives qui constituent le cadre dans lequel la connaissance doit être comprise et utilisée. Dans tout ceci il y a une bonne part d'idéologie, comme nous le verrons plus loin. Il faut aussi s'interroger sur la manière dont les grandes théories traitent de l'administration publique (chapitres 2 et 11).

Des activités, des institutions, des personnes et des idées, c'est déjà beaucoup, mais pour comprendre toute l'importance et la complexité de l'administration publique il faut considérer les *enjeux* de son travail sous plusieurs aspects. Dans l'immédiat, il s'agit de produire, dans les meilleures conditions, les biens et services choisis par le gouvernement et la législature. À plus long terme cependant, les enjeux sont plus considérables, car il s'agit de l'allocation des ressources et de l'orientation de l'économie. L'allocation des ressources est décidée par le gouvernement, notamment dans son programme législatif et budgétaire, mais l'administration y joue un rôle aussi. Par son efficacité, ou le contraire, elle peut accaparer une part plus ou moins grande des ressources et elle peut ou non obtenir des résultats qui justifieront leur utilisation. Par ses actions et ses conseils, elle aura un effet sur l'efficacité des politiques de redistribution des revenus que représentent les grands programmes de l'État providence; l'administration a des effets d'entraînement qui affectent l'allocation des ressources. L'exemple qui nous vient immédiatement à l'esprit est celui des conventions collectives qui lient le gouvernement et qui, à cause des négociations qui les précèdent, limitent sa marge de manœuvre dans le choix des objectifs et des priorités. Un grand nombre de programmes, par décision de la législature, sont votés sur une base pluriannuelle; par exemple: les paiements du service de la dette, les allocations familiales et les salaires des juges. Le résultat est que chaque année, un pourcentage parfois considérable des dépenses n'est pas voté et n'apparaît dans les documents budgétaires qu'à des fins d'information. Au fédéral, ce pourcentage oscille autour de 70 % du budget des dépenses alors qu'il n'est que de 20 % au Québec (Bernard, 1992, p. 320-327). On comprend que ces programmes, qui sont en quelque sorte permanents, limitent la marge de manœuvre du gouvernement pour autant car il ne peut y revenir qu'en changeant la législation qui les crée (voir le chapitre 5).

L'orientation de l'économie est affectée non seulement par l'allocation des ressources, mais aussi par le contenu d'autres politiques. D'abord, les décisions d'investissements publics affectent toute l'économie; le moment et le lieu de la mise en place des équipements collectifs, par exemple une autoroute, un havre ou un foyer, affectent l'économie régionale et même nationale; par sa politique d'achat, le gouvernement peut encourager l'industrie locale (par exemple, par le choix de certains micro-ordinateurs pour les écoles); par la réglementation des industries telles que le transport et les communications, le salaire minimum ou les accidents du travail, les loyers ou la langue de travail, le gouvernement et l'administration façonnent l'économie du pays. Enfin, les subventions, prêts et dégrèvements fiscaux que les gouvernements accordent aux différentes industries aident ou freinent leur développement (Blais et Faucher, 1981).

Par ses politiques et ses pratiques, l'administration publique affecte aussi la vie sociale de ses employés et des citoyens. Ainsi, les conditions de vie au travail, les garderies, les congés parentaux, l'horaire flexible, les jours fériés, etc., tous ces éléments affectent la qualité de la vie des employés du secteur public et de leurs familles. Quant aux règles entourant les prestations d'aide sociale et leur interprétation par les fonctionnaires, elles ont elles aussi une grande influence sur les familles dans le besoin, les familles monoparentales, etc.

Finalement, à plus ou moins long terme, l'administration publique affecte la qualité de la vie politique; elle acquiert un certain pouvoir (comme nous le verrons plus loin aux chapitres 7 et 8); l'État sera plus ou moins démocratique à cause d'elle. Sa conduite aura des répercussions directes sur la légitimité de l'État dans sa façon d'être perçue par les citoyens. Si les fonctionnaires sont inefficaces, insolents, corporatistes... les électeurs peuvent se retourner contre le gouvernement au pouvoir ou contre l'État lui-même. Une telle révolte peut se manifester par la fraude et l'évasion fiscale, l'élection de partis anti-étatistes ou par l'appui à des législations restreignant les droits politiques et syndicaux des fonctionnaires. Par contre, si les fonctionnaires sont généralement bien perçus dans la société et s'ils reflètent l'image d'une carrière prestigieuse qui attire les meilleurs éléments parmi la jeunesse, les débats politiques auront une tout autre allure. Il faut également s'interroger sur la possibilité que les fonctionnaires deviennent la cible de débats politiques sans que les réalités soient bien reflétées par ces débats. En somme, toutes les grandes valeurs politiques, à savoir la démocratie, la liberté, l'égalité, la justice, peuvent être impliquées par les faits et gestes de l'administration.

L'administration a des contacts beaucoup plus nombreux et complexes avec les citoyens que les ministres et les députés eux-mêmes. Il faut s'interroger sur ces relations, qu'elles impliquent les citoyens en tant qu'individus ou en tant que groupes constitués en corporations, syndicats, associations ou fédérations. Nous étudierons, au chapitre 10, les problèmes qui surgissent lorsque l'administration informe, consulte ou négocie avec les citoyens et quand ces derniers tentent d'influencer l'administration par le biais de la pression et de la participation.

Pour toutes ces raisons, l'administration publique doit être abordée par la théorie politique. Quiconque prétend analyser le rôle et le fonctionnement de l'État, la théorie des classes sociales, les idéologies politiques, le comportement politique, la participation des citoyens à la vie publique... doit désormais accorder une place aux administrations publiques et à leurs agents. Si l'administration n'a pas toujours été considérée comme étant un phénomène important par ceux qui étudiaient les classes sociales, le nationalisme, les révolutions ou le développement économique, social et politique, elle s'impose maintenant de plus en plus comme un problème qui doit avoir sa part d'attention dans des discours théoriques situés au niveau de la société tout entière. Nous verrons au chapitre 11 qu'elle est une fonction politique essentielle qu'on ne peut ignorer sans risquer d'avoir une vue incomplète du système politique.

CONCLUSION

Dans ce chapitre, nous avons soutenu deux propositions: l'une voulant que l'administration publique soit un domaine plus complexe qu'elle ne le paraît à première vue, l'autre soulignant son importance dans la formation d'un politicologue. Nous avons défini son champ comme étant celui de la préparation et l'exécution des décisions politiques, ses composantes comme étant une activité ou un processus, des institutions, des personnes et des connaissances ou une «science administrative». Chaque composante comporte des enjeux pour le système politique et ses divers acteurs, d'où les implications théoriques, idéologiques et pratiques de cette matière.

Puisqu'il s'agit d'un livre d'introduction à l'administration publique, la priorité ira à la transmission des notions et concepts de base nécessaires pour bien comprendre cette matière. Nous puiserons nos exemples dans les administrations qui nous sont familières, soit celles du Canada et du Québec, mais il ne s'agira pas d'une introduction à ces administrations car, pour cela, il faudrait une présentation historique et des éléments descriptifs qui dépasseraient les limites d'un tel volume. Enfin, la bibliographie orientera le lecteur vers les ouvrages appropriés qui pourront répondre à leurs besoins[3].

NOTES

(1) Cette distinction, qui se trouve dans les documents portant sur la classification des emplois, est aussi présente dans plusieurs dictionnaires comme l'une des acceptions de «gestion» (Sauvé, 1983).

(2) Sur l'histoire de l'administration canadienne, consultez: HODGETTS (1973) et HODGETTS *et al.* (1975); sur celle du Québec: GOW (1986) et BERNARD (1992).

(3) Concernant le Canada et le Québec, en plus de la bibliographie donnée à la fin de chaque chapitre, nous recommandons particulièrement deux ouvrages: Institut d'administration publique du Canada, *Administration publique canadienne: bibliographie*, compilée par Germain Julien et W.E. Gresham (1972), avec des suppléments qui l'amènent jusqu'en 1985; on consultera également Cabatoff, K. et M. Iezzoni, *Bibliographie sur l'administration publique québécoise*, Département de science politique de l'Université Concordia, 1985.

BIBLIOGRAPHIE

BERNARD, A. (1992) *Politique et gestion des finances publiques: Québec et Canada*, Sillery, Les Presses de l'Université du Québec.

BLAIS, A. et FAUCHER, P. (1981) «La politique industrielle dans les économies industrielles avancées», *Revue canadienne de science politique*, Vol. XIV(1), p. 3-35.

BRETON, A. (1966) «A Theory of Demand for Public Goods», *Canadian Journal of Economics and political Science*, p. 455-467.

CROZIER, M. (1963) *Le phénomène bureaucratique*, Paris, Seuil.

EISENSTADT, S.N. (1969) *The Political Systems of Empires. The Rise and Fall of the Historical Bureaucratic Societies*, New York, Free Press.

GAGNÉ, A. (1984) «Les niveaux de décision et les systèmes de gestion», *in* A. Riverin (dir.) *Le management des affaires publiques*, Chicoutimi, Gaëtan Morin.

GARANT, P. (1966) *Essai sur le service public*, Québec, PUL.

GIRARD, M. (1983) «L'État-providence : un Québécois sur trois en profite», *La Presse*, Montréal, 8 octobre 1983.

GOW, J.I. (1986) *Histoire de l'administration publique québécoise, 1867-1970*, Montréal, Presses de l'Université de Montréal.

GOW, J.I. (1984) «La réforme institutionnelle de la fonction publique de 1983 : contexte, contenu et enjeux», *Politique*, Vol. 6, p. 51-101.

HODGETTS, J.E. (1983) «Implicit Values in the Administration of Public Affairs», *in* K. Kernaghan, *Canadian Public Administration : Discipline and Profession*, Toronto, Butterworths.

HODGETTS, J.E. (1973) *The Canadian Public Service : A Physiology of Government 1867-1970*, Toronto, University of Toronto Press.

HODGETTS, J.E. *et al.* (1975) *Histoire d'une institution : la Commission de la fonction publique du Canada, 1908-1967*, Québec, PUL.

LEMIEUX, V. (1977) *Le patronage politique : une étude comparative*, Québec, PUL.

McCURDY, H. (1978) «Selecting and Training Public Managers : Business Skills vs Public Administration», *Public Administration Review*,Vol. XXXVIII(6), p. 571-578.

MEHL, L. (1967) «Pour une histoire de l'administration publique», *Revue administrative*, p. 9-13.

MILIBAND, R. (1973) *L'État dans la société capitaliste. Analyse du système de pouvoir occidental*, Paris, Maspero.

NIOCHE, J.-P. (1982) «Science administrative, management public et analyse des politiques publiques», *Revue française d'administration publique*, N° 24, p. 635-649.

OLSON, M. (1971) *The Logic of Collective Action*, Cambridge Mass., Harvard University Press.

PAYETTE, A. (1992) «Éléments pour une conception du management public», *in* R. Parenteau (dir.) *Management public*, Sillery, Les Presses de l'Université du Québec.

RAPPORT FORTIER (1986) *Privatisation des sociétés d'État : orientations et perspectives*. Québec. Ministère des Finances. Ministre délégué à la privatisation. Pierre Fortier.

SAUVÉ, M. (1982a) «Administration», *Observations grammaticales et terminologiques*, Fiche numéro 193, Montréal, Université de Montréal.

SAUVÉ, M. (1982b) «À propos de Management», I et II, *Observations grammaticales et terminologiques*, Fiches numéros 191 et 192, Montréal, Université de Montréal.

SAUVÉ, M. (1983) «Gestion», *Observations grammaticales et terminologiques*, Fiche numéro 198, Montréal, Université de Montréal.

SAUVY, A. (1967) *Bureaux et bureaucrates*, Paris, PUF, 3ᵉ éd., Coll. Que sais-je? nᵒ 712.

SAVAS, E.S. (1987) *Privatization, the Key to Better Government*, Chatham N.J., Chatham House.

SIMON, H.A., SMITHBURG, D.W. et THOMPSON, V.A. (1961) *Public Administration*, New York, Knopf.

Chapitre **2**

Comment étudier l'administration publique ?

James Iain Gow

PLAN

Contrairement aux apparences, la question soulevée par le titre de ce chapitre est loin d'être simple. D'abord nous verrons que malgré sa longue histoire, la science administrative reste divisée par des différences d'ordre historique, idéologique et scientifique et que d'autres problèmes découlent de son statut de science normative. Comment, en effet, réconcilier les exigences d'une science qui cherche à être utile et pratique avec celles d'une science qui se veut explicative et critique? Après avoir exposé notre conception de la méthodologie, nous présenterons alors le cadre d'analyse stratégique qui, parce que basé sur l'étude des relations de pouvoir, nous paraît le plus utile à une approche politique.

2.1
LA SCIENCE ADMINISTRATIVE

À vrai dire, il n'y a pas une mais des sciences administratives, c'est-à-dire autant qu'il y a d'approches possibles à cette matière et de disciplines qui s'y intéressent. Ainsi, c'est un champ d'étude très ancien, c'est une science pratique ou normative dans la majorité des cas et c'est une science fragmentée par des différences nationalistes, idéologiques et scientifiques.

La science administrative est très *ancienne*. En effet, dans tous les grands empires de l'antiquité, l'empereur était entouré de fonctionnaires instruits, que ce soit les scribes en Égypte ou les mandarins en Chine, qui préparaient et exécutaient ses décisions. En plus d'être capables de lire et d'écrire (compétences rares et précieuses à l'époque) ces personnes connaissaient certains éléments d'organisation, de finance, de commerce, de droit de même que des rites et coutumes. Ainsi, on trouve des écoles d'administration en Égypte, en Inde, en Chine et à Rome. En plus d'un savoir, ces écoles transmettaient des principes et des règles de conduite, car:

> Une organisation complexe va chercher à se perpétuer par la fondation d'écoles d'enseignement où ses valeurs seront transmises aux jeunes (Gingras, 1980, p. 196).

Le système de la Chine est celui qui a exercé la plus grande influence. Son principe de sélection des hauts fonctionnaires par voie d'examens écrits remonte à 200 ans avant Jésus-Christ et cette méthode, quoique perfectionnée, sera utilisée jusqu'à la révolution de Sun Yatsen, soit jusqu'en 1911. Très tôt y apparaissent les premières encyclopédies dont le but est de permettre aux jeunes prometteurs de se préparer aux examens qui avaient lieu tous les trois ans (Balasz, 1959). En Grande-Bretagne, la Compagnie des Indes orientales s'inspire du modèle chinois et crée une école de formation de ses fonctionnaires à Haileybury, en 1806; elle instaurera alors un système d'examens écrits pour y accéder. Cet exemple sera utile lorsque le gouvernement britannique cherchera à rendre sa fonction publique plus compétente et plus efficace, cinquante ans plus tard.

Ainsi, la première grande réforme d'une fonction publique des temps modernes s'inspira du système millénaire chinois. Il faut aussi mentionner l'existence, dans les pays germaniques, d'une autre tradition beaucoup moins ancienne, celle du caméralisme. Les sciences camérales, qui se sont développées en Prusse et en Autriche au XVIIIᵉ siècle, sont composées de règles pratiques pour l'administration économique et financière de l'État absolutiste. (Rapport Molitor, Unesco, 1958, p. 30.) Elles seront éclipsées par la montée du droit administratif en Allemagne et en France au cours du XIXᵉ siècle, mais il en restera une disposition qui facilitera la pénétration de la science administrative américaine en Allemagne au cours des années 1960.

Si la science administrative est très ancienne, elle est aussi très souvent *normative*. Selon le *Petit Robert*, une science normative est une science «dont l'objet est constitué par des jugements de valeur, et qui donne des règles, des préceptes». Dans ce cas précis, la science administrative, à l'origine, devait être utile d'abord aux gouvernants et aux hauts fonctionnaires, ensuite aux aspirants aux postes de la fonction publique. Or, pour être utile, il faut qu'on accepte les valeurs de celui qu'on veut servir. Il est inutile de proposer un plan si on sait à l'avance que le décideur s'oppose à vos objectifs. Voici le lien entre les jugements de valeur et le fait de proposer des règles ou des préceptes dans la définition susmentionnée. Si la science administrative doit être surtout pratique, c'est-à-dire être une science sociale appliquée, alors il faut qu'elle endosse les valeurs du système politique à quelques exceptions près. Il ne peut y avoir de recommandations sans qu'elle se réfère à des valeurs qui permettent le choix parmi plusieurs types d'action, parmi plusieurs états futurs qu'on cherche à réaliser.

Cette constatation a des conséquences importantes pour l'étude de l'administration publique. Une science normative doit être modeste dans ses prétentions pour deux raisons : premièrement, il y a toujours des impondérables dans l'action, des situations nouvelles et des renseignements incomplets, de sorte que la majorité des praticiens de l'administration publique considèrent qu'elle est autant un art qu'une science; deuxièmement, une science qui doit être utile est limitée dans l'étendue de ses investigations et ne peut prétendre à l'observation désintéressée du chercheur d'une science pure ou fondamentale. Cette contradiction est assez importante pour que certains auteurs refusent le titre de science aux sciences normatives (Duverger, 1964, p. 34). En soi, cette distinction ne constitue pas un obstacle insurmontable, mais il est très important qu'elle soit retenue. Il y a, depuis le début du siècle, des études qui se veulent aussi scientifiques et objectives que possible, «des tentatives pour saisir globalement le phénomène administratif» (Chevallier et Loschak, 1974, p. 27). Nous parlerons de ces approches plus loin; pour l'instant, il faut se rappeler que devant tout écrit d'administration publique, il est important de savoir s'il est de nature pratique (normative) ou scientifique. Les critères d'appréciation seront différents d'un genre à l'autre. Ainsi, bon nombre d'écrits, livres, rapports et articles ont un objectif pratique, pour les apprécier, il faut donc être attentif à leurs postulats normatifs et idéologiques. Cette préoccupation ne doit cependant pas être absente face à d'autres textes, mais dans ce cas, les critères d'évaluation seront davantage ceux de la méthodologie et du raisonnement théorique des sciences sociales.

La science administrative est une science éclatée par des *divisions d'origine nationale, idéologique et scientifique.* Les *divisions nationales* appartiennent à l'histoire politique de chaque pays. C'est de l'expérience pratique et non de réflexions abstraites que proviennent les doctrines touchant le rôle et la place des fonctionnaires dans le système politique et la formation idéale du haut fonctionnaire. Le droit administratif demeure probablement la matière privilégiée par le plus grand nombre de pays, car il est la formation préférée en Europe, en Amérique Latine et au Japon. En France toutefois, une combinaison d'études en droit suivies d'un diplôme d'études supérieures en science politique est la voie dominante d'accession à l'École nationale d'administration et, éventuellement, à la carrière de haut fonctionnaire. En Europe occidentale, la Grande-Bretagne fait bande à part, puisque son administration accorde toujours une nette préférence aux diplômés des humanités et des lettres lors du recrutement et de la sélection de ses futurs cadres supérieurs. Les États-Unis et l'ex-U.R.S.S., pourtant si opposés sur le plan idéologique, partageaient un même point de vue quant à la formation des hauts fonctionnaires. Ainsi, plutôt que de recruter une élite administrative à la fin des études universitaires, ils ont préféré embaucher des spécialistes de différentes disciplines à un niveau intermédiaire et les mettre à l'épreuve, utilisant en cela le processus de la sélection par la promotion. Dans chaque pays, on admet qu'il y a des connaissances que doivent posséder l'ingénieur, l'agronome, le comptable, etc., avant d'accéder aux postes supérieurs de la fonction publique. Aux États-Unis, comme on le verra plus loin, il y a une science appliquée qui s'appelle administration publique: elle est enseignée dans des écoles du même nom ou dans des départements de science politique et ses diplômés peuvent aspirer à des postes de niveau intermédiaire au sein de la fonction publique. Elle constitue également la base des cours de perfectionnement qu'on offre aux fonctionnaires montants afin de les préparer aux postes supérieurs. Cependant, les différences avec la situation en Europe sont au nombre de trois : 1° le contenu de cet enseignement est plus pratique, plus près de celui des sciences de la gestion des affaires, 2° les diplômés n'ont pas de corps de fonctionnaires spécifique qui leur est réservé, 3° tous les diplômés d'universités, ceux d'administration compris, doivent gravir les échelons avant d'accéder aux postes d'élite. Bien que toujours opposés à l'idée d'une caste d'administrateurs professionnels assez autonomes du Parti communiste, les autorités dirigeantes de l'U.R.S.S. ont fini par admettre qu'il y a certaines connaissances techniques, que ce soit en science économique, psychologie sociale, psychologie du travail, informatique, etc., que les cadres moyens et supérieurs doivent posséder (Petrov, 1969; Tikhomirov, 1973, p. 179-191).

La science administrative est également morcelée pour des raisons *idéologiques*. Son contenu en Union soviétique était différent de celui des États-Unis. Tous les ouvrages soviétiques traitant de science administrative s'efforçaient de démontrer que leurs idées étaient en accord avec les grands principes du matérialisme historique et avec la démocratie populaire sous la direction éclairée du Parti communiste. Cependant, des auteurs soviétiques et occidentaux ayant analysé les fondements idéologiques de la science administrative américaine ont découvert que celle-ci nierait le conflit inhérent aux relations entre patrons et employés et mettrait de l'avant une conception de la personne et du travail très proche de celle du capitalisme (Gvichiani, 1974 ; Siwek-Pouydesseau, 1974). Par ailleurs, parmi les auteurs d'un même système économique et social, on retrouve des différences notoires, lesquelles s'expliquent par des facteurs idéologiques et psychologiques : certains sont autoritaires, d'autres démocratiques; certains insistent sur les obligations des participants, d'autres plutôt sur leurs droits; d'aucuns pensent que les êtres humains se réalisent par le travail, d'autres enfin que le travail n'est qu'un fardeau dont il faut se libérer autant que possible.

En plus des différences nationales et idéologiques, la science administrative est profondément divisée par des *approches scientifiques et disciplinaires variées*. D'une part, plusieurs disciplines fondamentales s'y intéressent. À titre d'exemple, on peut citer:

- Le droit, pour ce qui est des institutions administratives et de leurs règles de fonctionnement, les rapports entre les citoyens et l'État, et le contrôle juridique de l'administration;

- La science économique, en ce qui concerne l'offre, la demande, le coût et le rendement des services publics, la politique industrielle, la réglementation de l'industrie et du commerce, etc.;

- La sociologie des organisations, de la bureaucratie, des élites administratives, des classes sociales, des professions;

- La psychologie, en ce qui a trait au comportement, à la motivation et à la rationalité, de même qu'à la mesure des habiletés et des compétences des employés au moment de leur recrutement ou de leur avancement;

- L'histoire des systèmes politiques, économiques et sociaux;

- La science politique, en matière de contrôle et de responsabilité du pouvoir administratif, d'analyse des systèmes politiques ou encore de théorie de l'État.

À cette liste, on peut ajouter plusieurs sciences appliquées qui, elles aussi, se penchent sur l'administration publique:

- Les écoles et les facultés d'administration ou de management qui préparent les étudiants pour des carrières, autant dans le secteur public que dans les affaires;

- Les relations industrielles, qui accordent une attention particulière aux négociations collectives, aux grèves, aux traitements et avantages sociaux et à la gestion du personnel dans le secteur public;

- Et enfin, les disciplines sectorielles qui relèvent du secteur public telles que le service social, l'administration scolaire ou hospitalière et la criminologie.

Bien que chaque approche ait sa problématique et sa méthodologie, quelques-unes ont la prétention de fournir un cadre d'analyse susceptible de rendre compte de toutes les dimensions de l'administration publique. Les plus importantes sont l'approche politique, basée sur l'étude des systèmes politiques, l'approche juridique, avec les institutions et les règles de fonctionnement comme objets privilégiés, la sociologie, qui s'intéresse aux organisations de toutes sortes, et la gestion qui met en relief les processus du management (Chevallier et Loschak, 1980, p. 19-26; Gow, 1993).

Afin de mieux faire comprendre la signification de ces différentes approches, nous présentons, à la figure 2.1, l'arbre généalogique de l'administration publique occidentale. Ce schéma est une adaptation de celui conçu par Howard McCurdy qui retraça l'évolution de cette discipline aux États-Unis. Ainsi, avec l'addition du droit administratif, nous croyons qu'il rendra compte, de manière assez juste, de la science administrative européenne aussi. Si on regarde du côté gauche, le droit administratif est le seul qui descende en ligne directe depuis le xixe siècle jusqu'à nos jours, c'est-à-dire sans être scindé en cours de route. Sans doute son objet est-il clair, même si le mouvement des idées modifie son contenu de temps en temps.

Une branche de cet arbre remonte au grand sociologue allemand Max Weber qui, par le biais d'études historiques comparatives, fut amené à considérer les fondements de la légitimité dans toute une société et le rôle de la bureaucratie dans la société moderne (Weber, 1971, voir le chapitre 7). Le thème de la bureaucratie est encore très étudié de nos jours. De plus, il a alimenté l'étude de l'administration comparée, même si celle-ci a d'autres composantes. L'autre volet, qui remonte à Weber, est la théorie des organisations, ou la sociologie des organisations.

Lorsqu'elle appartient à la lignée Weber, la théorie des organisations se situe dans une perspective de science sociale fondamentale. Cependant, il faut comprendre que cette théorie a évolué en relation étroite avec la théorie normative correspondante, c'est-à-dire celle qui remonte à Frederick W. Taylor (1856-1915). Cet ingénieur américain a développé, depuis la fin du xixe jusqu'au début du xxe siècle, une méthode que l'on a appelée «Organisation scientifique du travail»; persuadé que les ouvriers dans l'industrie étaient improductifs parce qu'ils étaient mal formés à la tâche, Taylor cherchait, par l'observation minutieuse du travail, la meilleure façon de conduire chaque opération (Taylor, 1957). Cette méthode et son esprit sous-jacent sont toujours présents dans les sciences (pratiques) de la gestion, même si elles sont devenues beaucoup plus sophistiquées. Un courant de très forte opposition à Taylor s'élevait parmi les ouvriers et les employés, car à la suite de ses études de «temps et mouvements» (le chronométrage de leurs activités), ils se voyaient habituellement imposer des tâches plus simples et plus répétitives et ce, à un rythme accéléré. Ce mouvement d'opposition a trouvé appui dans les recherches d'Elton Mayo et de ses collègues qui, dès les années 1930, ont fondé l'École des relations humaines. Celle-ci remettait au centre des préoccupations la motivation des employés, leur satisfaction et leur engagement vis-à-vis de l'organisation. Si cette approche reste un courant minoritaire dans les sciences de la gestion, elle a quand même incité à des recherches sur les comportements au sein des organisations, mouvement qui rejoint les recherches *behavioristes* en science politique.

L'imbrication des courants ne s'arrête pas là. Depuis l'époque de Weber et de Taylor, une approche politique, amorcée par Woodrow Wilson, est née. Bien avant son élection à la présidence des États-Unis en 1912, Woodrow Wilson, professeur de science politique à l'Université Princeton, publia, en 1887, un article très remarqué qui proposait l'introduction des méthodes d'administration scientifique au sein de l'administration publique (Wilson, 1887). Son objectif était de mettre fin aux abus du patronage qui sapait la qualité et l'efficacité des administrations fédérale et étatiques.

FIGURE 2.1
Arbre généalogique de l'administration publique*

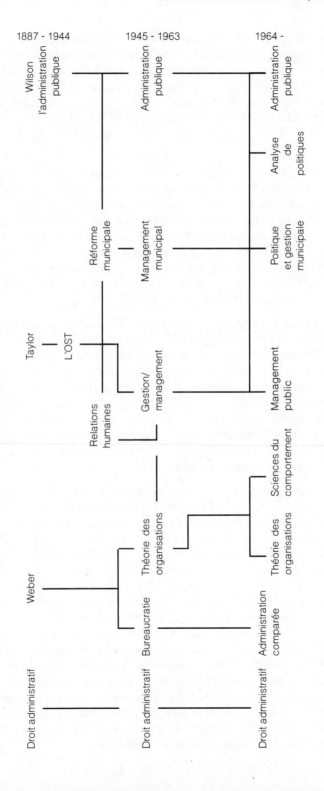

* Adapté de McCURDY, Howard E. *Public Administration: A Bibliography*, Washington, College of Public Affairs, 1972, p. 10.

Par la suite, une espèce de jonction entre les réformateurs de la vie politique et le mouvement d'organisation scientifique du travail s'est établie, les uns trouvant chez les autres des arguments favorisant la séparation de l'administration et de la politique. Appliqué au niveau municipal, ce courant a donné lieu à une forme d'organisation où le conseil municipal élu confie toute l'administration à un directeur général (*City Manager*), mouvement qui, d'ailleurs, a été adopté très tôt au Québec par plusieurs municipalités.

La «science» de l'administration publique aux États-Unis, qui remonte à Woodrow Wilson, a donc été fortement influencée par la science de la gestion des affaires, malgré le fait que son auteur fut un professeur de science politique. Cette science est restée liée aux départements de science politique; toutefois, ces derniers doivent faire face à une compétition de plus en plus forte, qui provient non seulement des facultés du management mais, depuis quelque temps, d'écoles autonomes d'administration publique. Ces nouvelles écoles cherchent justement à faire la synthèse des approches politiques et managérielles (Kernaghan, 1983, p. 19-20).

En Europe, la position dominante du droit administratif a longtemps empêché le secteur public de bénéficier des progrès de la science de la gestion des affaires. L'exemple le plus frappant est celui du Français Henri Fayol: ingénieur comme Taylor, il publie un ouvrage appelé *Administration industrielle et générale* en 1916. Bien que cette étude soit basée aussi sur les observations pratiques de son auteur, elle a une cohérence et une portée plus grande que les études de Taylor. L'ouvrage de Fayol a eu une grande influence sur les spécialistes de l'administration publique aux États-Unis, mais la séparation disciplinaire a été telle qu'en France il fut largement ignoré par l'administration publique.

Le Canada et le Québec subissent l'influence américaine depuis longtemps. En effet, à la fin de la Première Guerre mondiale (1914-1918), le gouvernement a fait appel à une firme de consultants de Chicago pour refaire le plan de classification de ses fonctionnaires (Hodgetts *et al.*, 1975). Depuis ce temps, toute innovation américaine trouve son écho au Canada, soit dans l'administration, soit dans les maisons d'enseignement. Au Québec, l'influence française fut minime avant 1960; l'une des caractéristiques de la Révolution tranquille fut la reprise de contacts avec le gouvernement français, notamment en ce qui a trait à l'administration. De la sorte, des idées autres qu'américaines ont circulé au Québec sur des thèmes comme la planification, la formation et la gestion du personnel, l'aménagement du territoire et le droit administratif. L'influence française est toujours présente, mais c'est vraiment la science administrative américaine qui prédomine. On s'en aperçoit non seulement par le contenu des idées et des propositions qui sont discutées et mises à l'essai, mais aussi par la grande force de la tradition du management des affaires dont les notions sont toujours appliquées avec peu de réserves à l'administration publique.

Ainsi, les quatre branches de l'arbre généalogique sont toujours présentes dans l'étude de l'administration publique au Canada et au Québec. Le droit administratif fait partie du droit public et il est surtout étudié dans les facultés de droit. L'approche gestionnaire appartient surtout aux facultés d'administration, tandis que la sociologie s'intéresse à la théorie de l'organisation et à celle de la bureautique. L'approche politique, qui remonte à Wilson, est présente dans les départements de science politique et dans les écoles graduées d'administration publique. Même au sein d'une discipline comme la science politique, il y a cette tendance au fractionnement, puisque aujourd'hui on distingue souvent l'analyse des politiques (leurs origines, contenus et impacts) (Landry, 1980; Nioche, 1982; Bellavance, 1985) et la gestion ou le management des affaires publiques (Poncelet, 1979; Riverin *et al.*, 1984; Parenteau *et al.*, 1992). En ce qui concerne les contenus, les quatre grandes branches sont importantes, mais nous nous situons davantage dans celle proposée par Wilson. Une approche politique doit faire appel aux connaissances enseignées par le droit, la sociologie et les sciences de la gestion, afin de mieux comprendre l'administration publique, rouage essentiel du système politique. Nous exposerons maintenant notre position méthodologique et théorique.

2.2
MÉTHODOLOGIE

Entre l'étudiant ou le chercheur et les faits, intervient la question de la méthodologie. Nous ne pouvons pas aborder le monde, ni surtout la vie sociale, avec un esprit libre de tout préjugé, supposition, attente ou hypothèse explicative. En effet, dès que nous choisissons un objet d'étude, nous considérons déjà qu'il est important et de ce fait faisons, à chaque étape de la recherche, des choix qui s'inspirent de nos valeurs, de nos idées sur la vie sociale et politique et de notre conception de la connaissance. Les faits bruts n'existent pas, car ils sont inévitablement assaillis dans nos esprits par un ensemble plus ou moins conscient de concepts, de modèles et de théories. Dans cette section, nous passerons brièvement en revue les principales méthodes utilisées en administration publique avant d'aborder les questions plus importantes de la méthodologie proprement dite.

Bien qu'elle ait généré des concepts théoriques et méthodologiques, l'administration n'a probablement rien inventé en *méthodes de recherche*. Comme les autres sciences sociales, elle utilise l'analyse documentaire et statistique, les sondages, les entrevues et l'observation directe. Les méthodes sont dictées par l'approche disciplinaire et scientifique des auteurs, mais aussi par les circonstances et les objectifs de l'enquête. L'historien analysera des documents publics et privés, des archives et des mémoires et, pour l'histoire récente, il fera des entrevues. Ceux qui font l'analyse des politiques utiliseront des méthodes de calcul de type économique pour évaluer les coûts et les avantages des différentes politiques. Le sociologue pourra procéder par l'analyse des données sur les caractéristiques sociales des élites administratives, ou par sondage, ou par entrevues, et étudier leurs attitudes et opinions. Le juriste travaille surtout avec des documents publics comme les lois, les règlements, les décisions judiciaires, etc. Le politicologue peut être appelé à utiliser toutes ces méthodes : une étude de cas par exemple peut exiger l'analyse de documents publics pertinents, des entrevues avec le personnel politique et administratif concerné ainsi qu'avec des représentants des groupes ou individus de l'extérieur qui sont touchés et le recours aux commentaires dans des publications spécialisées ou d'information générale. Finalement, il y a différentes variétés d'enquêtes-participation où l'intervenant cherche à influencer le déroulement des événements ainsi que le résultat final. En administration publique, l'exemple typique est celui du consultant qui est appelé à faire enquête et à recommander une ou des solutions à un problème identifié par la direction d'une unité administrative. L'auteur d'une telle enquête prendra soin d'inclure dans son étude les personnes qui devront la mettre en application, sinon elle risque de ne pas avoir de suite, c'est-à-dire de rester dans le fond d'un tiroir ou d'un classeur.

Plus que les méthodes, ce sont les *sources* qui sont particulières en administration publique. Ces sources sont des documents publics de nos gouvernements qui exigent un certain effort de la part du chercheur avant de livrer leurs secrets, mais qui récompensent largement cet effort (Canadian Library Association, 1980 ; Bourgault, 1983). Ces documents sont de plusieurs sortes : d'abord, il y a les rapports annuels des ministères et organismes, qui comprennent les ministères sectoriels comme l'Éducation ou la Défense nationale, et aussi les organismes centraux comme la Commission de la fonction publique (Ottawa et Québec), l'Office des ressources humaines (Québec), le Protecteur du citoyen (Québec), le Commissaire aux langues officielles (Ottawa) et le vérificateur général (Ottawa et Québec); ensuite, il y a les documents budgétaires, dont le discours du budget (qui indique tout changement d'impôts ou autres sources de revenus), les prévisions des dépenses (appelées *Budget des dépenses* à Ottawa et *Crédits* à Québec) et les comptes publics (qui donnent les résultats définitifs des revenus et dépenses pour l'année en question). Ces documents budgétaires sont en réalité des documents parlementaires préparés pour les députés. Dans cette même catégorie, on trouve les lois et les débats. Les textes des lois adoptées pendant chaque session sont réunis dans des volumes annuels. Périodiquement, les lois et tous leurs amendements sont refondus. Ainsi, au fédéral, la dernière refonte date de 1985, tandis que depuis 1977, le gouvernement québécois tient les *Lois révisées du Québec* régulièrement à jour. De la même manière, les règlements d'application des lois sont publiés chaque année dans la Gazette du Canada ou la Gazette officielle du Québec, avec des refontes périodiques datant de 1978 dans le cas du Canada et de 1981 dans celui du Québec. Bien des renseignements utiles, y compris les critiques des députés de l'opposition, se trouvent dans les débats de la Chambre des communes ou ceux de l'Assemblée nationale ainsi que de leurs commissions spécialisées.

En plus de ces sources, les *Annuaires* du Canada et du Québec sont également utiles pour connaître les structures, les effectifs de la fonction publique, les finances publiques et certains éléments des grandes politiques gouvernementales. Finalement, les bureaux de la statistique, notamment Statistique Canada, publient des séries sur les finances et le personnel des gouvernements fédéral, provinciaux et municipaux canadiens.

Abordons maintenant la *méthodologie*. La nôtre se veut critique et explicative, et non déterministe. Être critique peut avoir plusieurs sens : à un niveau minimal, il veut dire ne pas accepter intégralement le discours officiel tel qu'on le retrouve dans les documents officiels. Ceux-ci sont faits, la plupart du temps, pour expliquer et défendre les positions et les actions des administrations qui les préparent. C'est pourquoi il est toujours utile de considérer un point de vue critique, qu'il vienne d'un autre gouvernement, de l'opposition à la législature, des milieux des clients ou encore des journalistes. Par ailleurs, il faut se garder d'accorder une confiance aveugle aux propos de ces critiques qui ont, elles aussi, des intérêts à défendre. À ce premier niveau de compréhension, donc, avoir une méthodologie critique veut simplement dire prendre les propos de toute personne intéressée avec un minimum de détachement.

À un deuxième niveau, il faut être conscient des dilemmes posés par une science normative ou utilitaire. Les recherches en gestion sont généralement motivées par le désir d'être immédiatement utiles, de produire des résultats qui amélioreront l'efficacité (ou l'efficience) de l'organisation. Les juristes aussi sont appelés à donner des conseils pratiques aux gouvernements et aux administrations. En science politique, on peut également fonctionner dans cet esprit de collaboration avec les autorités publiques, soit à l'occasion de réformes des lois ou des structures, soit lorsque les politiques publiques sont examinées.

Cependant, et c'est là le deuxième sens d'une approche critique, il faut parfois rejeter l'approche normative afin de pouvoir choisir librement son objet et ses moyens d'étude (Chevallier et Loschak, 1978, Vol. I, p. 85-87). Nous avons déjà mentionné qu'en cherchant à se rendre utile, on devait accepter les valeurs de ceux qu'on veut servir ou aider. Dans le cas présent, cela veut dire qu'on laisse aux fonctionnaires le droit de déterminer si oui ou non nos recherches sont utiles. Ce qui entraîne à l'occasion des jugements assez sévères[1]. Pourtant, en science politique, il faut parfois choisir des sujets de recherche pour leur importance intrinsèque et leur valeur à long terme, même si ces sujets ne sont pas primordiaux aux yeux des décideurs du moment. Ainsi, des recherches historiques ou comparatives, des tentatives d'expliquer les déterminants des politiques publiques ou les effets politiques de celles-ci sembleront plus ou moins intéressantes aux administrateurs aux prises avec des problèmes pressants mais, à plus long terme, elles aideront à mieux comprendre l'administration publique et le système politique.

Si on la pousse encore plus loin, la notion d'une approche critique nous incite à ne pas nous mettre au service du *statu quo*, de l'idéologie ou des valeurs dominantes. Cette troisième acceptation implique aussi habituellement le rejet d'une science neutre, parfaitement objective, qui, à la manière des astronomes contemplant les étoiles, se contente de décrire et d'expliquer le fonctionnement de l'univers social sans que leurs jugements et valeurs interviennent. C'est la position de l'analyse marxiste qui considère que la tentative d'éliminer tout jugement de valeur de la recherche sociale équivaut à soutenir le *statu quo*. Cette approche nous propose plutôt de chercher dans le présent des éléments potentiels d'un avenir meilleur, des «possibles» libérateurs (Rioux, 1978, p. 173).

Nous ne pouvons pas partager cette conception d'une approche critique pour deux raisons : d'une part, elle incite le chercheur à contrôler ses affirmations afin de favoriser sa cause et d'autre part, il y a le danger, avec cette conception, de prendre nos souhaits pour des réalités. Nous sommes d'accord avec cette école lorsqu'elle affirme qu'il n'y a pas de réalité unique et objectivement vérifiable, mais nous croyons qu'il faut tendre vers autant d'objectivité que possible, sans pour autant renoncer à faire intervenir notre jugement critique. Ce qui en reste, à cette troisième étape de la réflexion sur la méthodologie critique, est la reconnaissance du «caractère socialement conditionné de toute pensée sociologique» (Chevallier et Loschak, 1974, p. 37). Il incombe au chercheur d'être conscient de sa propre idéologie et de permettre au lecteur de porter son jugement sur les résultats de sa recherche.

En plus d'être critique dans le sens donné précédemment, une méthodologie doit permettre l'explication des faits observés. C'est une tâche ardue qui oblige le chercheur à faire plusieurs choix. On admettra facilement qu'il ne sert pas à grand chose d'accumuler des études empiriques sans un effort de raisonnement théorique afin d'établir des liens causals entre les faits qui nous intéressent. Il y a néanmoins des débats importants, dans les sciences sociales (donc en administration publique), entre ceux qui veulent bâtir des théories en essayant de généraliser à partir d'un certain nombre de cas observés et ceux qui, par contre, préfèrent théoriser avant d'aller sur le terrain. Nous croyons qu'il ne faut pas exagérer ces différences, car les idées et les faits sont imbriqués. D'une part, une idée ou une théorie n'est que spéculation tant qu'elle n'a pas été vérifiée empiriquement, et d'autre part, on ne peut pas aller sur le terrain sans idée préalable; on a toujours une hypothèse ou un postulat en tête qui nous pousse à aller sur ce terrain et non sur un autre.

Une difficulté plus grande est créée par l'opposition entre déterministes et interactionnistes. Les déterministes croient en l'existence de lois de l'action sociale. Que ces lois trouvent leurs fondements dans le matérialisme historique, dans la psychologie ou dans la biologie, la prétention des déterministes est du même ordre: découvrir les lois qui donneront la clé de l'action sociale. Alors, on pourra prédire l'évolution des événements quand les conditions prévues par ces théories seront satisfaites. Peu d'analystes sont des déterministes purs; la plupart pensent que les faits sociaux dépendent, en partie du moins, d'échanges entre acteurs intelligents qui s'adaptent les uns aux autres (Boudon, 1977, p. 191-192; Bergeron, 1965, p. 25-29). Dans ce cas, on ne peut guère prédire le résultat précis de ces échanges, seule la direction probable qu'elles prendront est prévisible. Le débat ici a lieu entre ceux qui, tout en reconnaissant qu'il y a des aspects imprévisibles dans les relations sociales, pensent qu'ils sont davantage déterminés et ceux qui valorisent le libre choix des acteurs sociaux (Lindblom, 1977, p. 247-260). Ceux qui se trouvent dans le premier groupe mettent en valeur les grandes structures sociales telles que les nations, les classes sociales, les idéologies et les groupes ethniques et linguistiques. Les autres reconnaissent la force de ces variables dans la vie de toute personne, mais accordent plus d'importance que les premiers aux décisions d'individus et de groupes poursuivant leurs fins et objectifs dans des échanges avec d'autres personnes et groupes.

Un troisième type de choix que tout chercheur en administration publique doit faire concerne la nature plus ou moins cachée des explications que l'on cherche. Un grand nombre de chercheurs pensent que les vraies causes des phénomènes ne peuvent pas être dégagées de l'observation superficielle, ni être comprises par les acteurs sociaux eux-mêmes (Chevallier et Loschak, 1978, Vol. I, p. 96-99 ; Piaget, 1968, p. 83). D'autres cependant pensent que le sens profond des relations sociales échappera à l'observateur s'il passe à côté de la connaissance intuitive qu'ont les acteurs de leurs faits et gestes (Silverman, 1970, p. 113). C'est une question importante pour une discipline qui cherche souvent à influencer les comportements des personnes qu'elle étudie. Cette question est liée à la précédente, car s'il y a des déterminants des faits sociaux, il est fort possible que les personnes concernées n'en soient pas conscientes.

Quant à nous, nous croyons que les relations sociales ne sont ni aléatoires, ni déterminées, mais conditionnées par les structures (sociales, économiques, politiques notamment) dans lesquelles elles se déroulent (Fourastié, 1966, p. 159-160). C'est un monde de probabilités et non de certitudes (Chevallier et Loschak, 1974, p. 42). Loin d'être des automates jouant une pièce dont le déroulement est connu d'avance, les individus et groupes dans nos sociétés paraissent jouir d'une certaine autonomie, d'une certaine liberté de choisir, même si leur marge de manœuvre est souvent très réduite.

On n'échappe pas facilement à ses origines sociales, sa culture, sa langue, sa race, sa religion ou sa sexualité, mais la vie de chacun et chacune n'est pas déterminée du fait de ces conditions de départ.

À cet égard, deux qualités des êtres humains nous frappent: leur capacité d'innover dans des conditions contraignantes et leur faculté de se tromper dans leurs décisions.

Une autre capacité humaine nous paraît également importante dans la discussion de la nature accessible ou cachée du savoir scientifique : l'apprentissage. Il peut être vrai que la recherche scientifique dévoile des éléments jusqu'alors inconnus des acteurs sociaux, mais, dans le domaine qui nous intéresse du moins, ils peuvent être tentés de s'en servir une fois que ces éléments auront été découverts et diffusés. À l'encontre des autres objets de la recherche scientifique (les animaux et les choses), les êtres humains peuvent mettre à profit les découvertes des chercheurs que ce soit dans le but d'en tirer un avantage ou de se protéger contre ceux qui veulent les mettre en pratique. Par exemple, la direction d'une administration peut tenter d'introduire une nouvelle pratique basée sur les découvertes de la psychologie du travail. Toutefois, si les employés ou leur syndicat s'y opposent, ils pourront poser des gestes qui les rendront inopérantes.

En somme, une approche politique à l'administration publique doit être basée sur une méthodologie critique mais non doctrinaire, aussi objective que possible et sans intention de se rendre immédiatement utile, probabiliste et non déterministe. Dans les pages qui suivent, nous verrons notre cadre d'analyse des phénomènes administratifs.

2.3
LE CADRE D'ANALYSE STRATÉGIQUE

La façon la plus utile d'étudier une administration publique est de l'aborder comme une sorte de jeu, c'est-à-dire avec des joueurs, des règles et des enjeux. Avant d'expliquer cette notion, il importe d'en voir brièvement une autre, celle de système, qui nous permettra de bien situer et comprendre le jeu.

Une organisation correspond parfaitement à la définition d'un système, à savoir : «Un ensemble d'éléments en interaction dynamique et organisés en fonction d'un but» (de Rosnay, 1975, p. 91). Un système ouvert transforme de l'énergie, de la matière et des informations provenant de son environnement en productions qui, elles, retournent ensuite dans l'environnement. Son existence suppose une régulation sur deux plans: celui des rapports entre le système et son environnement et celui des rapports entre les parties composantes (Lapierre, 1973, p. 34-35 ; Lemieux, 1979, p. 5). Les éléments composant un système sont considérés comme interdépendants, de sorte qu'un changement dans l'un ou dans ses relations avec les autres aura des répercussions sur tout le système. La gouverne des relations internes d'un système exige une certaine hiérarchie des composantes, sinon il lui manquerait le minimum de cohérence pour poursuivre quelque but ou finalité que ce soit. Quant aux relations extérieures, elles exigent des mécanismes de *feedback* ou de rétroaction par lesquels le système apprend les effets de ses actions dans le milieu afin de corriger le tir si elles n'ont pas les effets voulus. Par cette rétroaction, le système se maintient en équilibre dans son environnement mais, par ce même processus, il peut évoluer ou changer de sorte que, tout en se reproduisant, il se transformera à la suite de ses échanges avec l'environnement.

La notion de système est généralement admise dans les sciences sociales. Nous verrons, au chapitre 11, comment la théorie politique systémique situe l'administration publique en tant que sous-système du système politique. Cependant, à moins de supposer que le système a une sorte de personnalité collective, il faut un autre élément pour expliquer ce qui fait bouger un système. C'est ici que nous faisons appel à la notion de jeu. À la suite d'auteurs comme Herbert Simon, Michel Crozier et Vincent Lemieux, nous supposons que les participants de toute organisation sont des acteurs qui ont des préférences ou des intérêts à défendre à l'intérieur des limites imposées par l'organisation et par les autres participants (Crozier et Friedberg, 1977, p. 198 ; Crozier, 1963, p. 222-231 ; Lemieux, 1979, p. 80).

Dans cette perspective, le système constitue l'ensemble des règles du jeu déterminant: qui peut jouer la distribution des pouvoirs et des ressources, les règles de toutes les transactions, la nature des récompenses disponibles et les sanctions que risquent les personnes qui ne respectent pas les règles (Lemieux, 1979, p. 89). Comme c'est le cas dans tout jeu, il y a d'autres règles informelles qui ont leur origine, soit dans la nature du jeu (les exigences pratiques), soit dans les mœurs, coutumes et idées. Par exemple, un minimum de courtoisie est normalement exigé dans une relation de travail, mais ce minimum variera d'un pays à l'autre, d'une époque à l'autre.

Nous proposons donc de considérer chaque participant à un système administratif comme un joueur qui cherche à utiliser les ressources dont il dispose selon les règles du jeu ainsi que ses qualités personnelles dans le but de réaliser ses propres objectifs. Il n'est pas nécessaire de supposer que ces objectifs sont uniquement égoïstes, ils peuvent tout aussi bien refléter les idéaux du participant pour la collectivité. Avant d'illustrer cette méthode, précisons deux qualités des participants. Premièrement, ce sont des individus mais on peut, pour les fins d'analyse des ensembles administratifs, appliquer cette méthode à des groupes ou à des unités administratives. Ainsi, on peut analyser le comportement d'un groupe de fonctionnaires, par exemple les avocats à l'emploi du Gouvernement du Québec, ou encore celui d'un organisme comme la Commission de la fonction publique, qui agira avec une certaine unité de pensée face aux autres et aux organismes de l'administration. Deuxièmement, la liste des participants à une administration est plus longue qu'on ne le croirait à première vue. L'approche systémique-stratégique nous oblige à repérer tous les intéressés, car ils constituent un réseau où les contributions des uns sont les récompenses des autres. Ainsi, dans une administration publique, les participants sont non seulement les fonctionnaires, mais il en est de même du ministre et de ses collègues du gouvernement, des membres du cabinet du ministre, des clients du ministère ou organisme, des députés qui votent le budget et les lois qui le gouvernent, des fournisseurs et de toute autre personne ayant des contrats de lui et enfin des contribuables. Sans le concours de chacun de ses groupes, l'administration ne pourrait fonctionner (Simon, 1957, p. 110-111).

À l'encontre de l'analyse systémique qui met en valeur l'équilibre (stable ou incertain) créé par les relations entre les participants, l'analyse stratégique privilégiera souvent l'un ou l'autre des acteurs afin d'étudier comment il se défend, sa stratégie et son comportement. Vincent Lemieux est un des premiers chercheurs à avoir proposé une typologie pour l'analyse stratégique des organisations administratives (Lemieux, 1965). Un fonctionnaire qui occupe un poste de responsabilité, écrit-il, se situe dans un réseau comme celui que nous présentons de manière sommaire à la figure 2.2. Les règles formelles qui gouvernent son travail vont déterminer les *sujets* de son autorité, c'est-à-dire le public ou les clients avec qui il aura affaire. Ceux-ci peuvent être des individus ou des groupes, des entreprises ou d'autres administrations comme des municipalités, des commissions scolaires ou des hôpitaux. La nature de ses responsabilités ou de ses tâches déterminera aussi les *objets* de son autorité, c'est-à-dire des choses que son service est censé produire : biens, services, aide financière ou contrôles. Bien que la plupart des services administratifs aient plus d'un type de production, ils sont tous limités par leur mandat et les autres règles formelles. Ainsi, un policier ne peut octroyer des subventions, pas plus qu'un agronome ne peut assurer l'ordre d'une exposition agricole.

Dans le travail de ce fonctionnaire responsable, on trouvera d'autres personnes ou administrations qui peuvent être des *sources d'appui ou d'opposition*. Outre les autorités supérieures de son ministère, il y a les organismes centraux comme le bureau du premier ministre, le Conseil du Trésor, en ce qui a trait au contrôle budgétaire, l'Office des ressources humaines et la Commission de la fonction publique, le vérificateur général, etc. (voir le chapitre 4); les autres administrations du même niveau; les députés du gouvernement et de l'Opposition; les syndicats des fonctionnaires et employés de son administration.

Ce fonctionnaire composera avec les ressources qui sont à sa disposition. Les règles formelles inscrites dans les lois et règlements et dans des

FIGURE 2.2
Le cadre d'analyse stratégique*

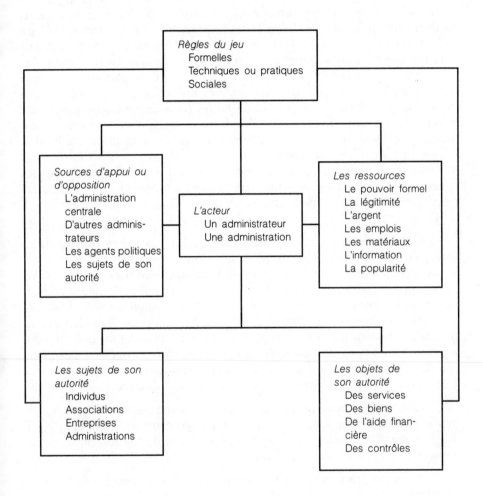

Règles du jeu
    Formelles
    Techniques ou pratiques
    Sociales

Sources d'appui ou d'opposition
    L'administration centrale
    D'autres administrateurs
    Les agents politiques
    Les sujets de son autorité

L'acteur
    Un administrateur
    Une administration

Les ressources
    Le pouvoir formel
    La légitimité
    L'argent
    Les emplois
    Les matériaux
    L'information
    La popularité

Les sujets de son autorité
    Individus
    Associations
    Entreprises
    Administrations

Les objets de son autorité
    Des services
    Des biens
    De l'aide financière
    Des contrôles

---

*   D'après Lemieux (1965).

conventions collectives pertinentes lui donneront une zone de pouvoir formel indiquant les choses et les personnes qui relèvent de sa compétence. On dit qu'il possède un pouvoir formel et hiérarchique. Il en découle un certain contrôle des budgets, des emplois et des pouvoirs qui sont sous sa juridiction. Par exemple, il ne peut créer de poste sans une autorisation budgétaire, mais il peut réaffecter des tâches et des responsabilités accordant ainsi à un subordonné préféré un dossier et des pouvoirs intéressants. Il décidera peut-être des dispositions matérielles concernant, soit des clients (par exemple : l'ordre de priorité pour l'entretien des routes d'un comté), soit son personnel (par exemple : l'allocation des bureaux ou l'attribution d'un nouvel équipement). Une ressource des plus importantes dans une administration publique est l'information; un fonctionnaire compétent doit s'assurer qu'il dispose de tous les renseignements officiels et officieux dont il a besoin, c'est-à-dire qu'il doit s'assurer d'être dans les réseaux de distribution des documents, statistiques, enquêtes, etc., mais qu'il doit aussi entretenir des réseaux informels de contacts lui permettant de savoir, en temps utile, ce qui se prépare, se conçoit et peut-être, se complote (Bourgault, 1983; Bourgault et Dion, 1990).

On constate que nous nous sommes éloignés progressivement, au cours de cette description, des pouvoirs formels pour se tourner vers des pouvoirs informels qui relèvent plus de la compétence personnelle que du statut formel du fonctionnaire. Lemieux écrit qu'un fonctionnaire responsable jouit d'une certaine légitimité du fait de son statut formel, mais cette légitimité reflète aussi les règles officieuses. Ainsi, un nouveau chef de service peut être contesté par ses employés s'il vient d'être nommé de l'extérieur alors que ceux-ci s'attendaient à ce que l'un des leurs soit promu à ce poste. Au-delà de la légitimité, le fonctionnaire responsable jouera ou non de popularité avec ses subalternes, ses pairs et ses supérieurs.

C'est précisément de cet aspect non déterminé du travail du fonctionnaire que provient la signification de l'expression «analyse stratégique». Il s'agit, pour tout participant, d'exploiter les possibilités de son poste, de ses pouvoirs et de ses autres ressources.

Plusieurs précisions sont nécessaires à propos de la nature de l'analyse stratégique, de ses avantages et de ses limites. D'abord, il s'agit d'une analyse qui se situe sur le plan micro-organisationnel; on part des personnes et des unités qui composent un système administratif pour remonter au système tout entier. À court terme, le système lui-même peut paraître comme étant une donnée stable, le contenant dans lequel l'action se déroule. Cependant, au-delà de la compétition pour les ressources disponibles, il y a un autre jeu qui, lui, vise à changer les règles du jeu. Par exemple, une réorganisation administrative peut avoir comme objectif d'accroître les pouvoirs d'une unité aux dépens d'une autre. Ou encore, lors d'une négociation collective, le syndicat peut viser plus de clauses normatives touchant la charge de travail et les promotions que les traitements et les congés. De cette manière, on comprend que le système d'aujourd'hui puisse être le résultat de jeux passés, où certains acteurs ont pu décider des règles qui s'appliqueraient dans l'avenir immédiat.

Disposons maintenant de trois critiques que l'on peut adresser à cette approche. D'abord, elle ne suppose pas que tous les faits sociaux soient des résultats souhaités par des acteurs sociaux conscients. Au contraire, elle admet que les acteurs peuvent se tromper dans leurs stratégies. Il peut être question d'erreurs à court terme, mais il y a aussi le phénomène que Boudon appelle les effets pervers; ce qui est rationnel pour chacun peut être irrationnel pour l'ensemble. Par exemple, si chaque syndicat des employés publics obtient le meilleur contrat de travail possible lors de ses négociations avec le Trésor public, l'effet global (et pervers) à moyen ou à long terme pourra être de provoquer un mouvement d'opposition chez les dirigeants politiques ou chez les électeurs, ou encore de discréditer l'État lui-même.

Deuxièmement, l'approche stratégique étant d'abord microscopique, elle n'est pas apte à analyser les grands faits sociaux comme les classes ou les idéologies, ce n'est pas son but. Par contre, elle s'intéresse à l'influence que leur situation de classe ou leur idéologie peut avoir sur le comportement des fonctionnaires et, de ce fait, elle pourra contribuer à élucider les rapports entre la situation stratégique des différentes couches de l'administration publique et leur idéologie et leur sentiment d'appartenance de classe.

Exemple: La position stratégique du directeur général d'un hôpital

Prenons le cas du directeur général d'un hôpital public québécois pour illustrer cette approche. Les règles formelles proviennent en partie des lois (notamment la *Loi sur les services de santé et les services sociaux*), les règles administratives et budgétaires du ministère de la Santé et des Services sociaux et des conventions collectives signées par le gouvernement et l'Association des hôpitaux du Québec d'une part et les syndicats du secteur des Affaires sociales d'autre part. La position formelle du directeur général lui donne un pouvoir hiérarchique et un contrôle considérable sur les projets financiers, les plans d'équipement, les plans d'organisation et les promotions des cadres supérieurs. Par contre, ses budgets lui sont imposés par le Ministère et le Conseil régional de la santé et des services sociaux. De plus, les décisions d'envergure concernant l'hôpital doivent être approuvées par le Conseil d'administration de l'hôpital où siègent des représentants des usagers des services de l'hôpital et de différents groupes socio-économiques, des médecins et dentistes, d'autres employés, etc. Le directeur général est formellement responsable de l'application des conventions collectives, mais les syndicats ont leur mot à dire puisqu'ils peuvent contester toute décision qu'ils jugent injuste ou défavorable par la voie de l'arbitrage des griefs.

Malgré ces multiples contraintes, le directeur général a quand même de nombreuses possibilités de faire preuve de compétence et de dynamisme. Par son style de gestion, il aura une grande influence sur les conditions de travail à l'hôpital. Il aura ses relations auprès du ministère de la Santé et des Services sociaux afin de connaître les décisions qui s'y préparent et les propositions qui pourraient influencer les dirigeants du Ministère. Il se liera avec les autres directeurs généraux pour tenter des démarches auprès du Ministère ou du Conseil régional. Éventuellement, il pourra même faire cause commune avec des groupes d'usagers comme le Comité provincial des malades afin de faire pression sur le gouvernement. Il sera populaire ou impopulaire, imaginatif ou routinier, combatif ou passif, malin ou malhabile. Tous ces facteurs influenceront ses choix de stratégies et de comportements.

Troisième critique : l'analyse pourrait impliquer l'idée d'une certaine égalité entre les participants, comme c'est le cas dans les jeux sportifs par exemple. Ce serait une erreur si c'était le cas. En effet, il y a inégalité manifeste non seulement au sein des administrations. Le citoyen ordinaire n'a pas l'in- parmi les clientèles des administrations. Le citoyen ordinaire n'a pas l'influence d'une entreprise publique ou privée; une petite entreprise n'a pas le poids d'une multinationale; un ouvrier ou un cultivateur n'aura pas la même écoute qu'une centrale ouvrière ou agricole. L'analyse postule que chaque participant à une administration aura un certain pouvoir, une certaine marge d'autonomie, dans la mesure où l'organisation ne peut pas déterminer tout ce qu'il fera. On comprend facilement que les fonctionnaires spécialistes et techniciens détiennent un certain pouvoir du fait de leurs compétences et de leur savoir (voir le chapitre 8 sur la technocratie). Cependant, même les employés apparemment les plus démunis ou les clients les plus étroitement contrôlés possèdent certains pouvoirs. Ainsi, les petits employés peuvent ralentir le travail ou l'accélérer; ils peuvent choisir de coopérer avec la direction ou afficher un style combatif, le syndicalisme aidant. De la même façon, les clients ayant le moins de droits formels vis-à-vis de l'administration, tels les détenus des prisons et des pénitenciers, s'organisent de manière officieuse pour échapper à la surveillance de leurs gardiens. On ne peut donc pas reprocher à l'analyse stratégique un idéalisme naïf qui supposerait une égalité inexistante entre les participants.

Quels sont alors les avantages de cette approche? L'un des plus grands avantages est qu'elle laisse place à la fois aux questions politiques et techniques. Les techniques sont présentes dans les règles du jeu et dans les ressources des acteurs, constituant autant de contraintes ou de possibilités selon le cas. L'essentiel est que l'analyse stratégique permet d'écarter des points de vue extrêmes à savoir, croire qu'en administration tout est politique, ou au contraire, que tout est technique. C'est vrai que, dans le secteur public, la politique est omniprésente, de manière active ou potentielle. Mais il n'y a pas que cela, la technique existe aussi. Par ailleurs, toute technique est véhiculée par des personnes qui ont leurs intérêts et leurs préférences.

Deuxième grand avantage de l'analyse stratégique: il s'agit d'une approche dynamique qui oblige le chercheur à situer une administration dans son milieu. En effet, l'un des grands dangers dans l'étude de l'administration publique est de se laisser prendre au jeu des pouvoirs formels qui sont inscrits dans les lois et les règlements, les rapports et les statistiques. On risque alors de prendre les textes pour des réalités et de rester prisonnier des organigrammes. Par contre, avec l'approche stratégique, on est obligé d'aller au-delà des structures formelles pour compléter le tableau: d'où viennent les mandats dont une administration est chargée? qui sont les destinataires de ses activités? ses clients? qui sont ses fournisseurs? qui sont ses alliés et ses ennemis dans les autres administrations publiques et dans la société? qui sont les groupes influents parmi ses employés? Le simple fait de vouloir faire de l'analyse stratégique pousse son auteur à se poser ce genre de question et à sortir d'un cadre formaliste, qu'il soit de type juridique ou technique.

Finalement, l'analyse stratégique nous rappelle que les enjeux sont multiples en administration publique, c'est-à-dire que les intéressés sont nombreux et que les intérêts peuvent converger ou diverger. Par exemple, la création ou la suppression d'un programme touche bien sûr les citoyens qui pourraient ou non profiter des biens, services ou octrois, ou subir les contrôles qu'il implique. Les fonctionnaires sont aussi concernés par une telle décision, car elle peut signifier le développement ou le déclin de leur service, des budgets accrus ou des compressions, peut-être même des suppressions de postes. En plus des clients et des fonctionnaires, le personnel politique est directement intéressé par tout changement dans les programmes gouvernementaux. Le ministre peut vouloir tirer profit d'un nouveau programme ou bien, dans le cas d'une restriction, tenter de s'établir une réputation de bon gestionnaire, capable de couper dans le gras du corps administratif. Plus probablement que dans ce dernier cas, il devra trouver les moyens de se protéger contre le mécontentement des citoyens touchés par ces restrictions. Les membres de la députation ministérielle auront aussi intérêt, selon le cas, à se glorifier ou à se prémunir contre les réactions de leurs électeurs. Nous avons rappelé précédemment qu'il y avait d'autres intéressés dans un tel cas, à savoir les fournisseurs, les administrations publiques du même domaine, etc.

Autour de chaque activité d'une administration publique, il y a donc de nombreux intéressés qui, dans l'immédiat, risquent des gains ou des pertes lors d'un changement au *statu quo*. Au chapitre précédent, nous avons vu qu'à moyen ou à long terme il y a des enjeux plus importants qui proviennent des effets cumulatifs des décisions de tous ces acteurs: allocation des ressources, orientation de l'économie, qualité de la vie politique.

CONCLUSION

Il y a longtemps, le politicologue américain Robert Dahl identifiait trois problèmes qui empêchaient l'étude de l'administration d'être considérée comme une discipline scientifique: le problème des valeurs, l'étude du comportement humain et l'importance du contexte historique de chaque administration (Dahl, 1947). Concernant les valeurs, Dahl soutenait que le fait d'appartenir au secteur public soulevait des problèmes de responsabilité administrative et politique face aux citoyens-électeurs. L'existence de fins politiques, disait-il, change le critère d'efficacité d'une administration publique par rapport à une administration privée. De plus, Dahl pensait qu'on ne pouvait appliquer sans réserve, aux administrations publiques, les observations tirées de la science de l'administration des entreprises. En troisième lieu, il demandait que l'on accorde plus d'attention à l'administration comparée afin d'évaluer les poids respectifs des traditions, coutumes et cultures nationales par rapport aux éléments communs à toutes les administrations publiques.

Malgré le développement prodigieux des sciences administratives depuis cette époque, les trois questions soulevées par Dahl nous paraissent toujours pertinentes. Celle des valeurs se pose toujours et de plusieurs façons. Les problèmes de responsabilité, d'imputabilité comme on dit aujourd'hui, sont toujours très actuels. Quant aux valeurs, elles sont aussi présentes dans la question de savoir si on peut être scientifique quand on veut être utile, quand on fait de la science administrative normative. Enfin, nous avons vu que, de toute façon, les auteurs sont divisés par leurs appartenances idéologiques. Nous sommes toujours confrontés à des différences de traditions nationales et nous avons vu que l'étude du comportement administratif variait de manière considérable selon la discipline d'origine du chercheur.

En tant qu'approche politique, nous avons adopté la méthode de l'analyse stratégique qui envisage l'administration publique comme un système ouvert sur son environnement, où des acteurs, individus et groupes cherchent à satisfaire leurs préférences à l'intérieur des règles du jeu ou encore tentent de modifier celles-ci à leur avantage.

Dans les quatre prochains chapitres, nous examinerons les règles touchant les grands domaines de l'action administrative, soit le processus administratif, les institutions administratives, la gestion des finances et celle du personnel. Ensuite, nous pourrons aborder le problème de l'administration dans le système politique.

NOTE

(1) Voir, par exemple, les critiques de deux anciens hauts fonctionnaires du gouvernement fédéral, Michael Pitfield et H.L. Laframboise, dans KERNAGHAN (1983), p. 42-52, 66-77.

BIBLIOGRAPHIE

BALASZ, E. (1959) *La bureaucratie céleste*, Paris, Gallimard.

BELLAVANCE, M. (1985) *Les politiques gouvernementales, élaboration, gestion et évaluation*, Montréal, Agence d'Arc.

BERGERON, G. (1965) *Fonctionnement de l'État*, Paris, Armand Colin, PUL.

BOURGAULT, J. (1983) *Guide de recherche élémentaire en matière de publications parlementaires et gouvernementales du Québec*, Montréal, ENAP.

BOURGAULT, J. (1984) «Les hauts fonctionnaires québécois: paramètres synergiques de puissance et de servitude», *Revue canadienne de science politique*, Vol. XVI(2), p. 227-256.

BOURGAULT, J. et DION, S. (1990) «La satisfaction des ministres envers leurs hauts fonctionnaires: le cas du gouvernement du Québec 1976-1985», *Administration publique du Canada*, Vol. 33(3), p. 414-437.

BOUDON, R. (1977) *Effets pervers et ordre social*, Paris, PUF.

CANADIAN LIBRARY ASSOCIATION (1980) *Access to Federal Government Documents: The Enigma Explained*, Ottawa.

CHEVALLIER, H. et LOSCHAK, D. (1974) *Introduction à la science administrative*, Paris, Dalloz.

CHEVALLIER, H. et LOSCHAK, D. (1978) *Science administrative*, 2 volumes, Paris, LGDJ.

CHEVALLIER, H. et LOSCHAK, D. (1980) *La science administrative*, Paris, PUF, Coll. Que sais-je? n° 1817.

DAHL, R. (1947) «The Science of Public Administration: Three Problems», *Public Administration Review*, Vol. 7, p. 1-11.

DE ROSNAY, J. (1975) *Le macroscope, vers une vision globale*, Paris, Seuil.

DUVERGER, M. (1964) *Méthodes des sciences sociales*, Paris, PUF.

FAYOL, H. (1962) *Administration industrielle et générale*, Paris, Dunod (ouvrage publié pour la première fois en 1916).

FOURASTIÉ, J. (1966) *Les conditions de l'esprit scientifique*, Paris, Gallimard.

FOURASTIÉ, J. (1976) *Le long chemin des hommes*, Paris, Robert Laffont.

GINGRAS, A. (1980) *Le management dans l'histoire*, Chicoutimi, Gaëtan Morin.

GOW, J.I. (1993) «Les problématiques changeantes en administration publique, 1965-1992», *Politique* (à paraître).

GVICHIANI, G. (1974) *Organisation et gestion*, Moscou, Éditions du progrès.

HODGETTS, J.E. *et al.* (1975) *Histoire d'une institution: la Commission de la fonction publique du Canada, 1908-1967*, Québec, PUL.

KERNAGHAN, K. (1983) *Canadian Public Administration: Discipline and Profession*, Toronto, Butterworths.

LANDRY, R. (dir.) (1980) *Introduction à l'analyse des politiques*, Québec, PUL.

LAPIERRE, J.-W. (1973) *L'analyse des systèmes politiques*, Paris, PUF.

LEMIEUX, V. (1965) «L'analyse stratégique des organisations administratives», *Administration publique du Canada*, Vol. VIII(4), p. 535-547.

LEMIEUX, V. (1979) *Les cheminements de l'influence*, Québec, PUL.

LINDBLOM, C. (1977) *Politics and Markets*, New York, Basic Books.

McCURDY, H. (1972) *Public Administration: A Bibliography*, Washington, College of Public Affairs.

NIOCHE, J.-P. (1982) «Science administrative, management public et analyse des politiques publiques», *Revue française d'administration publique*, N° 24, p. 635-649.

PARENTEAU, R. (dir.) (1992) *Management public*, Sillery, Les Presses de l'Université du Québec.

PETROV, G.I. (1969) «L'objet de la science de l'administration», *Annuaire de l'URSS*, Paris, CNRS, p. 218-220. Repris dans R. DRAGO (dir.) *L'Administration publique*, Paris, Armand Colin, 1971, p. 58-60.

PIAGET, J. (1968) *Le structuralisme*, Paris, PUF, Coll. Que sais-je ?

RAPPORT MOLITOR (1958) *Les sciences sociales dans l'enseignement supérieur: l'administration publique*, Paris, UNESCO.

RIOUX, M. (1978) *Essai de sociologie critique*, Montréal, Hurtubise, HMH.

RIVERIN, A. (dir.) (1984) *Le management des affaires publiques*, Chicoutimi, Gaëtan Morin.

SILVERMAN, D. (1970) *La théorie des organisations*, Paris, Dunod.

SIMON, H. (1957) *Administrative Behavior*, 2ᵉ éd., New York, Free Press.

SIWEK-POUYDESSEAU, J. (1974) «La critique idéologique du management en France», *Revue française de science politique*, Vol. XIX(5), p. 996-993.

TAYLOR, F. (1957) *La direction scientifique des entreprises*, Verviers (Belgique), Marabout (ouvrage publié en anglais pour la première fois en 1909).

TIKHOMIROV, J.A. (1973) *Pouvoir et administration dans la société socialiste*, Paris, CNRS.

WEBER, M. (1971) *Économie et société*, Paris, Plon.

WILSON, W. (1887) «The study of Administration», *The Academy of Political Science*. Repris dans *Political Science Quarterly*, Vol. LVI, décembre 1941, p. 481-506.

DEUXIÈME PARTIE

Les moyens d'action
de l'administration

Quatre chapitres composent cette partie consacrée aux mécanismes internes de l'administration. Le premier introduit les processus de décision ; il place le lecteur dans la situation d'un décideur qui doit savoir organiser son service, diviser le travail, déléguer les responsabilités et coordonner les activités avec l'ensemble de l'organisation. Le chapitre suivant porte sur les structures de l'administration, c'est-à-dire l'encadrement juridique, les formes de centralisation et de décentralisation, les différences entre les organismes centraux et autonomes. Quant au chapitre 5, il est consacré aux finances publiques, à leur évolution jusqu'à nos jours, aux processus budgétaires et aux jeux de pouvoir liés au partage des revenus et des dépenses. Cette deuxième partie s'achève par un chapitre qui traite de la gestion du personnel et de l'ensemble des débats qui y sont liés, notamment la dotation des emplois de la fonction publique, les droits et obligations des fonctionnaires et leur force de pression collective.

Chapitre **3**

Les processus
décisionnels
administratifs

Michel Fortmann

PLAN

LA DÉCISION COMME ACTIVITÉ DE RÉSOLUTION DES PROBLÈMES

> Organiser d'abord
> Penser et analyser

L'ENVIRONNEMENT DE LA DÉCISION : LA SOCIOLOGIE DU CHOIX

> La psychologie du choix : l'univers mental du décideur
> L'environnement bureaucratique et la décision

BIBLIOGRAPHIE

La prise de décision, face aux myriades de problèmes qui se posent quotidiennement à la société, est perçue comme une des responsabilités majeures du politique.

Qu'il s'agisse de l'orientation générale du parti au pouvoir, de la construction d'un nouvel aéroport ou d'un barrage hydro-électrique, de la réduction du déficit budgétaire ou de l'indexation des pensions de vieillesse, l'électorat attend du gouvernement et de son administration qu'ils fassent des choix et agissent en conséquence.

Ne pas se prononcer sur un problème collectif et s'abstenir de toute action constituent aussi des choix ou des décisions politiques. Toutefois, on stigmatise généralement cette attitude, la considérant comme de l'attentisme ou de l'immobilisme. La prise de décision est donc un acte qui est valorisé dans notre culture politique. Plus précisément, il est apprécié qu'un leader sache trancher, prendre position dans un débat, et aussi commander, donner des ordres, coordonner leur exécution et garantir le succès des décisions. À priori, l'acte de décider paraît donc assez simple. Ceci est cependant une fausse impression car, pour trancher un problème, plusieurs conditions préalables doivent être remplies par l'autorité politique. Ainsi, elle doit :

- avoir une idée précise des objectifs qu'elle désire atteindre et disposer d'un projet d'avenir qui lui permette d'évaluer l'importance du problème posé par rapport à ses priorités globales ;
- obtenir toute l'information sur le problème abordé ;
- être en mesure d'analyser rigoureusement les tenants et aboutissants du problème et, pour ce, avoir les ressources intellectuelles et techniques nécessaires ;
- savoir consulter les divers acteurs sociaux impliqués et tenter de réaliser un consensus au sujet des options envisagées ;

- pouvoir répartir clairement les responsabilités politiques et administratives pertinentes afin de coordonner, de façon cohérente, la réflexion et l'action gouvernementales ;

- détenir les ressources financières, techniques, légales et politiques pour résoudre le problème.

De plus, compte tenu de la complexité du jeu politique dans une démocratie comme la nôtre, de la difficulté d'harmoniser les avis de tous et de l'incertitude inhérente à toute action politique, l'autorité politique doit pouvoir disposer d'un leadership fort et de beaucoup de chance.

La décision est donc un *acte politique* nécessaire et *complexe*, un idéal à atteindre, une *science* et un *art*.

Chacun de ces qualificatifs mérite quelques commentaires.

D'abord, la décision est un acte politique dans la mesure où elle engage la responsabilité gouvernementale et donc qu'elle exige des décideurs qu'ils en répondent devant l'assemblée des élus. En conséquence, et particulièrement dans les pays à tradition anglo-saxonne, seuls les acteurs qui détiennent un mandat politique sanctionné par la majorité de l'électorat ont la responsabilité des décisions engageant la collectivité nationale. Fonctionnaires, consultants, groupes de pression et autres intervenants peuvent donc être considérés comme des acteurs, mais non comme des décideurs politiques.

Par ailleurs, la décision politique est une entreprise complexe. Le champ des activités gouvernementales s'est en effet élargi au point d'englober la quasi-totalité des fonctions sociales et économiques, de la défense jusqu'aux loisirs, et ce depuis la définition générale des politiques jusqu'à l'application détaillée de ces dernières. Parallèlement à cet accroissement des tâches, l'organisation administrative — en tant qu'instrument décisionnel — ainsi que les ressources financières dont disposent nos gouvernements ont crû de façon proportionnelle. Bref, autant les problèmes posés au décideur politique que les instruments dont il dispose pour les résoudre sont devenus trop complexes et trop lourds pour qu'une équipe gouvernementale, ou à fortiori un homme, puisse prétendre au rôle de décideur absolu. Autrement dit, la politique détient le statut de décideur, il en porte la responsabilité ultime, mais, techniquement, il ne peut pleinement assumer son rôle sans l'aide et la collaboration d'une multiplicité de personnes et d'organismes qui composent l'administration publique. Ceci constitue l'un des paradoxes de la décision.

Autre point important, la décision est un idéal, un acte étroitement lié à la conception que nous nous faisons du chef politique et de son style (voir, à ce sujet, Charih, 1992). Certaines sociétés ou certaines cultures vont ainsi valoriser le caractère démocratique de l'acte décisionnel, la consultation, la collégialité des choix, d'autres privilégient le respect du droit et des usages, et d'autres encore la fidélité à une doctrine ou une idéologie, qu'elle soit d'inspiration séculière ou religieuse ; certaines autres cultures accordent beaucoup d'importance à la personnalité, au charisme du leader, d'autres enfin — dont la nôtre — perçoivent la décision politico-administrative moins comme le privilège du leader, l'expression quasi mystique de l'autorité suprême que comme une activité pragmatique de résolution des problèmes sociaux. C'est dans cette optique que la décision est définie comme une science, une démarche rigoureuse encadrée par des théories et des méthodes précises, le plus souvent quantitatives. Le point à retenir ici est que le concept de décision dépend des orientations culturelles d'une société ou, si l'on préfère, d'une vision particulière du monde. Dans les pays industrialisés par exemple, malgré certains traits culturels communs, la définition du concept de décision est loin de susciter un consensus : les techniciens et les gestionnaires y voient une « boîte à outils » de techniques scientifiques, politiquement neutres ; les sociologues la perçoivent surtout comme un comportement politique et bureaucratique dominé par les luttes d'influence et de pouvoir ; les leaders politiques, quant à eux, y voient avant tout un art et un privilège et certains politologues sceptiques vont jusqu'à affirmer que « la décision, ça n'existe pas » (Sfez, 1976, 1982).

Bref, malgré son importance en tant qu'activité politico-administrative concrète, la décision demeure un concept idéologiquement et culturellement « chargé » (Siwek-Pouydesseau, 1973). Il n'est donc guère étonnant qu'il existe non pas une définition admise, mais tout un échantillonnage de conceptions dont il serait tout à fait inutile de faire l'inventaire, dans la mesure où elles révèlent plus les préjugés de leurs auteurs qu'un réel effort de synthèse. En conséquence, plutôt que de nous enfermer dans un exercice purement académique de compilation théorique, nous avons opté ici pour une approche synthétique et pragmatique qui pourrait s'apparenter à celle du praticien-observateur de la décision en tant que comportement concret. Dans cette optique, la décision est avant tout une activité de résolution des problèmes, donc une des tâches, sinon la tâche centrale, de l'administration. En tant que telle, cette activité vise la réalisation et le perfectionnement des fonctions politico-administratives. Notre point de vue est donc à la fois occidental — pour ne pas dire anglo-saxon —, normatif et rationaliste. Suivant ce point de vue, nous tenterons, dans la première partie de ce chapitre, d'analyser les conditions pratiques de la décision. Nous essayerons en fait de répondre aux questions suivantes : Qu'exige un choix de qualité dans le cadre administratif ? Quelles sont les conditions pratiques formelles d'une « bonne » décision ? Quels sont les problèmes intellectuels et managériaux que pose la décision ?

Il serait cependant insuffisant de se limiter à cette vision purement technique des choses. En effet, la décision s'insère dans un milieu social et humain, une série d'environnements qui, tous, influencent l'application des techniques décisionnelles. Nous ferons donc appel, dans la seconde partie de l'exposé, à la sociologie du choix pour éclairer les problèmes que pose l'environnement psychologique et bureaucratique au perfectionnement du comportement décisionnel.

3.1
LA DÉCISION COMME ACTIVITÉ DE RÉSOLUTION DES PROBLÈMES : LA GESTION DU CHOIX

Pour plus de clarté, prenons une situation concrète : vous venez d'être nommé responsable d'un service à vocation sociale ou administrative, d'un organisme relativement modeste. Il pourrait s'agir par exemple d'une association, d'une cellule de planification ministérielle ou d'un département académique. Bien entendu, vous avez une idée assez précise des tâches que vous aurez à accomplir. Déjà toute une série de problèmes urgents à régler vous attendent sur votre bureau. De quelle façon procéderez-vous ?

Organiser d'abord

Il est évident que tous ces dossiers exigent des décisions. Une solution consisterait donc à les dépouiller immédiatement un à un ; mais, serez-vous capable d'accorder suffisamment d'attention à chacun étant donné votre emploi du temps chargé ? Avez-vous les connaissances et l'expérience nécessaires pour statuer seul et sans aide ? En fait, vous venez de vous heurter à la première condition de la décision : avant de choisir, penser et analyser, il s'agit d'organiser l'appareil décisionnel, c'est-à-dire répartir les responsabilités et les fonctions, structurer le processus de résolution des problèmes, établir un réseau de communication, mettre au point un ou des mécanismes de coordination et de contrôle et, finalement, choisir un style ou un mécanisme institutionnel de prise de décision. En d'autres mots, vous devez connaître ou créer l'instrument de la décision avant de l'utiliser, au même titre qu'il vous faut connaître ou posséder un véhicule avant de le conduire. Ceci vous paraîtra sans doute évident, mais il n'est pas inutile de mentionner que même un président américain peut faillir à cette tâche (Clarke, 1983, p. 18).

Vous devez donc connaître le cadre décisionnel dans lequel vous allez travailler et, éventuellement, le modifier suivant vos besoins. Ainsi, plusieurs éléments doivent attirer votre attention : à priori, il serait intéressant de connaître précisément les missions et les fonctions de l'organisme que vous dirigez. Ceci n'est pas un simple exercice de routine ; en effet, si, par exemple, on parcourt la nomenclature des tâches d'un ministère ou la réglementation administrative d'un service, force est de constater que souvent leurs fonctions sont décrites de façon vague, générale sinon très ambiguë. Il est donc utile de lire les textes et de connaître les us et coutumes d'un organisme à seule fin de savoir ce qu'il fait précisément. Une attention toute particulière devra être portée aux lignes d'autorité et de responsabilité. Ainsi, vous serez en mesure d'établir qui fait quoi dans votre organisation, qui a l'autorité d'effectuer tel ou tel geste et qui, éventuellement, détient l'autorité non seulement de droit, mais aussi de fait. Trop souvent en effet, l'ambiguïté des fonctions et des règlements favorise l'émergence de zones et d'éminences grises qui ne correspondent ni aux textes ni à l'organigramme officiel. Dans ce cadre, prendre des décisions reviendrait, en principe, à engager un mécanisme que l'on ne contrôle pas ou pas assez. Il est donc prioritaire de tracer vous-même un organigramme « réel » de votre organisation en essayant de clarifier le mieux possible les responsabilités et les centres d'autorité dans le but évident de vous situer dans cette structure, mais aussi de la modifier à votre avantage.

D'ailleurs, plusieurs principes peuvent vous guider dans cette tâche : l'autorité centrale — collective ou individuelle — ainsi que les autorités fonctionnelles et déléguées doivent être clairement désignées. Rien n'est plus irritant, pour un responsable, que de constater la fragmentation des responsabilités dans son service. La gestion du personnel, par exemple, peut être répartie entre plusieurs directions suivant le type d'employés ; les autorités financières, politiques, administratives peuvent s'enchevêtrer à l'extrême rendant la tâche décisionnelle excessivement difficile. Il est donc souhaitable — dans la mesure du possible — de promouvoir les principes conjoints de la clarté, de la simplicité et de l'équilibre dans la structure même de l'organisation. Clarté et simplicité sont des concepts assez explicites en eux-mêmes ; l'idée d'équilibre suggère simplement d'éviter qu'une autorité déléguée ne monopolise un secteur entier de l'organisation au détriment des autres et du responsable central.

Gardez cependant en mémoire que les principes que nous venons de citer sont relatifs ; ils ne constituent pas une panacée et, en pratique, toute organisation est caractérisée par une force d'inertie qui émousse les réformes et les détourne de leur objectif initial. Il est donc parfois plus important de bien connaître le labyrinthe organisationnel et de savoir l'utiliser que de tenter à tout prix de le changer.

Postulons donc que maintenant vous avez une idée nette de la structure organisationnelle que vous dirigez : vous savez qui doit faire quoi, où, quand et comment ; vous savez donc qui aller voir avec les différents dossiers qui encombrent votre bureau.

Cependant, la prise de décision exige plus que la connaissance de la structure organisationnelle, il faut également avoir les moyens de la diriger et de trancher les différents problèmes qui vous incombent. En d'autres mots, l'autorité décisionnelle doit disposer de ressources humaines, techniques et organisationnelles satisfaisantes si elle ne veut pas se contenter d'un statut purement symbolique. Plusieurs conditions nous paraissent particulièrement essentielles : d'abord, vous devez disposer d'un état-major ou, si vous préférez, d'une équipe de direction, plus ou moins réduite suivant la taille de l'organisme que vous dirigez. Celle-ci, qui ne sera subordonnée qu'à vous, aura pour mission de vous assister à la fois dans votre tâche de réflexion et de suivi des dossiers. D'une part, cette équipe sera vos yeux et vos oreilles dans l'organisation, c'est-à-dire qu'elle vous informera, et d'autre part, elle vous aidera dans votre travail de conception et d'analyse des politiques. Finalement, elle vous appuiera dans l'administration des décisions, c'est-à-dire dans leur coordination et leur contrôle.

En ce qui a trait à cette dernière mission, il vous faudra voir — parallèlement à votre personnel proprement dit — certains mécanismes institutionnels très précis que l'on retrouve généralement dans tout service administratif sous l'appellation de conseils ou comités décisionnels. Ceux-ci sont en quelque sorte le cœur de votre futur système décisionnel et, de ce fait, ils exigent une attention toute particulière. Suivant les différentes fonctions de votre organisme, vous devrez réunir régulièrement les responsables des services compétents — qu'ils soient sous vos ordres ou qu'ils représentent d'autres institutions — pour discuter d'un dossier ou en décider. Ces comités seront donc structurés de façon fonctionnelle, soit par secteur d'activités (par exemple : comité des politiques, comité des finances, comité du personnel, etc.), et représenteront le lieu précis où se nouent les différents fils d'un dossier.

En principe, si vous êtes le responsable central d'un organisme, c'est à ce point précis que vous vous trouverez confronté aux divers avis et pressions des différentes composantes de votre organisation. Il est donc d'une importance extrême que vous connaissiez bien et que vous puissiez contrôler ces mécanismes. Dans un premier temps, il faudra vous assurer de la qualité de votre système de coordination. En effet, celui-ci doit remplir plusieurs fonctions telles que :

- couvrir les principaux domaines d'activités de votre organisation ;

- centraliser l'information concernant les différents problèmes à traiter, leur répartition et leur degré d'avancement ;

- répartir les dossiers parmi les services compétents, quitte parfois à créer des groupes de travail *ad hoc* composés de membres désignés de ces mêmes services ;

- préparer les réunions des comités de façon que chaque participant ait l'information nécessaire en vue des débats ;

- enregistrer les décisions arrêtées, les communiquer et en superviser l'exécution.

En pratique, une partie de ces tâches est purement administrative et, donc, est effectuée par un secrétariat. Cependant, le rôle de votre état-major est primordial pour assurer le bon fonctionnement de ce système. C'est dans ce cadre, en particulier, que votre équipe pourra observer la façon dont travaille votre organisation, noter les intérêts de chacun et la concurrence qui en découle, mais aussi superviser et contrôler le traitement des dossiers de même que l'exécution des décisions. Pour mieux illustrer la chose, représentez-vous votre système de coordination comme un thermostat qui, grâce à ses nombreuses ramifications, vous permet de prendre le pouls de l'environnement et de le contrôler à votre guise.

Concurremment, une attention toute particulière devra être accordée au système de communication qui relie les différentes parties de l'organisation entre elles et à l'appareil de coordination. Une des conditions préalables fondamentales de la décision est l'information concernant les différents problèmes à traiter. Il faudra donc vous assurer que les dossiers et les données pertinentes circulent de façon fluide, à la fois verticalement (du bas vers le haut ou du haut vers le bas) et horizontalement entre les unités qui collaborent, par exemple, à la résolution d'un problème. Il est en effet trop courant de voir, dans certaines organisations, les informations se perdre dans une hiérarchie qui peut aller jusqu'à quarante couches superposées (Augustine, 1983, p. 83). Une des solutions peut consister à donner, à l'organe de coordination lui-même, la tâche de la gestion de l'information. On peut aussi envisager de créer, dans certains cas, des banques de données spécialisées qui centraliseront l'information au profit de tous. Cela se fait dans certains pays, dans le secteur de la gestion budgétaire par exemple.

Par ailleurs, vous pourrez tenter de définir et de faire accepter une démarche ou un processus standard de décision pour chacun des secteurs de travail.

En principe, tout en étant adapté à la nature des problèmes à traiter, il devra comprendre les étapes suivantes :

- réunion de l'information et des données – consultation ;
- définition générale du problème ;
- répartition du travail ;
- analyse ;
- présentation des options ;
- délibération – consultation finale ;
- décision ;
- exécution ;
- supervision – contrôle.

La définition d'une telle démarche visera à garantir le caractère ordonné et réfléchi de toute décision. Finalement, son but est de vous inciter à penser avant d'agir et aussi d'inclure toutes les personnes compétentes dans cette réflexion. Bien sûr, vous vous rendrez compte rapidement que tous les processus de décision ne s'insèrent pas facilement dans une telle démarche. Souvent, un décideur peut avoir à faire un choix sans même connaître la nature exacte du problème auquel il est confronté : c'est ce qu'on appelle une situation de crise. Dans d'autres cas, les méthodes standards ne sont pas adaptées à la nature du problème ou n'ont tout simplement pas été prévues. Dans cette perspective, la planification des processus de décision doit être remplacée par la planification d'urgence (*contingency planning*). Dans ce cas, vous trouverez peut-être utile de créer une petite unité dont la tâche principale sera de tenter de prévoir l'imprévue et d'élaborer des processus de décision de crise (Head *et al.*, 1978).

Maintenant, vous avez presque terminé votre travail d'organisation du cadre décisionnel. Toutefois, il vous reste encore une tâche à accomplir : définir votre style de leadership. Celui-ci dépend, bien sûr, de votre compétence et de votre personnalité, mais il comporte aussi une facette organisationnelle. En effet, il vous appartient de définir la façon dont les décisions seront prises au sommet de votre organisation, au sein du conseil d'administration ou de direction par exemple. Pour plus de simplicité, nous pouvons distinguer trois styles de leadership qui, tous, ont leurs qualités et leurs défauts. Le premier serait le style autocratique : vous prenez vos décisions seul ou avec vos collaborateurs immédiats. Vous cherchez à obtenir le maximum d'information par le biais de votre état-major, le cas échéant, vous consulterez l'un ou l'autre de vos subordonnés mais, en principe, votre choix sera imposé en conseil. Le second style, que l'on peut appeler « gaullien » ou présidentiel, consiste à soumettre un problème ou une question à l'organisme directeur, mais à trancher vous-même le débat une fois que les opinions de chacun auront été exprimées. Cette formule cherche à réaliser un équilibre entre la consultation et l'impératif du commandement. Comme l'a très bien dit De Gaulle lui-même : *Une fois la cause entendue, rien ne coûterait plus cher que l'incertitude du pouvoir* (1954, p. 148). Autrement dit, le pouvoir de décider ne peut être soumis aux hésitations ou aux tergiversations d'un organe collectif, même si la consultation de cet organe est nécessaire. À l'opposé, le troisième style, que l'on peut qualifier de collégial, assimile le leader à une sorte d'arbitre. Les problèmes sont discutés et tranchés par le groupe directorial suivant la règle de la majorité ou celle du consensus. Par le fait même, ce processus garantit le caractère démocratique des décisions mais peut, par contre, compliquer et freiner les choix dans la mesure où la résolution des problèmes devient la résultante de multiples influences concurrentes ou même contradictoires.

Dans la pratique cependant, le choix de votre style de direction, autant d'ailleurs que la mise en place d'un système de coordination ou de communication, et le choix de votre état-major s'avéreront beaucoup moins simples que nous l'avons suggéré ici. Les principes que nous avons présentés sont, dans ce sens, surtout des orientations générales et non un nouveau décalogue qu'il faudra appliquer à la lettre. Par ailleurs, dans le milieu particulier de l'administration publique, les structures, processus et règlements s'imposeront à vous sans que vous puissiez les modifier. Finalement, votre expérience d'administrateur et de décideur vous exposera à de multiples modes et doctrines de management se targuant toutes d'être « la meilleure ». Mais, précisément dans ce contexte complexe et changeant, il vous sera peut-être utile de conserver à l'esprit non une liste de règlements ou de lois, mais quelques principes généraux qui vous permettront de mieux vous adapter à votre organisation et de tirer profit de ses rouages, quelle que soit leur complexité.

Penser et analyser

Nous supposerons donc que votre travail d'organisation du système décisionnel est achevé et que vous abordez maintenant la substance même du travail de décideur : les dossiers et les problèmes à résoudre. Pourtant, avant d'entamer cette étape, quelques réflexions plus abstraites nous semblent de rigueur. L'acte de décider se compose de trois éléments interreliés : l'élément politique, qui implique la responsabilité finale, le commandement ; l'élément administratif, qui couvre l'organisation et la gestion du cadre décisionnel, et ces deux facettes — que nous avons commentées précédemment — sont complétées par un troisième aspect du choix, à savoir la réflexion et l'analyse. Nous appelons ceci l'élément scientifique de la décision. Son intérêt particulier réside dans le fait qu'il soulève le problème de la relation entre la connaissance scientifique et l'action politique ou, si l'on préfère, la question de l'aide scientifique à la décision politique. Plus précisément, si l'on admet que le politique et l'administratif sont tournés vers la pratique, la réalisation d'objectifs et de programmes gouvernementaux et que la science vise avant tout à la connaissance rigoureuse des faits naturels et sociaux, on peut se demander dans quelle mesure une articulation des deux est réalisable. Autrement dit, est-ce qu'une science de l'action politique est possible ? Dans l'affirmative, cela impliquerait, par exemple, que non seulement les faits politiques, sociaux ou économiques peuvent être connus ainsi que les lois qui les déterminent, mais aussi que le succès des actes politiques et administratifs peut être garanti d'après la connaissance de ces lois. Dans cette situation, il est clair que l'on pourrait prévoir la fin du politique tel que nous le connaissons et le début d'une nouvelle ère où le scientifique-roi gouvernerait la cité. Le mythe de la technocratie — traité ici dans un autre chapitre — repose d'ailleurs en partie sur cette idée.

Nous n'entrerons pas dans le détail de ce débat, mais il nous paraissait important de relever sa pertinence à ce stade-ci de notre exposé. En fait, dans le rôle de décideur fictif que nous vous avons attribué, trois points seraient intéressants à retenir. Premièrement, au stade actuel de l'évolution de la pratique politique et administrative, il n'existe pas de science de l'action qui résoudrait les problèmes pour vous. L'ordinateur-décideur appartient encore, dieu merci, au domaine de la science-fiction (Aron, 1967, p. 423). Deuxièmement, le rôle politique et administratif de la science, personnifiée par l'expert, le consultant ou l'analyste, a pris beaucoup d'importance depuis maintenant quarante ans et, troisièmement, il est impératif que vous sachiez reconnaître, en tant que décideur, les possibilités et les limites de cette relation.

Il est possible de faire schématiquement l'inventaire des instruments que la science propose au décideur politico-administratif et c'est ce que nous essaierons de faire dans la suite de la présente partie en reprenant le jeu de rôles dans lequel vous incarnez le décideur.

Face aux dossiers que vous allez aborder, la « science » de la décision, que l'on appelle aussi l'analyse de système ou la recherche opérationnelle (Quade, 1964), vous offre un certain nombre de principes, pour ne pas dire une philosophie. En général, elle vous propose une étude analytique destinée à identifier un choix préférentiel parmi plusieurs options possibles ; elle se caractérise aussi par une approche systématique et rationnelle comportant des hypothèses clairement exprimées, des objectifs et des critères nettement définis et un choix de possibilités d'actions examinées à la lueur de leurs conséquences possibles (Quade, 1964, p. 4).

Plus simplement encore, la « science » de la décision vous fait un certain nombre de recommandations générales et vous propose de soumettre un certain nombre de vos problèmes à une analyse rigoureuse.

Dans un premier temps par exemple, il vous est suggéré de définir clairement et concrètement les objectifs que vous poursuivez et de préciser le problème auquel vous êtes confronté (Quade et Boucher, 1968). Dans un second temps, l'analyse de système prendrait votre dossier en charge et tenterait de le traiter par le biais d'un certain nombre de méthodes et de techniques. Il va sans dire que tout problème décisionnel n'exige pas une démarche aussi sophistiquée. Les principes de cette dernière relèvent cependant du « gros bon sens » et demeurent valables pour toute décision que vous aurez à prendre.

Il vous est donc recommandé de définir vos objectifs. Le principe de l'opération est relativement simple. Il suppose que vous disposiez, en ce qui concerne votre organisme, d'un système d'objectifs assez précis. Confronté à une question spécifique, il vous suffira de vous poser la question : en quoi la situation présente affecte-t-elle les objectifs que je poursuis ? Si nous prenons, par exemple, le cas d'un département universitaire, vos deux objectifs principaux seraient la promotion de l'enseignement et la promotion de la recherche ; de ces buts, vous pourrez déduire toute une série d'objectifs pratiques qui seraient, par exemple, sur le plan de l'enseignement : l'amélioration de la pédagogie, l'augmentation du nombre d'étudiants, l'aide financière aux étudiants, le placement des finissants, etc. Le tableau 3.1 vous donne l'exemple d'un tel système d'objectifs.

Comme vous pouvez le constater, un tel schéma vous permet de réagir à un problème ou d'en soulever un, le cas échéant. Ainsi, une grève étudiante ou l'embauchage d'un nouvel enseignant vous amènera immédiatement à localiser votre problème par rapport à votre système d'objectifs. Avons-nous trop d'étudiants par rapport au corps enseignant et aux capacités d'encadrement ? Allons-nous engager un enseignant ou un chercheur ? Quelles sont nos priorités à ce sujet ? Dans le même sens, vous pouvez réaliser qu'une catégorie d'objectifs n'est pas assumée par votre organisation alors qu'elle devrait l'être (par exemple, la promotion du financement de la recherche). Notez aussi que votre schéma s'articule (ou devrait s'articuler) avec les différents secteurs fonctionnels de votre organisation (par exemple, bacc., études supérieures, recherche) et qu'il permet facilement le passage des objectifs aux moyens. Ici par exemple, traiter de l'encadrement des étudiants ou du soutien à la recherche soulève immédiatement le problème des moyens physiques (Avons-nous suffisamment d'auxiliaires ? De quelle qualité ? Quels sont nos moyens documentaires ? informatiques ?).

Un système détaillé d'objectifs constitue donc un instrument important de réflexion qui, en tant que tel, vous permettra déjà de définir la nature des problèmes auxquels vous devez faire face ainsi que l'ordre de priorité que vous devrez leur imposer.

Idéalement, à l'issue de cette étape du traitement d'un dossier, vous devriez aboutir à une formulation qui précise les racines d'un problème (par exemple, la faiblesse du soutien informatique à la recherche). Partant de là, l'analyse de système vous recommande ensuite de définir les contraintes qui vous sont imposées (limites financières, manque d'espace, de personnel spécialisé, etc.) et les différentes options pour résoudre votre problème dans le cadre de ces mêmes contraintes.

À partir de cette première approximation, l'expert lui-même prendra en charge votre dossier et lui fera suivre une démarche type. Vous pouvez d'ailleurs utiliser ce même cheminement si vous ne bénéficiez pas des services d'un analyste de systèmes. Il s'agira en particulier de :

- préciser et quantifier, si possible, les données du problème et les objectifs poursuivis ;
- traduire les objectifs selon des critères d'efficacité et de coût ;
- si possible, exprimer le problème sous forme de modèle ou de système formel (graphique, schéma) ;
- définir l'environnement du problème ;

TABLEAU 3.1
Hiérarchie des objectifs d'un département universitaire

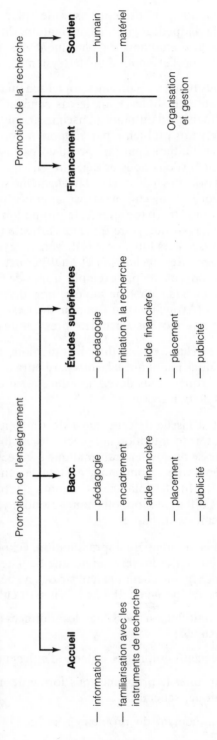

Promotion de l'enseignement

Accueil

— information

— familiarisation avec les
instruments de recherche

Bacc.

— pédagogie

— encadrement

— aide financière

— placement

— publicité

Études supérieures

— pédagogie

— initiation à la recherche

— aide financière

— placement

— publicité

Promotion de la recherche

Financement

Soutien

— humain

— matériel

Organisation
et gestion

- mettre en évidence et comparer les options possibles ;

- analyser la sensibilité des options par rapport à différentes hypothèses (par exemple, si ceci se produit ... alors ...) ;

- détecter les faiblesses ou les incertitudes de l'analyse (et la recommencer, le cas échéant) ;

- synthétiser la présentation et recommander une option.

Le cœur de la démarche réside dans la phase de modélisation ; en fait, c'est à ce niveau qu'intervient la compétence particulière de l'expert. Si, en effet, votre problème peut être représenté par un système comportant des éléments quantifiables en interaction régulière et constante, il y a d'excellentes chances qu'il puisse être résolu par le biais d'un modèle mathématique. C'est précisément la tâche de l'expert ou de l'analyste de systèmes de vérifier si un tel modèle existe et répond à votre cas particulier. Spécifiquement, quatre secteurs se prêtent particulièrement bien à la modélisation ; il s'agit de :

- l'efficacité des opérations (c.-à-d. fonctionnement d'un service d'entretien, d'incendie, de communication, d'ambulance, etc.) ;

- l'allocation des ressources (c.-à-d. problème de répartition optimale des moyens matériels, humains ou financiers) ;

- l'évaluation de programmes (en fonction d'objectifs précis) ;

- la planification et de la budgétisation (c.-à-d. choix de programmes en fonction d'objectifs et de contraintes précises).

Compte tenu du fait que beaucoup de problèmes administratifs entrent dans ces secteurs, il n'est donc pas étonnant qu'un grand nombre de services publics ou privés aient eu recours à l'aide scientifique à la décision, particulièrement dans les secteurs techniques et financiers. Dans les organismes de taille modeste cependant — comme ceux qui nous ont servi d'exemple —, l'usage de ces techniques est moins courant. En ce cas, il vous sera malgré tout loisible de respecter les principes de la démarche scientifique et ceux-ci, à l'instar des orientations organisationnelles que nous avons présentées précédemment, demeurent importants dans la mesure où l'on garde en mémoire leurs limites et leurs faiblesses. Dans cette optique, il vous sera utile de conserver à l'esprit que :

- les objectifs d'un service ou d'un programme sont toujours plus complexes et plus ambigus qu'on ne le pense ;

- la quantification ou la modélisation des problèmes de nature politique ou sociale se fait souvent au détriment de leurs aspects les plus importants et au profit de leurs éléments purement techniques ;

- l'incertitude et le risque demeurent des constantes de tout choix politique et administratif ; on ne peut donc que très rarement garantir le succès d'une décision ;

- la solution parfaite, le *one best way*, est un idéal et non une réalité administrative ;

- l'expert et les méthodes qu'il peut vous proposer constituent une aide potentielle mais non une panacée.

En conclusion, le travail d'organisation et d'analyse décisionnelle que nous vous avons suggéré ici ne doit pas être confondu avec la voie de la perfection. Il représente un effort de rationalisation et non la rationalité elle-même.

3.2
L'ENVIRONNEMENT DE LA DÉCISION : LA SOCIOLOGIE DU CHOIX

Supposons à présent qu'un de vos problèmes décisionnels a été scruté et disséqué à fond. Vous voyez clairement le but visé et les différentes possibilités qui s'offrent à vous pour atteindre ce but. Vous avez comparé vos options suivant les avantages et les coûts et vous pensez reconnaître la ou les meilleures solutions. Théoriquement, votre travail est fini. En pratique cependant, il ne fait que commencer. En effet, pour l'instant, la décision n'est ni arrêtée, ni exécutée, et un long travail de persuasion, de discussion et de mise en place vous attend. Mis à part le cas où vous dirigez, de façon autocratique, une organisation — ce qui est rarement le cas en administration publique —, vous aurez à convaincre vos collaborateurs et vos supérieurs de la justesse de vos vues, présenter votre cas en assemblée, soumettre vos arguments aux débats, faire accepter vos solutions et les faire appliquer. Vous réalisez donc qu'une prise de décision n'est pas seulement une activité intellectuelle solitaire, mais aussi un problème collectif et terre à terre qui exige la mise au point d'une stratégie de votre part si vous voulez voir les résultats de votre travail préparatoire acceptés par l'organisation.

Dans cette perspective, il serait déjà bon que vous connaissiez la nature de l'environnement bureaucratique auquel vous faites face ; précisons tout de suite qu'il ne s'agit pas là des structures organisationnelles formelles dont nous avons parlé plus haut.

En fait, la sociologie de la décision distingue deux types d'environnement qui nous intéresseront particulièrement : le cadre psychologique du choix et son cadre bureaucratique proprement dit (George, 1981, p. 25, 109).

Pour simplifier, disons que, dans un premier temps, vous aurez affaire à des individus dont la personnalité et les attitudes influent sur le comportement au travail. Vous ne pouvez vous attendre spécifiquement à ce qu'ils voient le monde de la même façon que vous ou qu'ils acceptent vos jugements, même les mieux fondés, comme un scientifique accepterait les lois du monde physique. La connaissance de la psychologie de votre entourage vous sera donc très utile pour structurer efficacement la présentation de vos dossiers, pour comprendre les difficultés auxquelles vous vous heurterez et même, quelquefois, pour comprendre vos propres faiblesses.

Dans un second temps, vous réaliserez déjà que l'organisation qui vous emploie n'est pas seulement une machine à résoudre les problèmes le plus efficacement possible, mais aussi une collectivité particulière, caractérisée par des comportements et des modes d'opération très particuliers qui ne facilitent pas nécessairement la prise de décision. La connaissance de cet environnement vous permettra donc de mieux vous ajuster à la réalité bureaucratique qui vous entoure.

La psychologie du choix : l'univers mental du décideur

Pour les psychologues, la source des comportements et des choix réside non seulement dans l'entendement de l'acteur, son intelligence en tant que capacité illimitée de connaître objectivement la réalité et de s'y adapter, mais aussi dans un ensemble de programmes mentaux alternatifs qui obéissent à des mécanismes particuliers. Ces programmes feraient en quelque sorte partie intégrante de notre façon de voir et de comprendre le monde qui nous entoure. Plus précisément, les psychologues considèrent que la source des décisions réside dans le système de valeurs et de croyances des acteurs. Autrement dit, ce qu'une personne fait (son comportement) dépend de ce qu'elle veut (ses valeurs) et de ce qu'elle considère comme vrai ou probable (ses croyances) à propos d'elle-même ou de son environnement (Ebert et Mitchell, 1975). La particularité de ce mécanisme découle d'un ensemble de caractéristiques qui affectent directement votre façon de décider :

- l'entendement humain supporte mal la complexité et l'ambiguïté de notre environnement ; nous avons donc tendance à simplifier les choses, quitte à biaiser la réalité ;

- cette simplification s'effectue suivant une série de modèles ou de filtres construits non pas à partir d'une analyse scientifique, mais d'après notre expérience et notre éducation, donc à partir d'un ensemble de données souvent affectives et imaginaires où nos opinions et nos préjugés jouent un grand rôle ;

- nous construisons donc chacun une série de prismes idéologiques qui nous permettent de voir les choses de façon cohérente mais qui, en même temps, déforment la perception ;

- de plus, nous sommes — toujours dans la perspective des psychologues — très sensibles à l'état de notre environnement immédiat. La situation particulière dans laquelle nous nous trouvons influencera donc la façon dont nous allons décider. Le stress, spécifiquement, peut altérer de façon draconienne la qualité des décisions que nous aurons à prendre ;

- finalement, notre système mental ou cognitif répond à des règles structurelles particulières dont le but est d'éviter les contradictions et les conflits entre des devoirs (valeurs) perçus comme incompatibles, entre des perceptions (croyances) contradictoires ou, en général, entre tout élément de ce système.

Bref, la psychologie affirme que nous manipulons constamment nos perceptions pour préserver notre confort intellectuel et que, par conséquent, nos décisions sont souvent prises en fonction de cette vision déformée de la réalité. En supposant que vous-même — en tant que décideur — avez réussi, en adoptant la démarche décisionnel dite scientifique, à réduire ou à éliminer ce type de déformation, vous ne vous trouverez pas moins confronté constamment à des personnes qui, à des degrés divers, manifesteront les tendances esquissées plus haut. Une façon de les reconnaître, par exemple, consisterait à observer leurs stratégies décisionnelles, leur façon de faire des choix. Dans ce sens, il serait utile ici de faire l'inventaire de ces stratégies telles qu'elles ont été répertoriées par certains sociologues de la décison.

Ainsi, Simon (1979), Etzioni (1971) et Steinbruner (1974) ont mis en évidence la stratégie de la sous-optimisation selon laquelle l'acteur :

- en pratique, ne considère que les objectifs qu'il favorise ;

- privilégie le court terme par rapport au long terme ;

- a une capacité restreinte de traitement de l'information ;

- est incapable individuellement de mathématiser sa ou ses fonctions de préférences ;

- privilégie certaines valeurs par rapport à d'autres ;

- aborde les problèmes suivant des procédures standards (rigidité de l'analyse) ;

- est sensible à l'influence des normes sociales et institutionnelles ;

- éprouve des difficultés à quantifier les données de la décision.

Simon (1957) et Snyder (1977), quant à eux, proposent le modèle de la rationalité limitée (*bounded rationality* ou *satisficing*) ; d'après ce schéma, l'acteur ne cherche pas à optimiser ses choix, il ne fait que chercher une solution satisfaisante à son problème.

De plus, il n'effectue qu'un examen séquentiel des solutions possibles sans établir d'équilibre comparatif entre les arguments négatifs et positifs et n'utilise qu'une formule simple en guise de critère décisionnel, c'est-à-dire une ligne d'acceptabilité minimum (*threshold model*) et non un modèle additif pondéré qui lui permettrait de faire des échanges (*trade-offs*) entre différentes valeurs.

Dans le même sens, Schwartz (voir Janis et Mann, 1977, p. 26) suggère un modèle, le *moral decision making* ou *quasi satisficing*, selon lequel le décideur choisit en fonction d'une prescription normative unique. L'exemple type est celui de la personne qui, quelles que soient ses préférences personnelles, se jette à l'eau pour sauver quelqu'un de la noyade parce qu'une norme morale prescrit ce geste.

Tversky (voir Janis et Mann, 1977), quant à lui, propose le schéma de l'élimination par aspect (*elimination by aspect*). Dans ce cadre, le décideur, face à un ensemble X d'options, réduit peu à peu leur nombre en utilisant, pour chacune d'elle, un critère simple et exclusif : parmi l'ensemble des X, quelles options répondent à tel critère ? Première élimination. Parmi les options restantes, lesquelles possèdent telle caractéristique ? Deuxième élimination. Et ainsi de suite jusqu'à ce qu'il ne reste qu'une seule solution. Là non plus, l'acteur ne construit pas un tableau d'ensemble incluant ses solutions, ses valeurs et ses critères.

Lindblom (1959, 1990), finalement, a élaboré la stratégie du «pas à pas» ou du *muddling through*. Celle-ci se caractérise par le fait que l'acteur s'approche progressivement de l'objectif désiré. Son premier but est d'éviter les crises tout en restant le plus près possible de sa politique initiale. En fait, il accorde une très grande importance à la recherche du compromis, du consensus organisationnel et, de ce fait, ignore *a priori* les solutions qui s'éloignent trop du «juste milieu». Cela implique d'ailleurs une fragmentation du processus décisionnel sur une longue période, car l'objectif ne peut être atteint que de proche en proche.

Notons, de façon complémentaire, une stratégie qui correspond à l'orientation des modèles précédents. Celle-ci, mise en évidence par A. George (1980), consiste, pour l'acteur, à utiliser des heuristiques naïves dans le but de simplifier le problème décisionnel à traiter. Des exemples d'heuristiques naïves spécifiques sont :

- les images simplificatrices ;

- les analogies historiques ;

- les cadres idéologiques ou doctrinaux ;

- les recettes ou règles d'action inspirées par des succès précédents ou l'expérience de l'acteur en général ;

- la tendance à attribuer des qualités, des dispositions intrinsèques aux acteurs ou aux institutions qui posent le problème décisionnel.

Cette stratégie implique que le décideur est un pseudo-scientifique qui, à partir de données et de théories, cherche à expliquer, prédire et contrôler, mais qui remplit mal sa tâche. Au lieu d'appliquer ainsi une démarche scientifique, il préfère souvent utiliser des techniques naïves qui trahissent de nombreux biais et erreurs (George, 1980, p. 58).

Ce rapide tour d'horizon des stratégies décisionnelles de l'acteur réel (par opposition au décideur parfait et rationnel) n'est évidemment pas exhaustif. Il vous permettra cependant de repérer les attitudes et les comportements les plus courants et de déceler, le cas échéant, les faiblesses des argumentations qui vous seront opposées au cours des débats précédant le choix. N'oubliez pas non plus que même si vous pensez avoir analysé un problème suivant les principes de la démarche « scientifique » ou « rationnelle », ceci ne constitue pas une garantie de perfection ; chaque décideur est sujet à ses propres idiosyncrasies intellectuelles ou émotives. Il n'est donc pas inutile de passer votre propre analyse au crible de l'autocritique.

L'environnement bureaucratique et la décision

À l'instar de l'univers mental ou cognitif des acteurs, et étroitement articulé à lui, l'environnement bureaucratique répond, lui aussi, à des principes et des mécanismes qui ne facilitent pas la prise de décision, suivant le schéma que nous avons présenté dans la première partie de ce chapitre. Comme il sera démontré au chapitre 7, les règles et les structures qui sous-tendent un ensemble d'effets pervers qui se reflètent dans les attitudes et les comportements des bureaucrates. L'analyse des causes et de la forme générale de ces « perversions » étant faite plus loin, nous ne l'anticiperons donc pas. Qu'il suffise de rappeler qu'une organisation n'est pas simplement un système mécanique destiné à atteindre des objectifs particuliers le plus efficacement possible ou une machine à résoudre les problèmes, mais qu'elle est aussi un système social beaucoup plus complexe qui résiste et réagit, de façon autonome, à toute tentative d'ingénierie organisationnelle et humaine.

Plus précisément, Simon (1979) a présenté deux modèles qui schématisent la logique propre d'une organisation ; nous les intitulerons : modèle organisationnel et modèle stratégique. Nous les analyserons tous deux en mettant particulièrement l'accent sur les attitudes et les comportements qu'ils impliquent en matière de prise de décision.

Le modèle organisationnel : l'organisation comme lieu de conformisme et de routine

Selon ce modèle, l'organisation peut être conçue comme un milieu surréglementé, très hiérarchisé et peu évolutif, qui a perdu le sens de ses objectifs initiaux pour privilégier sa propre survie et celle de ses membres. Toute organisation, et à plus forte raison l'administration publique qui s'inspire encore beaucoup du modèle wébérien, souffrirait à des degrés divers de cette tendance.

En ce qui a trait à la prise de décision, ce modèle implique généralement un détachement des acteurs et des décideurs par rapport à la réalité de leur environnement opérationnel et des problèmes qui se posent à l'intérieur de ce même environnement. Ainsi, si vous soumettez un dossier dans un tel cadre et que votre analyse implique des changements de procédure, un assouplissement des normes d'autorité ou une remise en question des politiques admises, vous rencontrerez immédiatement une forte résistance. Cet état de faits est excellemment illustré par cette citation de F. Roosevelt, à propos de l'administration américaine :

> Le Trésor est un organisme si vaste et tellement retranché dans sa routine qu'il m'est presque impossible de le faire entreprendre et réussir ce que je veux. Mais le Trésor n'est rien face au Département d'État. Vous devriez faire l'expérience et tenter d'introduire un changement dans la pensée, la politique ou le comportement des diplomates de carrière ; vous sauriez alors ce qu'est un véritable problème. Mais le Trésor et le Département d'État mis ensemble ne sont rien comparés à la Marine. Tenter de changer quoi que ce soit dans la Marine peut être comparé au fait de frapper un édredon. Vous le frappez du gauche et vous le frappez du droit jusqu'à l'épuisement pour constater finalement que le maudit édredon a repris sa forme initiale (cité *in* J. Woolsey, 1980).

Le conformisme et la routine sont donc deux concepts clés du modèle organisationnel, et il est inutile de s'étendre sur l'incompatibilité de ces traits avec une démarche efficace de résolution des problèmes.

À l'instar des attitudes et comportements cognitifs types que nous avons répertoriés précédemment, vous pouvez aussi, dans le cas présent, relever un certain nombre d'indices qui vous permettront de savoir si ce modèle prévaut dans votre organisation.

Janis (1977) par exemple, sur le plan de la prise de décision en groupe, a mis en évidence une tendance fréquente au conformisme : le *Groupthink*. Cette tendance est révélée par six symptômes que vous pourrez tenter de repérer dans les divers comités auxquels vous participerez :

1) l'illusion d'invulnérabilité (il ne peut rien ariver de grave, tout va bien) ;

2) un effort collectif de rationalisation des informations qui tend à privilégier les faits rassurants par rapport aux données inhabituelles ou inquiétantes ;

3) la conviction de la probité professionnelle ou éthique du groupe (conviction du travail bien fait, de la justesse des objectifs poursuivis) ;

4) une vue stéréotypée de l'environnement et de la situation (les choses sont claires et ne changent pas) ;

5) l'autocensure des opinions déviantes (les jugements qui ne se conforment pas sont ignorés ou simplement non exprimés) ;

6) une illusion partagée d'« unanimité » (tout le monde est d'accord, le consensus prévaut).

De façon plus générale, vous pourrez être attentif à un certain nombre d'attitudes qui, toutes, trahissent la tendance au conformisme de votre environnement bureaucratique. Parmi les principales, notons :

- la valorisation excessive des règles et normes organisationnelles (on a toujours procédé comme cela) ;

- la valorisation de l'autorité (c'est le directeur, il doit avoir ses raisons) ;

- l'absence de motivation ou du sens de l'utilité personnelle (je ne comprends pas, mais je fais ce qui est prescrit, pour le reste, qu'ils se débrouillent) ;

- la dissolution de la notion de responsabilité (ce n'est pas moi qui décide) ;

- l'absence d'initiative, de créativité ;

- la peur de confronter le système, la peur des conflits ;

- l'évitement volontaire des problèmes ;

- la valorisation du consensus ;

- la valorisation des routines et processus habituels.

Le modèle stratégique : l'organisation comme lieu de conflit

L'existence même du modèle précédent, caractérisé par la routine, le conformisme et la hiérarchisation, présuppose une structure de pouvoir définie par la présence et l'action de multiples pôles d'autorité. On peut aussi conceptualiser une organisation comme une unité sociale mettant en présence des groupes aux intérêts divergents et menant chacun des stratégies autonomes, ou comme « un système qui se construit et se régule autour des relations de pouvoir qui s'établissent entre ses membres et entre les unités qui le composent » (Crozier et Thoenig, 1975).

Pour illustrer cela, reprenons l'exemple du département académique. Ce dernier peut se décomposer en divers groupes : enseignants, personnel administratif, direction, étudiants, etc., eux-mêmes divisés en sous-groupes spécifiques suivant leur place particulière dans l'organisation. Il est évident que ces groupes ont, chacun, des intérêts particuliers qui, pour eux, sont prioritaires. Ils sont donc en compétition les uns avec les autres à propos des ressources organisationnelles, mais aussi en ce qui a trait à la définition des problèmes et des politiques départementales. Chacun, en fait, a sa propre perception des choses et tend à développer un ensemble de stratégies individuelles pour protéger ou promouvoir ses intérêts et les intérêts collectifs tels qu'il les perçoit. En conséquence, l'acteur central — ici le directeur du département — ne peut s'attendre à un climat de coopération décisionnelle où tous ces groupes contribueraient, de façon neutre et objective, à la résolution des problèmes, mais plutôt à une situation de compétition et de conflit qui, dans le pire des cas, pourrait bloquer le mécanisme décisionnel et, dans le meilleur, pousserait au compromis et au *muddling through*.

Face à cela, le décideur, comme dans le cas précédent, doit être attentif à une série de symptômes qui lui permettront d'établir un diagnostic sur l'état de son environnement et son potentiel conflictuel (Bauer, 1988).

Cinq types d'attitudes spécifiques pourront attirer l'attention :

- une conscience aiguë des conflits et des oppositions à l'intérieur de l'organisme ;

- une perception des autres acteurs, surtout en ce qui concerne les intérêts opposés (évidemment ceux de l'administration ont leur propre motif ...) ;

- une autoperception particulariste des acteurs, définie d'après leur position et leurs intérêts (selon nous, à la comptabilité ...) ;

- une perception manipulatrice ou machiavélique des mécanismes de l'organisation (chacun monte son petit réseau d'influence ...) ;

- l'importance accordée à la connaissance des « trucs du métier », des contacts personnels et donc, par extension, à l'expérience opposée au savoir-faire technique ou professionnel.

Dans le même sens, certains comportements caractéristiques du modèle peuvent être identifiés ; par exemple :

- la rétention ou la manipulation de l'information ;

- l'utilisation de canaux de communication détournés (les *backchannel*) ;

- les tactiques de « fuites » organisées (diffuser l'information privilégiée pour provoquer un incident ou des réactions publiques) ;

- l'utilisation des interventions politiques ou hiérarchiques de haut niveau ;

- les tactiques de freinage ou de blocage des processus décisionnel (renvoi d'un problème pour étude approfondie) ;

- les tactiques d'exclusion (non-consultation de certains acteurs jugés « indésirables ») ;

- les tactiques d'influence diverses telles que pressions, chantage plus ou moins discret ;

- l'analyse corporatiste ou partisane des problèmes décisionnels ;

- les tactiques de marchandage (donnant donnant ...).

Prenons maintenant un peu de recul et considérons les différents éléments de ce chapitre dans leur ensemble.

Mis à part l'ampleur et la complexité même de la prise de décision administrative, nous sommes mieux en mesure de souligner l'étroite articulation de ces divers éléments. Ainsi, il est clair que le travail d'analyse que charpente la démarche rationnelle ou « scientifique » ne peut s'effectuer de façon abstraite, détachée des conditions cognitives ou organisationnelles prévalentes de l'environnement ; de la même façon, la structuration et la mise en place d'un système décisionnel, aussi perfectionné soit-il, n'échappent pas aux effets pervers qu'il induit dans le milieu social et humain qu'est la bureaucratie. En d'autres termes, l'aspect normatif technique de la décision et ses aspects sociologiques sont paradoxalement liés ... pour le meilleur et pour le pire.

Ceci évidemment ne peut que susciter un certain pessimisme chez tous ceux qu'intéresse l'amélioration ou la perfectibilité des choix politiques et sociaux.

À ceux-ci, nous rappellerions simplement qu'à l'instar de la science, qui est un effort permanent vers la connaissance, la décision peut être conçue comme un effort constant (et toujours partiel) vers la rationalité. En ce sens, l'essence du comportement décisionnel ne réside ni dans les erreurs spécifiques qu'il implique, ni dans les obstacles qu'il suscite, pas plus que les découvertes de Newton ou d'Einstein ne définissent une fois pour toutes ce qu'est la connaissance scientifique. L'essence de la décision est constituée par l'effort, le mouvement progressif vers une science de l'action fondée elle-même sur les progrès de la connaissance.

BIBLIOGRAPHIE

ARON, R. (1967) *Les étapes de la pensée sociologique*, Paris, Gallimard.

AUGUSTINE, N. (1983) *Augustine's Laws*, New York, American Institute of Aeronautics and Astronautics.

BAUER, J. (1988) «Résolution de conflits et crise de décision», *Politique*, Nº 13, p. 5-36.

CAMPBELL, C. (1983) *Government under Stress*, Toronto, University Press.

CHARIH, M. (1992) «Comment Ottawa décide», *in* R. Parenteau (dir.) *Management public*, Sillery, Les Presses de l'Université du Québec, p. 349-366.

CLARKE, D.C. et BRAUCH, H.G. (1983) *Decision-Making for Arms Control*, Cambridge, Ballinger.

CROZIER, M. et THOENIG, J.-C. (1975) «La régulation des systèmes organisés complexes», *Revue française de sociologie*. Vol. 16(1), p. 3-32.

DE GAULLE, C. (1954) *Mémoires de guerre*, Tome III, Paris, Plon.

EBERT, R. et MITCHELL, T.R. (1975) *Organizational Decision Processes*, New York, Crane Russak.

ETZIONI, A. (1971) *Les organisations modernes*, Paris, Duculot.

GEORGE, A. (1980) *Presidential Decision-Making in Foreign Policy*, Boulder, Westview Press.

HEAD, R. *et al.* (1978) *Crisis Resolution*, Boulder, Westview Press.

LINDBLOM, C. (1959) «The Science of Muddling Through», *Public Administration Review*, Vol. 19, p. 74-88.

LINDBLOM, C. (1990) *Inquiry and change. The Troubled Attempt to Change Society*, New Haven, Yale University Press.

MANN, L. et JANIS, I. (1977) *Decision-Making*, New York, Free Press.

QUADE, S. (1964) *Analysis for Military Decisions*, Santa Monica, Rand.

QUADE, S. et BOUCHER, W. (1968) *Systems Analysis and Policy Planning*, Santa Monica, Rand.

SIMON, H. (1979) *Les organisations*, Paris, Dunod.

SIMON, H. (1957) *Models of Man Social and Rational*, New York, John Wiley & Sons.

SIWEK-POUYDESSEAU, J. «La critique idéologique du management en France», *Revue française de sciences politiques*, Vol. 24(5), oct. 1974, p. 966-993.

WOOLSEY, J. (1980) *The Uses and Abuses of Analysis in the Defense Environment*, Washington, American Enterprise Institute.

Chapitre **4**

Les structures
de l'administration

Michel Barrette

PLAN

Pour agir et être en mesure d'assurer sa mission, l'administration doit être structurée. Et structurer l'administration c'est lui attribuer des pouvoirs d'intervention en vue d'objectifs à atteindre et fixer des limites à cette intervention. C'est aussi l'organiser en services fonctionnels, capables d'assurer les divers rôles administratifs ; il s'agit alors de répartir les tâches entre des institutions administratives, instruments de l'intervention de l'État.

4.1
LE DROIT, SOURCE DE POUVOIRS, SOURCE DE CONTRÔLES

Le droit administratif

Dans les démocraties libérales, le gouvernement et l'administration doivent être subordonnés aux lois. Certains États s'inspirent de la tradition juridique d'Europe occidentale et soumettent leur administration à un régime légal spécifique : le droit administratif. Cette *tradition* est basée sur la conception de la primauté de l'État, transcendant individus et institutions sociales et exigeant que l'État soit soumis à des règles particulières, différentes du droit commun. D'autres États ont adopté la tradition juridique anglo-saxonne (comme le Québec, le Canada, l'Australie, les États-Unis) et assujettissent, de façon générale, leur administration aux mêmes lois que les citoyens, groupes et corporations diverses ; c'est le régime de droit commun. Cette tradition était initialement fondée sur l'objectif fondamental de protection des libertés des citoyens en encadrant et en limitant les pouvoirs de l'État, mais aussi en ne lui reconnaissant pas de prérogatives particulières qui auraient pu menacer ou diminuer ces libertés. L'État était donc soumis à des règles générales, communes à tous, plutôt qu'à un régime juridique particulier et différent. Cette tradition s'est toutefois partiellement modifiée à la faveur de l'intervention de l'État dans tous les domaines de la société. Il est alors devenu évident que l'État, en raison de ses pouvoirs exorbitants, ne pouvait partager le même statut que les autres institutions sociales. On a donc estimé qu'il était nécessaire d'élaborer des règles de droit s'appliquant spécifiquement aux institutions relevant de l'État. C'est ainsi que, même dans les pays à tradition juridique britannique, le droit administratif s'est développé parallèlement au droit commun. Il en est résulté une certaine convergence entre les états à tradition britannique et ceux à tradition européenne quant au régime légal auquel est subordonnée l'administration.

Il convient maintenant de situer et de définir la notion de droit administratif : c'est l'une des catégories du droit public qui comprend le droit constitutionnel, le droit international et le droit financier (Poncelet, 1979, p. 33). Le droit public concerne l'organisation et le fonctionnement de l'État ; il englobe ainsi le droit administratif, plus restreint, qui concerne l'organisation et le fonctionnement de l'administration publique (Garant, 1985, p. 6-7 ; Borgeat et Dussault, 1984, p. 112). On peut préciser davantage le contenu du droit administratif grâce à la définition de M. Poncelet (1979) : «L'ensemble des règles définissant les droits et obligations de l'administration et les conditions de son fonctionnement interne». On doit retenir de ce qui précède que c'est à partir du droit que l'administration est structurée et organisée, que c'est du droit administratif qu'elle tire sa capacité d'agir, les limites de son action, de même que ses modalités d'intervention. Enfin, pour terminer cette présentation, il serait utile de dresser une courte liste des normes de nature juridique auxquelles l'administration est soumise. Il faut d'abord se rappeler que l'administration est subordonnée à la constitution du pays, puis au droit commun et/ou au droit administratif. Ensuite, d'autres normes juridiques, que l'on pourrait appeler de second niveau puisqu'elles découlent des premières, s'appliquent à l'administration : d'une part des règlements et des directives qui sont des instruments pour compléter et préciser les règles de base et d'autre part, des jugements et ordonnances des tribunaux judiciaires et administratifs (jurisprudence) qui sont des décisions visant à corriger des injustices ou des irrégularités ou à trancher des litiges (Borgeat et Dussault, 1984, p. 111).

Source de pouvoirs

C'est d'abord par des règles de droit qu'existent les diverses institutions administratives ; ces règles servent à organiser l'administration et à répartir les compétences entre diverses unités administratives plus ou moins spécialisées, appartenant à l'administration centrale ou à l'administration décentralisée. Ainsi, chaque ministère est créé par une loi qui établit son mandat (rôle et objectifs généraux) et définit ses pouvoirs (Borgeat et Dussault, 1984, p. 115). Les divers organismes, quant à eux, sont établis par une loi ou en vertu de lois générales permettant leur mise sur pied. Il en va de même pour les institutions représentant les collectivités locales (par exemple, la création d'une nouvelle municipalité en vertu de la Loi des cités et villes). Le droit administratif constitue donc un instrument essentiel de l'organisation administrative, c'est-à-dire «l'ensemble des autorités et des organismes chargés de gérer des services publics ou de réglementer la vie économique et sociale» (Garant, 1985, p. 6-7). D'autre part, l'organisation administrative ne doit pas être considérée seulement en rapport avec la structure mais aussi dans le fonctionnement de l'administration. L'activité administrative est à la fois régie par des normes juridiques et, à son tour, génératrice de normes créant des obligations pour les citoyens et groupes composant la société. L'administration est juridiquement encadrée dans ses tâches de gestion financière (Loi de l'administration financière), de gestion du personnel (Loi de la fonction publique), de gestion des biens matériels. Elle est aussi encadrée dans sa capacité d'intervention dans le secteur qui lui est propre ; c'est la loi qui permet à l'administration d'intervenir mais qui, en même temps, établit une frontière à son pouvoir d'intervention. C'est le droit qui accorde le pouvoir, à l'exécutif et à l'administration, d'adopter des règlements qui ont force de loi auprès des citoyens. En effet, ce pouvoir réglementaire doit toujours être permis par une loi et doit être exercé en complémentarité et en conformité avec celle-ci. Quant au pouvoir discrétionnaire de l'exécutif et de l'administration, qui consiste en une certaine liberté d'agir et de prendre les décisions jugées opportunes, il est aussi défini, encadré et limité par le droit. Cette subordination au droit est absolument nécessaire puisque l'activité administrative impose des obligations et des limites aux droits des citoyens ; dès lors, il importe que l'action de l'administration ne s'effectue pas à l'enseigne de l'arbitraire, mais qu'elle soit régie par des normes qui en assurent l'objectivité et la régularité. L'administration, comme l'ensemble de l'appareil gouvernemental, est donc soumise au droit ; c'est le principe de la légalité de l'action administrative qui garantit l'égalité de tous les citoyens devant la loi «assurant que l'administration aussi bien que les administrés sont également soumis au droit et au contrôle des tribunaux judiciaires» (Garant, 1985, p. 12).

Source de contrôles

Ainsi, le droit administratif est le garant des droits des citoyens en encadrant le fonctionnement et les actes de l'administration. Les normes juridiques peuvent alors servir à vérifier la légalité et la régularité de l'action de l'administration. De plus, en cas de dérogation aux normes, le droit peut prévoir des règles de correction. Le droit, on le constate est un rempart contre les abus et l'arbitraire pouvant provenir de l'administration ; il fournit aux citoyens les moyens de se protéger contre les excès. Le contrôle de l'administration, basé sur la loi, les règlements, les directives administratives et la jurisprudence, peut chercher à prévenir ou annuler les actes illégaux ; il peut même avoir pour objectif d'obtenir réparation pour dommages causés par l'administration (Borgeat et Dussault, 1984, p. 117).

Sans entrer dans le détail du sujet, qui sera repris et approfondi au chapitre 9, on peut exposer brièvement les diverses formes de contrôle de l'administration, toutes fondées sur la conformité des actes administratifs avec des normes juridiques. Il existe d'abord un contrôle interne à l'administration, qui est en fait le pouvoir hiérarchique de supervision, d'approbation et de correction, le cas échéant ; contrôle du supérieur sur le subordonné, contrôle des organismes de contrôle sur les services administratifs, etc. Toutes les autres formes sont extérieures à l'administration elle-même : contrôle des assemblées représentatives (contrôle parlementaire ou législatif) sur l'exécution des lois qu'elles ont votées puis confiées à l'exécutif, contrôle des administrés par le biais de l'opinion publique et des médias ou par l'intermédiaire d'organismes de protection des droits des citoyens (ombudsman, Commission des droits de la personne, etc.). La dernière forme de contrôle externe, l'une des plus importantes, est celle exercée par les tribunaux judiciaires (contrôle juridictionnel). Au Québec et au Canada, les tribunaux ont juridiction pour surveiller et contrôler l'administration (pouvoir de surveillance de la Cour supérieure du Québec et de la Cour fédérale du Canada en ce qui a trait à l'administration fédérale). De même, les citoyens peuvent faire appel à d'autres tribunaux de droit commun ou à des tribunaux administratifs (la Commission des affaires sociales, par exemple) pour demander la révision de décisions administratives lorsque ces appels sont prévus par la loi. Ainsi, il est clair que la capacité administrative repose sur des règles et des normes juridiques qui permettent d'en vérifier la régularité et la légalité.

On peut conclure cette section sur le droit comme source de pouvoirs et de contrôle en soulignant le fait que le droit administratif est toujours à la recherche d'un point d'équilibre entre l'efficacité de l'administration (ses objectifs, ses droits et pouvoirs) et la protection du citoyen (ses droits et libertés, garanties diverses et recours) (Borgeat et Dussault, 1984, p. 118).

4.2
CENTRALISATION/DÉCENTRALISATION[1]

Les missions de l'administration sont réparties entre divers types d'institutions administratives. L'agencement des missions et des institutions s'effectue à partir des concepts de centralisation et de décentralisation. Il convient alors de décrire ces modes d'organisation de l'administration publique et leurs principales variantes.

La centralisation

La centralisation administrative, la plus accentuée, consisterait à confier toutes les compétences, responsabilités et pouvoirs de décision de l'État à un organe central unique, seul habilité à prendre des décisions au nom de l'administration. En réalité, on rencontre rarement un tel degré de centralisation. En effet, il serait impossible d'assumer efficacement une mission administrative (encore moins l'ensemble des missions) sur l'ensemble du territoire à partir d'une organisation centrale formée des institutions qui sont les plus directement subordonnées au pouvoir politique (exécutif) : le gouvernement dans son rôle de direction politique et administrative de l'administration publique, les organismes centraux assurant la coordination des moyens et des ressources de l'administration et les départements ministériels. Le mandat confié à l'administration centrale par le pouvoir législatif est généralement large et polyvalent ; sa fonction consiste essentiellement à fixer les objectifs puis à organiser et répartir les ressources matérielles et humaines dans le but de réaliser les missions de l'État. Cependant, pour des raisons évidentes d'efficacité, l'administration centrale doit répartir des agents sur le territoire pour assurer localement les services publics. Ces agents peuvent être de simples exécutants locaux, totalement dépendants de l'autorité centrale pour toute décision ; la centralisation s'accompagne alors d'une concentration du pouvoir de décision. Cette modalité d'organisation administrative est génératrice de lourdeur, de lenteur et de mécontentement ; c'est pourquoi elle est de moins en moins retenue. D'autre part, les agents locaux de l'administration centrale peuvent jouir d'un certain pouvoir de décision lorsque l'administration centrale adopte la formule de la centralisation s'accompagnant de la déconcentration administrative.

La déconcentration

La déconcentration est une variante de la centralisation administrative ; elle a pour objectif de permettre à l'administration un contact plus direct avec les administrés et les régions, ou encore de favoriser une certaine spécialisation en regroupant des fonctions au sein d'une même subdivision administrative. Essentiellement, la déconcentration consiste, pour une institution de l'administration centrale (un ministère par exemple) ou pour un organisme quelconque, à déléguer un pouvoir de décision restreint à un fonctionnaire ou à une unité administrative demeurant hiérarchiquement subordonnée à l'autorité centrale (Gélinas, 1984, p. 18 ; Gournay, 1966, p. 128). Cette délégation de pouvoirs permet à l'unité déconcentrée de prendre certaines décisions de portée plus ou moins limitée, dans un cadre circonscrit par l'autorité centrale, qui conserve néanmoins l'ensemble des pouvoirs et la responsabilité générale du mandat. Ces pouvoirs délégués concernent exclusivement l'exécution des tâches qui font l'objet du mandat reçu par l'unité déconcentrée ; celle-ci est donc la mandataire et l'autorité centrale le mandant.

On identifie généralement deux types de déconcentration : la première est la *déconcentration fonctionnelle* suivant laquelle une administration centrale délègue des fonctions et une certaine capacité de décider à une unité spécialisée ayant un champ d'action national (Gélinas, 1975, p. 8). C'est ainsi qu'un ministère peut être déconcentré en plusieurs directions générales, directions, services, etc. Les unités déconcentrées sont des subdivisions d'une même institution à laquelle elles sont hiérarchiquement subordonnées. Cette déconcentration fonctionnelle permet une spécialisation interne en regroupant des tâches ou des secteurs d'activités dans une unité hiérarchiquement rattachée à l'ensemble. En ce sens, c'est un processus d'organisation qui peut accroître l'efficacité en rendant possible une certaine expertise ; toutefois, elle peut aussi contribuer à alourdir l'organisation en multipliant les niveaux d'intervention et les acteurs, accroissant ainsi la bureaucratisation de l'administration ; la seconde est la *déconcentration géographique ou territoriale* suivant laquelle une administration centrale délègue, à une ou plusieurs unités situées en régions, une tâche ou un ensemble de tâches d'exécution. Ainsi, un ministère peut se doter de directions régionales afin de se rapprocher des «clientèles» qu'il dessert (par exemple : la direction régionale pour le sud de Montréal du ministère de l'Éducation). La déconcentration territoriale peut aussi consister en une délégation de pouvoirs du noyau central à un représentant unique de l'administration centrale pour une région ; c'est le cas par exemple du préfet, en France, fonctionnaire mandataire de l'administration centrale et responsable de l'ensemble de l'administration publique régionale. Cette formule de la déconcentration territoriale peut rapprocher l'administration des administrés et peut favoriser une réponse plus rapide et mieux adaptée aux besoins des régions. Cependant, il est possible qu'elle engendre des conflits entre les fonctionnaires qui travaillent en région et ceux de l'administration centrale à laquelle ils sont reliés hiérarchiquement (Lemieux, 1965).

La décentralisation[2]

Contrairement à la déconcentration, la décentralisation n'est pas une modalité de la centralisation mais un processus inverse à celle-ci. Ce processus consiste à transférer des fonctions, des pouvoirs et des responsabilités de l'administration centrale vers une administration autonome et distincte. En effet, cette autonomie, caractéristique essentielle d'une administration décentralisée, repose sur une personnalité juridique distincte, une autorité décisionnelle, la capacité d'organiser l'exécution de sa mission et d'en assumer la gestion, de déterminer ses propres politiques et de procéder à l'allocation de ses ressources dans les limites du mandat attribué. La décentralisation implique une rupture du lien hiérarchique avec l'administration centrale qui n'exerce pas les contrôles habituels de gestion sur l'administration décentralisée. Toutefois, il arrive que l'autorité décentralisée doive parfois coordonner ses objectifs et son activité avec les politiques de l'administration centrale : c'est là un problème politique de relations entre les institutions décentralisées et l'administration centrale. Les unités administratives décentralisées jouissent donc d'une autonomie, plus ou moins large selon leur type, mais ne sont pas indépendantes de l'administration centrale ; celle-ci fixe le cadre législatif de leur existence et de leurs fonctions et exerce diverses formes de contrôles spécifiques à des organismes décentralisés. En somme, la décentralisation administrative est une délégation d'autorité et un transfert de responsabilités à un organisme administratif subalterne mais autonome.

Cette délégation d'autorité peut s'effectuer selon deux types différents : la décentralisation technique ou fonctionnelle et la décentralisation territoriale ou géographique. La *décentralisation fonctionnelle* consiste, pour l'autorité centrale, à confier l'exercice de certaines missions spécialisées à des organismes autonomes. Ces organismes ont une personnalité juridique[3] distincte de l'administrafion centrale et ils ne sont pas reliés hiérarchiquement à une administration ministérielle. Certains peuvent cependant être soumis à des normes et des contrôles provenant de ministères ou organismes centraux de coordination. Leur direction est assurée par des administrateurs supérieurs nommés par le gouvernement, pour des mandats d'une durée prévue par la loi constituant ces organismes, ou bien ils sont mandatés par des groupements sociaux, économiques ou culturels pour les représenter dans l'administration de ces organismes. Les organismes autonomes sont aussi caractérisés par l'absence d'ingérence de l'administration centrale dans leur gestion et l'exécution de leur mission. Cependant, ils sont soumis à des contrôles formels de *tutelle administrative*, c'est-à-dire des contrôles explicitement prévus par leur loi constitutive, permettant à un ministre de tutelle, à un ou des organismes centraux ou au gouvernement d'exercer divers types de contrôles tels que l'approbation des règlements ou des budgets. Certains organismes autonomes, particulièrement des organismes d'intervention économique, sont aussi soumis à des contrôles informels (directives, coordination des objectifs, etc.) rendus nécessaires pour assurer la coordination entre les politiques gouvernementales et les orientations majeures de ces organismes (Garant, 1983). L'ensemble de ces caractéristiques constitue le fondement de l'autonomie des organismes autonomes ; toutefois, il convient de noter que leur degré d'autonomie est relatif et varie suivant leur type et leurs fonctions. Certains organismes exercent leurs activités sur l'ensemble du territoire de l'État dont ils dépendent (fédéral ou provincial) alors que d'autres ont une vocation locale ou régionale (Gélinas, 1975, p. 8). Ainsi, pour le Canada, certaines régies (CRTC, Commission canadienne des transports) et certaines entreprises publiques (CN, Radio-Canada) exercent leurs fonctions sur l'ensemble du territoire canadien et d'autres sur une région du pays (la Commission canadienne du blé par exemple). Au Québec, Hydro-Québec et la Commission de la protection du territoire agricole sont du premier type, quant aux cégeps, CRSSS et CLSC, ils appartiennent au second niveau et assument leur rôle régionalement. D'autre part, il convient aussi de distinguer les différents types d'organismes autonomes. On peut alors les classer à partir de leur fonction dominante. Nous reproduisons ici la typologie élaborée par André Gélinas (1984, p. 31, 32, 33) :

- organismes de consultation qui font des études sur divers aspects concernant un secteur de même que des recommandations à l'administration centrale responsable du secteur : ce sont des comités et des conseils ;
  Exemple : Conseil des universités

- organismes d'adjudication qui ont à établir les droits et obligations des citoyens dans un domaine spécialisé : les tribunaux administratifs ;
  Exemple : Tribunal du travail

- organismes d'enquête, d'étude, d'examen, de surveillance, d'arbitrage, de vérification, d'information, les commissions ;
  Exemple : Bureau d'audiences publiques sur l'environnement

- organismes de régulation qui édictent des normes et émettent des permis réglementant l'exercice de certaines activités. Ce sont les régies et on doit classer parmi les régies les ordres professionnels ;
  Exemple : Office de la protection du consommateur

- organismes de gestion, de coordination et d'administration qui ne sont pas à caractère financier, commercial, industriel. Ce sont les offices ;
  Exemple : Institut de recherche en santé et sécurité du travail

- organismes de gestion commerciale, industrielle ou financière qui administrent des services ;
  Exemple : Régie de l'assurance-maladie

- organismes de gestion commerciale, industrielle ou financière qui cherchent la rentabilité de leurs opérations. Ce sont les sociétés d'État. On les désigne aussi du vocable «entreprises publiques» ;
  Exemple : Hydro-Québec, Caisse de dépôt et de placement

Nous avons insisté sur la décentralisation fonctionnelle parce qu'il s'agit d'une technique qui a été utilisée au maximum par les gouvernements occidentaux depuis la fin de la Seconde Guerre mondiale, et particulièrement depuis 1960 au Québec et au Canada. Le nombre des organismes autonomes, de tous les types, a proliféré de façon quasi pléthorique. En effet, des centaines d'organismes ont surgi au cours de cette période (peu d'entre eux sont disparus), alors que seulement quelques dizaines de nouveaux ministères sont apparus. Ce recours à la décentralisation comporte des avantages

TABLEAU 4.1
Typologie des institutions administratives

PROCESSUS	MODALITÉS	INSTITUTIONS	EXEMPLES AU QUÉBEC
Centralisation administrative plus ou moins accentuée	Concentration	Organismes centraux	Conseil du Trésor
		Ministères	Ministère de la Justice
		Administrations spécialisées	Curateur public
	Déconcentration	Services déconcentrés a) fonctionnellement (directions générales, directions, services de ministères)	Direction générale de l'enseignement secondaire du ministère de l'Éducation
		b) territorialement (directions régionales, services régionaux de ministères)	Direction régionale de Montréal du ministère de l'Éducation
Décentralisation administrative	Fonctionnelle	Organismes décentralisés fonctionnellement	
		Régies, sociétés d'État, corporations professionnelles	Régie des services publics Hydro-Québec Barreau
	Territoriale	Organismes décentralisés territorialement	
		Municipalités Commissions scolaires	Ville de Québec CECM

(spécialisation, certaine dépolitisation, capacité de répondre plus rapidement et plus efficacement aux besoins, etc.) mais il peut aussi entraîner une dispersion des pouvoirs de l'État empêchant toute politique cohérente, une coordination efficace et un contrôle réel de l'administration (Gélinas, 1984, p. 11).

Enfin, la *décentralisation territoriale* est un processus qui consiste, pour l'administration centrale, à attribuer des responsabilités et des pouvoirs à une autorité décentralisée et subalterne, mais autonome, sur un territoire délimité par l'autorité centrale. Si on les compare aux organismes autonomes de la décentralisation fonctionnelle, les organismes décentralisés territorialement se caractérisent ainsi : leurs administrateurs supérieurs sont élus au suffrage universel par les collectivités locales qu'ils représentent ; ils sont encadrés par un régime légal défini par l'autorité centrale qui exerce sur eux des contrôles de tutelle administrative. De plus, ces organismes détiennent des pouvoirs de réglementation, de gestion et de taxation foncière : la capacité d'autofinancement est un caractère essentiel de l'autonomie. Toutes ces caractéristiques sont évidemment des facteurs de leur autonomie. Il peut être utile ici encore de distinguer deux types d'organismes décentralisés (Gélinas, 1975, p. 8) territorialement. Il y a les organismes territoriaux unifonctionnels qui assument une fonction spécifique sur un territoire donné. Ainsi, au Québec, les commissions scolaires ont pour unique fonction d'organiser et d'administrer des services d'enseignement ; pour réaliser cet objectif, les collectivités locales élisent un conseil des commissaires qui peut faire des règlements, emprunter et qui dispose toujours d'un mince pouvoir de taxation foncière. D'autre part, il y a aussi les organismes territoriaux multifonctionnels qui détiennent des pouvoirs généraux d'administration sur un territoire et une collectivité. Au Québec, l'organisme territorial multifonctionnel de base est la municipalité ; les municipalités peuvent être regroupées dans des organismes régionaux : municipalités régionales de comté ou communautés urbaines, qui sont aussi des organismes à fonctions multiples[4].

4.3
LES INSTITUTIONS CENTRALES

Ainsi, la plupart des analystes s'entendent pour identifier des périodes de centralisation ou de décentralisation de l'administration québécoise ;[5] administration hyper-décentralisée avant 1960, puis une décennie de centralisation poussée suivie d'une ère de décentralisation fonctionnelle au cours des années 1970 et 1980. Un effort de décentralisation territoriale accrue est entrepris vers le milieu des années 1970 mais demeure inachevé.

Dans l'ensemble des institutions administratives de tout palier gouvernemental, les institutions centrales ont une importance fondamentale parce qu'elles sont le pivot autour duquel s'articule toute l'organisation administrative. On l'a déjà dit, toute l'administration publique se structure d'abord et à partir des institutions centrales d'où provient toujours la décision conduisant vers la centralisation, la déconcentration ou la décentralisation à la suite des pressions venant du milieu.

L'examen de plusieurs administrations centrales révèle l'existence d'un modèle institutionnel à deux dimensions, commun à la majorité des administrations publiques. Nous considérons la première dimension comme un «noyau central»[6] et la seconde comme un ensemble d'administrations sectorielles.

Au sein du noyau central, au sommet de l'appareil administratif se trouvent le gouvernement et ses divers comités (comités permanents et temporaires du Conseil exécutif à Québec, du Cabinet à Ottawa) qui assurent la direction générale et la coordination de l'activité administrative. Cet organe décisionnel (le gouvernement ou exécutif) et ses organismes (les comités) sont des structures à la fois politiques et administratives qui intègrent des fonctions gouvernementales et administratives et qui dominent l'appareil administratif (Gélinas, 1975, p. 239). Leurs membres sont des élus qui ont reçu le mandat de gouverner la société et partant d'orienter l'action de l'administration, en assurer la cohérence et l'harmonisation et exercer un contrôle sur l'exécution de sa mission. Le recours à la formule des comités de l'exécutif permet la collaboration de ministres responsables de secteurs spécifiques dans un domaine connexe pour une meilleure vision d'ensemble et une cohérence accrue de l'activité de l'administration publique.

En plus de l'organe exécutif et de ses comités, le noyau central comprend des ministères horizontaux et des organismes centraux[7]. Les ministères horizontaux ont souvent pour fonction de coordonner l'action de l'ensemble de l'administration vers l'extérieur (autres gouvernements, fournisseurs, marché financier, partenaires, etc.) tandis que les organismes centraux déterminent des politiques internes de gestion et ils en assument la coordination et le contrôle dans l'ensemble de l'appareil administratif (Gélinas, 1975, p. 5). Les ministères horizontaux (le ministère des Finances, le ministère des Affaires extérieures, par exemple) ont le même statut et une organisation semblable aux ministères sectoriels qui sont étudiés plus loin, seule leur fonction les en distingue. Les organismes centraux sont des organismes reliés à l'exécutif, tel le Conseil du Trésor qui assume la plus large part des responsabilités proprement administratives de l'exécutif ou encore des organismes autonomes déjà décrits précédemment dans ce chapitre (la Commission de la fonction publique du Canada en est un exemple typique). Au gouvernement et à ses comités sont greffés des organismes administratifs de soutien qui participent aux tâches de planification, d'analyse des dossiers, de suivi des décisions et de coordination (ministère du Conseil exécutif à Québec, bureau du Conseil privé à Ottawa). Certaines administrations se dotent aussi d'un organisme central de planification du développement et de l'aménagement (Commissariat au plan en France, Office de planification et de développement au Québec). Cet organisme central de planification est généralement consultatif, mais il peut aussi être responsable ou maître d'œuvre de la réalisation des plans de développement qu'il élabore.

Le noyau central comprend aussi un ensemble de services financiers du gouvernement et de l'administration. On remarque d'abord un organisme central de budgétisation (Office de gestion et du budget aux États-Unis, Conseil du Trésor au Québec et au Canada) responsable de la préparation des prévisions budgétaires annuelles (dépenses) des ministères et organismes gouvernementaux et du contrôle des dépenses. Au Québec, le Conseil du Trésor et un contrôleur des Finances se partagent le contrôle des dépenses. Ce dernier exerce un contrôle sur la régularité des dépenses, alors que le Conseil du Trésor exerce un contrôle d'opportunité (c'est-à-dire sur l'à-propos, le bien-fondé de la dépense). Le plus souvent, l'organisme central de budgétisation est aussi le grand responsable de la politique administrative et de la politique du personnel du gouvernement. À ce titre, il détermine le contenu de ces politiques communes à l'ensemble des ministères et organismes et il exerce un contrôle sur leurs plans d'organisation et d'effectifs. Ces fonctions de direction et de contrôle, confiées à un organisme central, assurent la nécessaire unité d'action de structures administratives diverses mais qui font partie d'un ensemble. Le ministère des Finances est le grand responsable des recettes financières du gouvernement par l'établissement des taxes, des impôts et des emprunts (leur nature et leur niveau). De plus, c'est ce ministère qui gère la dette publique et l'encaisse et qui assure la comptabilité du gouvernement ; il est aussi le principal conseiller économique du gouvernement. À ces institutions s'ajoute parfois un ministère du Revenu, responsable de la collecte des impôts et des taxes et de la mise en application des lois fiscales. Antérieurement, dans certaines administrations publiques, le ministère des Finances a pu cumuler les tâches de budgétisation centrale, contrôle des dépenses et responsabilité des politiques administratives et de gestion du personnel. L'expansion des administrations publiques, depuis la fin de la Seconde Guerre mondiale, a toutefois nécessité que le Ministère soit progressivement délesté de ces tâches et qu'elles soient confiées à des unités spécialisées.

Généralement on remarque, au sein du noyau central, un organisme central de gestion du personnel. Cet organisme peut déterminer l'ensemble de la responsabilité de la politique du personnel ou la partager avec un ministère (un ministère de la Fonction publique par exemple) ou un autre organisme central (le Conseil du Trésor). Le plus souvent, il s'agit d'un organisme autonome, une Commission de la fonction publique chargée de la mise en application du principe du mérite et de la neutralité de la fonction publique ; cet organisme peut aussi exercer des responsabilités concernant les sanctions disciplinaires imposées aux fonctionnaires. Ici encore, la concentration de ces fonctions dans un organisme autonome garantit une plus grande impartialité tout en favorisant la cohésion des services publics et l'unité de la fonction publique. Au Canada, ce rôle est dévolu à la Commission de la fonction publique, au Québec, il appartient à l'Office des ressources humaines et à la Commission de la fonction publique. Enfin, le noyau central comprend plusieurs ministères horizontaux et organismes centraux qui fournissent aux ministères et organismes des services mis en commun ; cette centralisation se justifie par des raisons d'économie, d'efficacité et de protection de l'intérêt public. En effet, non seulement ces unités sont-elles dispensatrices de biens et de services (locaux, équipements, contentieux, communications, statistiques, etc.), mais de plus elles exercent un contrôle sur leur consommation, leur acquisition ou leur production. Il va donc de soi que l'on groupe des services qui sont requis par tous les ministères et organismes, quelle que soit leur fonction. Mentionnons, à titre d'exemple, le ministère des Approvisionnements et Services à Ottawa, la Société immobilière du Québec, certains services des ministères de la Justice, des Transports, des Communications pour les deux paliers de gouvernement, donc, en général, des services d'achats, de travaux publics, de soutien technique.

En plus du noyau central chargé d'orienter et de soutenir l'ensemble de l'administration, l'administration centrale comprend aussi des administrations sectorielles qui, elles, sont tournées vers le public. En effet, ce sont des structures administratives verticales dont les fonctions consistent à mettre à la disposition des citoyens des biens ou des services publics, ou à réglementer l'exercice de certaines activités. Ce sont elles qui réalisent les missions de l'État et qui concrétisent son intervention dans la société ; pour cette raison, on dit que ce sont des administrations de première ligne qui justifient l'existence et l'activité des institutions du noyau central. Il existe deux types d'administrations sectorielles : les ministères sectoriels et les administrations spécialisées.

Les administrations spécialisées sont créées pour assumer des fonctions d'un caractère particulier, difficilement compatibles avec les fonctions ministérielles habituelles. En effet, elles ont un objet précis et remplissent souvent des tâches délicates ; c'est pourquoi il convient de mettre sur pied une administration qui n'est pas intégrée à la structure même d'un département ministériel. Elles sont sous la direction d'un directeur général et rattachées à un ministre ou à un ministère. Tels sont, au Québec, le Curateur public, rattaché au ministère des Finances sans y être intégré et la Sûreté du Québec rattachée au ministère de la Justice. Leurs fonctions concernent de très près les intérêts, les droits et la sécurité des citoyens, les distinguant des autres tâches de ces ministères.

Les ministères ou départements ministériels constituent la structure administrative de base de l'administration publique, que leurs fonctions soient horizontales ou verticales (sectorielles). Aussi, la description que nous en faisons est-elle utile pour la connaissance de ces deux types de ministères, quoique nous nous attachions ici aux ministères sectoriels. Les ministères sont de simples divisions administratives d'un gouvernement ; ils sont directement rattachés à un ministre et à l'exécutif et ils n'ont pas de personnalité juridique autre que celle de l'État. Les ministères sont créés par une loi ou par un décret autorisé par une loi-cadre qui fixe leur mandat et leurs pouvoirs ; leur action s'exerce dans un secteur plus ou moins précis, généralement assez vaste, pour lequel ils peuvent remplir des fonctions diverses et multiples. Au Québec et dans la plupart des administrations publiques, les pouvoirs sont confiés au ministre et à un directeur administratif (sous-ministre au Québec) plutôt qu'à la structure administrative elle-même.

Essentiellement, les ministères ont pour rôle d'appliquer les lois relatives à leur secteur et ainsi de réaliser les programmes du gouvernement. Mais la question fondamentale est de savoir ce que font concrètement les administrations ministérielles. On peut y répondre par une double énumération des divers types de fonctions assumées par les ministères, contribuant à réaliser leurs divers types de production :

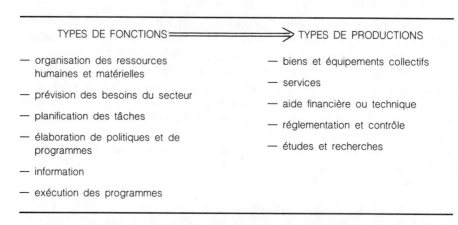

TYPES DE FONCTIONS ⟹ TYPES DE PRODUCTIONS

— organisation des ressources humaines et matérielles

— prévision des besoins du secteur

— planification des tâches

— élaboration de politiques et de programmes

— information

— exécution des programmes

— biens et équipements collectifs

— services

— aide financière ou technique

— réglementation et contrôle

— études et recherches

Sur le plan de l'organisation interne, on peut qualifier le ministère de structure verticale, l'autorité s'y exerçant du sommet à la base de la pyramide, organisée selon une déconcentration fonctionnelle. L'organisation typique d'un ministère est donc marquée par une subdivision de l'autorité et des tâches en diverses unités internes relativement spécialisées et hiérarchisées. On regroupe ainsi dans une même structure ministérielle des unités dont les fonctions sont connexes mais distinctes. Au sommet de la pyramide ministérielle on retrouve un chef politique, membre de l'exécutif, qui doit diriger son ministère suivant les orientations du gouvernement, défendre, au sein de l'exécutif, les intérêts de son secteur et y faire adopter les projets, programmes, règlements, etc., élaborés par son ministère. C'est donc un personnage politique qui coiffe l'appareil ministériel. Ainsi, dans le régime parlementaire c'est un ministre, seul élément politique du ministère (qui est une structure administrative), alors qu'il s'agit d'un secrétaire d'État dans le régime présidentiel américain.

Généralement, le ministre s'entoure d'un Cabinet ministériel, structure plus ou moins formelle de soutien politique. En tant que structure politique, le Cabinet est formé d'adjoints et de conseillers politiques choisis par le ministre en dehors de la fonction publique. Les Cabinets remplissent trois rôles : assurer les relations partisanes du ministre avec le parti, le caucus, les médias et les électeurs ; faire le lien entre les unités administratives du ministère : suivi des décisions, contrôle, information, consultation ; enfin, exercer un rôle de conseiller politique du ministre en analysant les problèmes conjoncturels et les projets préparés par les fonctionnaires du ministère. Le développement des cabinets constitue une réponse à l'accroissement de l'importance de l'administration et de la technocratie ; les ministres ressentent le besoin de renforcer leur position face aux experts et aux spécialistes de l'administration (Plasse, 1981, p. 310, 1992 ; Johnson et Daigneault, 1988). En conséquence, il y a possibilité de rivalité entre les fonctionnaires supérieurs et les cabinets, chacun voulant assurer la prépondérance de son influence sur le ministre. Il y a même risque de conflits profonds pouvant isoler le ministre, court-circuiter le cabinet et paralyser le ministère. Un fonctionnement harmonieux exige donc tolérance, habileté et diplomatie de part et d'autre.

Immédiatement subordonné au ministre, on trouve un administrateur supérieur (un sous-ministre, un sous-secrétaire d'État) qui est le chef administratif d'un ministère. Le ministère se subdivise ensuite en unités subordonnées, selon des critères établis par Luther Gülick : regroupement de structures poursuivant les mêmes *buts* ou utilisant des *méthodes* ou *techniques* communes ou s'adressant à une *clientèle* spécifique à une *région* déterminée. C'est ainsi qu'un ministère, lui-même une division administrative du gouvernement, se subdivise fonctionnellement en directions générales regroupant des directions qui comportent des services, etc. Des sous-ministres-adjoints sont à la tête des directions générales ; avec le sous-ministre, ils forment l'administration supérieure du ministère[8]. Généralement, l'une des directions générales (la D.G. de l'administration) regroupe tous les services administratifs de soutien aux autres unités du ministère. D'autre part, plusieurs ministères se donnent aussi des structures régionales, dispersées sur le territoire suivant un processus de déconcentration territoriale. Le but est alors de rapprocher l'administration des citoyens et des régions en déléguant aux services régionaux certains pouvoirs d'exécution et certaines tâches. Cependant, cette déconcentration amène les fonctionnaires sur le terrain et les administrateurs régionaux à développer des stratégies pour assurer ou renforcer leur statut et leur pouvoir par rapport à l'administration centrale et aux administrés, comme l'a démontré Vincent Lemieux (1978). Enfin, reliés au ministre, des organismes autonomes de consultation (des conseils tel le Conseil supérieur de l'éducation) font des recherches, des enquêtes et transmettent des avis ou des recommandations au ministre sur des questions ou problèmes concernant le secteur d'intervention du ministère. Ils sont chargés de consulter le milieu constituant le secteur.

TABLEAU 4.2
Synthèse de l'administration québécoise

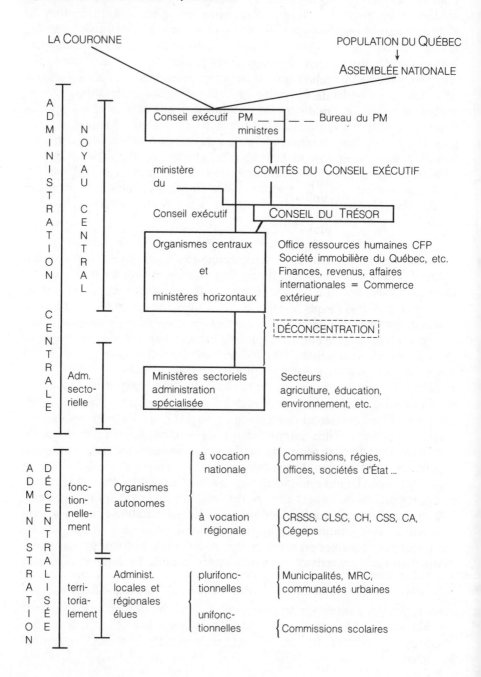

4.4
LE CHOIX DES INSTRUMENTS D'INTERVENTION ÉTATIQUE

Voilà un sujet crucial parce qu'il concerne l'efficacité de l'État, et litigieux parce qu'aucun choix n'est optimal, ni définitif, pas plus qu'il ne peut rallier tout le monde. On touche ici à l'organisation de l'administration, c'est-à-dire à la manière d'étaler les unités qui forment l'appareil administratif, de leur donner des moyens d'action et de les relier les unes aux autres afin que ces unités puissent assumer les tâches qui concourent à la réalisation des objectifs d'ensemble (Poncelet, 1979, p. 13).

Le choix des instruments d'intervention s'articule autour de deux points : le nombre des unités administratives et leur nature. Le nombre des ministères et organismes est proportionnel à l'étendue de l'intervention de l'État dans la société ; plus l'État intervient plus il devra créer des structures administratives qui prendront en charge les missions qu'il se donne dans de multiples secteurs. La question du choix d'un type d'institution est plus complexe. Lorsque l'État décide d'intervenir dans un secteur, trois modalités d'organisation s'offrent à lui : premièrement, il peut attribuer ces nouvelles activités à un ministère qui existe déjà en lui ajoutant une nouvelle direction ou direction générale ; deuxièmement, il peut créer un tout nouveau ministère qui pourra alors se charger de cette nouvelle responsabilité et peut-être même regrouper des tâches connexes, jusque-là assumées par d'autres unités administratives ; troisièmement, l'État peut aussi choisir de créer un organisme autonome qui héritera de ces nouvelles responsabilités ou bien les confier aux administrations locales ou régionales (Gournay, 1978, p. 139). En fait, il existe une quatrième modalité, consistant à confier ces nouvelles responsabilités, par contrat, au secteur privé ou à un groupe de pression représentant le secteur concerné. Cependant, l'État se réserve alors des droits de supervision et de contrôle qu'il confie à une unité de l'administration publique, revenant ainsi au même point qu'avec les trois options organisationnelles initiales. Le problème réside dans l'absence de critères rationnels et objectifs qui permettent de choisir l'une des modalités, tout au plus existe-t-il deux grands principes d'organisation que les États s'efforcent de respecter. Le premier est celui de la spécialisation des activités, qui consiste à identifier les activités de même nature et à les regrouper chacune dans des structures spécifiques ; cette opération est nécessaire pour assurer la direction et le contrôle de ces activités. L'autre principe est de conserver à l'administration centrale les fonctions de conception et de coordination pour des raisons de cohérence et d'unité d'action (Dussault, Borgeat et Ouellet, 1982, p. 55). D'autre part, il existe bien quelques techniques qui peuvent orienter la répartition des tâches et leurs regroupements. Ainsi, la méthode de Gülick, que nous avons déjà évoquée comme technique de structuration interne des ministères, peut être utilisée pour la répartition des tâches entre des ministères et des organismes. On peut aussi aménager l'appareil administratif à partir de la technique de budgétisation par programmes (PPBS) ; on confie alors la gestion de programmes d'un même secteur d'intervention à un ministère ou la gestion d'un seul programme à un organisme. Cependant, ces techniques sont imparfaites et ne peuvent servir de critère absolu pour le choix des instruments d'intervention en raison de leurs lacunes. La méthode de Gülick ne saurait répartir toutes les activités de l'État alors que celle qui consiste à regrouper et à répartir des programmes entre des institutions administratives peut mettre en place des structures qui se maintiendront toujours, même après la transformation ou la disparition des programmes qui leur auront donné naissance. Quelle que soit la technique retenue, il subsiste toujours des zones grises dans la répartition des tâches, ce qui entraîne parfois une certaine confusion. Il y a toujours des chevauchements et des cumuls de responsabilités qui engendrent des conflits de juridiction entre ministères et organismes d'un même gouvernement. D'ailleurs, l'intervention accrue des états modernes dans la société a pour conséquence de leur faire assumer des rôles qui peuvent être antagoniques. Ainsi, la mission d'un ministère ou d'une agence de protection de l'environnement comporte, entre autres, la lutte à la pollution industrielle alors que celle d'un ministère de l'Industrie consiste à favoriser le développement industriel ; les politiques de l'un peuvent faire obstacle aux politiques de l'autre. Cet exemple démontre qu'il est impossible de procéder à une répartition étanche des tâches et des responsabilités des diverses structures administratives. La plupart des interventions et des programmes d'État impliquent plusieurs ministères et organismes qui, en raison de leurs fonctions, de leurs intérêts et de ceux de leur secteur, peuvent avoir des visions diverses et même divergentes concernant un dossier. Cette interdépendance exige donc une négociation constante entre les dirigeants des structures administratives pour tenter d'harmoniser leurs vues et de coordonner leur action ; lorsqu'il y a blocage ou confusion inextricable de juridiction que la négociation n'arrive pas à résoudre, il faut alors recourir à l'arbitrage à un niveau plus élevé. Les fonctions de négociation−harmonisation nécessitent la mise sur pied d'organismes de coordination : comités interministériels de coordination et leurs secrétariats ; quant aux fonctions reliées à l'arbitrage, elles sont sous la responsabilité de l'organisme central de budgétisation, du chef du gouvernement ou de l'exécutif.

Il y a un autre aspect du choix des instruments d'intervention qui mérite d'être mentionné, soit celui des objectifs poursuivis par les gouvernements dans la création ou la transformation des structures administratives. Gournay (1978) identifie cinq raisons de mettre sur pied un nouveau ministère. Première : ce peut être pour obtenir une plus grande efficacité administrative qu'un gouvernement déleste un ministère de tâches trop nombreuses ou trop disparates pour en confier la responsabilité à un nouveau ministère. D'ailleurs, nombreux sont les ministères qui naissent à partir d'un regroupement de tâches qui appartiennent à un ou plusieurs ministères. Dans la plupart des administrations, on retrouve des ministères qui ont été à l'origine de plusieurs nouveaux ministères. Au Québec, le Secrétariat de la province, aujourd'hui disparu, fut à l'origine de nombreux ministères dont ceux de l'Éducation, des Affaires culturelles et des Affaires sociales ; au Canada le Secrétariat d'État et en France le ministère de l'Intérieur ont également joué ce rôle. Deuxième : un gouvernement peut créer un nouveau ministère parce qu'il veut mettre en lumière un secteur ou un problème qui prend de l'importance ; c'est ainsi qu'ont pu apparaître des ministères comme ceux de la condition féminine, de l'environnement et de la consommation. Troisième : un gouvernement peut aussi créer un nouveau ministère pour des raisons politiques. Il peut s'agir d'ententes pour former un gouvernement de coalition ou pour obtenir l'appui parlementaire d'un parti d'opposition, de la nécessité de coordonner les relations avec d'autres gouvernements dans une fédération, etc. Quatrième : un ministère peut être créé par considération envers certaines personnes. Ainsi, on peut faire accéder un spécialiste au Conseil des ministres, récompenser un politicien loyal au parti ou à son chef, etc. Enfin, cinquième : la création d'un ministère peut résulter de la demande d'un groupe de pression (le ministère des Loisirs, Chasse et Pêche, au Québec, par exemple). Il est évident que plusieurs de ces facteurs peuvent se combiner pour justifier la création d'un ministère. Les ministères de la Protection du consommateur et de l'Environnement ont été créés à la fois pour répondre à des problèmes nouveaux et à des pressions des groupes intéressés. Les mêmes raisons peuvent d'ailleurs être évoquées pour mettre sur pied des organismes autonomes, mais on doit identifier des facteurs particuliers qui s'ajoutent à ceux-ci. Parmi ces derniers, on distingue la recherche d'une plus grande souplesse juridique et administrative, qui requiert la mise en place de structures qui échappent, du moins en partie, à l'ensemble des règles habituelles de l'administration centrale, dans le but de traiter plus rapidement et plus efficacement avec le secteur privé ou encore d'associer des citoyens ou des groupes représentatifs à la gestion d'activités publiques. On remarque aussi un facteur de nature bureaucratique qui favorise l'émergence de structures décentralisées : c'est le désir d'autonomie des fonctionnaires qui ont intérêt à se dégager le plus possible de l'encadrement et des contraintes exercées par les organismes centraux et les ministères.

Le choix des instruments d'intervention et des structures administratives repose donc sur un ensemble de facteurs plus ou moins objectifs, relativement encadrés par quelques principes et techniques d'organisation. La répartition des tâches est une opération qui laisse toujours des insatisfaits chez les ministres, les fonctionnaires, les journalistes, les spécialistes de l'organisation administrative ou chez les groupes qui constituent la clientèle des structures administratives. C'est aussi une opération qui n'est jamais définitive, car elle doit être adaptée ou refaite suivant les variations de la conjoncture, du développement de l'organisation et des techniques de l'administration (informatique, bureautique), des rapports de forces et des changements de gouvernement.

CONCLUSION

Dans ce chapitre, nous avons vu que des règles et des processus administratifs (centralisation, déconcentration, décentralisation) étaient à la base de l'existence, du fonctionnement et de l'action des structures de l'administration. Nous avons par la suite décrit brièvement l'organisation administrative centrale typique fondée sur des règles juridiques et ces processus administratifs. On a pu constater que, malgré ces fondements, les juridictions ne sont pas toujours fermement établies ; la répartition des tâches est imparfaite. Il en résulte des antagonismes, des ingérences, des stratégies, des luttes de pouvoir entre les organismes centraux et les ministères sectoriels, entre l'administration centrale et les administrations décentralisées. Il n'y a pas à s'en étonner, ni à s'en scandaliser, cela fait partie de la dynamique des organisations et de leur fonctionnement.

NOTES

(1) Pour une étude plus complète, le lecteur pourra consulter les ouvrages de P. Garant, A. Gélinas et B. Gournay, tous énumérés dans la bibliographie.

(2) Il importe de ne pas confondre les concepts de centralisation/décentralisation *politique* et de centralisation/décentralisation *administrative*. Ainsi la décentralisation politique peut prendre la forme d'une répartition des pouvoirs législatifs de l'État au moyen d'un document constitutionnel ; elle établit alors des paliers de gouvernement, c'est le *fédéralisme*. La décentralisation administrative met en place des structures administratives qui sont dépositaires et mandataires d'un pouvoir et d'une mission décidés et délégués par une administration centrale à laquelle elles sont subordonnées.

(3) La personnalité juridique, pour une unité administrative, est sa reconnaissance légale en tant qu'entité distincte et responsable, capable d'agir en son nom propre, par exemple en se liant par contrat ou en poursuivant en justice.

(4) La décentralisation territoriale est une modalité de la décentralisation administrative malgré l'aspect politique que constitue l'élection des administrateurs supérieurs. Cette caractéristique ne suffit pas pour l'identifier à une décentralisation politique, puisque les tâches des organismes de décentralisation territoriale sont celles d'administrations locales dont les pouvoirs sont définis par une autorité supérieure plutôt que par une constitution ; il s'agit d'une délégation de pouvoirs plutôt que d'un exercice de pouvoirs souverains.

(5) Le lecteur pourra s'adonner à un tel exercice, quoique partiel, en consultant les organigrammes généraux publiés périodiquement par les gouvernements du Québec et du Canada.

(6)   L'expression « noyau central » est d'André Gélinas (1975, p. 5) mais nous l'employons ici dans un sens plus restreint que cet auteur pour qui elle correspond à l'administration centrale dans son ensemble, incluant les ministères sectoriels.

(7)   Sur l'évolution de l'organisation du gouvernement et celle des organismes centraux, voir Bourgault, Dion et Gow, 1993, pour le Québec et Charih, 1992, pour le Canada.

(8)   Le lecteur trouvera un schéma de l'organisation typique d'un ministère dans les *Annuaires du Québec et du Canada.*

BIBLIOGRAPHIE

BORGEAT, L. et DUSSAULT, R. (1984) « Le droit administratif : une réalité omniprésente pour l'administrateur public », *in* A. Riverin (dir.) *Le management des affaires publiques*, Chicoutimi, Gaëtan Morin Éditeur.

BORGEAT, L., DUSSAULT, R. et OUELLET, L. (1982) *L'administration québécoise*, PUQ/ENAP.

BOURGAULT, J., DION, S. et GOW, J.I. (1993) « Evolution of the Role of Central Agencies in Québec Government, 1960-1990 », *in* A.-G. Gagnon *Québec : State and Society*, Toronto, Nelson.

CHARIH, M. (1992) «Comment Ottawa décide», *in* R. Parenteau (dir.) *Management public*, Sillery, Les Presses de l'Université du Québec, p. 349-366.

GARANT, P. (1985) *Droit administratif*, 2ᵉ édition, Montréal, Les éditions Yvon Blais.

GARANT, P. « L'autonomie des sociétés d'État », *Le Devoir*, 2 avril 1983.

GÉLINAS, A. (1975) *Organismes autonomes et centraux*, Montréal, PUQ.

GÉLINAS, A. (1984) « La décentralisation fonctionnelle », *La décentralisation : un effritement de l'État ou un enrichissement démocratique*, Québec, CEPAQ/ENAP.

GOURNAY, B. (1978) *Introduction à la science administrative*, Paris, A. Collin.

JOHNSON, A.F. et DAIGNEAULT, J. (1988) «Liberal 'Chefs de cabinets ministériels' in Quebec : Keeping Politics in Policy-Making», *Administration publique du Canada*, Vol. 31(4), p. 501-516.

LEMIEUX, V. (1978) « Le pouvoir des coordonnateurs régionaux », *APC*, Vol. XXI(2).

LEMIEUX, V. (1965) « L'analyse stratégique des organisations administratives », *APC*, Vol. VIII(4).

PLASSE, M. (1981) « Les chefs de cabinets ministériels au Québec : la transition du gouvernement libéral au gouvernement péquiste (1976-1977) », *RCSP*, Vol. XIV(2).

PLASSE, M. (1992) «Les chefs de cabinets ministériels du gouvernement fédéral canadien : rôle et relation avec la haute fonction publique», *Administration publique du Canada*, Vol. 35(3), p. 317-338.

PONCELET, M. (1979) *Le management public*, Montréal, PUQ.

WILLMS, A.M. (1985) «The Executive and the Departmental Structure», *in* K. Kernaghan, *Public Administration in Canada*, Toronto, Methuen, 5ᵉ édition.

Lectures supplémentaires

Ambroise, A. et Jacques, J. (1980) « L'appareil administratif », *in* Bergeron et Pelletier (édit.) *L'État du Québec en devenir*, Montréal, Boréal Express.

Chevallier, J. et Loschak, D. (1974) *Introduction à la science administrative*, Paris, Dalloz. Chapitres sur l'aménagement interne du système administratif, p. 85-115.

Gow, J.I. (1984) « La réforme institutionnelle de la fonction publique de 1983 : contexte et enjeux », *Politique*, N°6, p. 51-101.

Kernaghan, K. et Siegel, D. (1991) *Public Administration in Canada : a Text*, Toronto, Nelson.

Lemieux, V. et Turgeon, J. (1980) « La décentralisation : une analyse structurale », *RCSP*, Vol. 13(4).

Ouellet, L. (1980) « L'appareil gouvernemental et législatif », *in* Bergeron et Pelletier (édit.) *L'État du Québec en devenir*, Montréal, Boréal Express.

Rapport de la Commission royale d'enquête sur l'organisation du gouvernement (Glassco) Ottawa, 1962.

Trebilcock, M.J. *et al.* (1982) *Le choix des instruments d'intervention*, Ottawa, Conseil économique du Canada.

Chapitre 5

Le budget et la gestion financière de l'État

Michel Fortmann

PLAN

LES FINANCES PUBLIQUES : LA RÉSULTANTE D'UN LENT
PROCESSUS HISTORIQUE DE MATURATION

LES CONCEPTS BUDGÉTAIRES DE BASE
  Budget et finances publiques : définitions
  Les principes budgétaires
  Les grandes classifications budgétaires

LE CADRE INSTITUTIONNEL DES FINANCES PUBLIQUES ET
LE PROCESSUS BUDGÉTAIRE

VERS UNE ANALYSE POLITIQUE DES FINANCES PUBLIQUES
  Qui contrôle le budget ?
  La gestion budgétaire : le difficile cheminement de la rationalisation

BIBLIOGRAPHIE

Du point de vue du politicologue et aussi de l'observateur ordinaire, les finances publiques constituent un sujet à la fois mystérieux, aride et négligé. En effet, contrairement aux autres composantes de l'administration publique, les finances de l'État demeurent le domaine des spécialistes du droit, de l'économie, de la comptabilité ou même de l'informatique. Les connaissances exigées par le sujet font des finances une espèce de champ réservé aux experts. De plus, la nature même du domaine — extrêmement quantitatif et complexe — aurait tendance à rebuter les généralistes. Il est donc compréhensible que ce secteur soit un peu délaissé, particulièrement en sciences politiques.

Pourtant, si nous regardons autour de nous, il faut nous rendre à l'évidence : les finances publiques constituent une réalité quotidienne, omniprésente et importante. Les impôts et les taxes que nous payons, notre carte d'assurance-maladie, les factures d'Hydro-Québec, mais aussi tous les services collectifs dont nous bénéficions, constituent autant de facettes mettant en évidence la présence financière de l'État et son caractère indispensable. Conséquemment, il est aussi possible de se rendre compte que ce que nous donnons à l'État (impôts, taxes, paiements divers) et obtenons de lui (services, transferts, etc.) sont des enjeux extrêmement importants dans l'arène politique. En d'autres termes, impôts et dépenses gouvernementales sont constamment des objets de litige dont les citoyens, les fonctionnaires, les partis politiques et les différents paliers de gouvernement se disputent la possession. En ce sens, les finances publiques sont étroitement liées à la politique, mais elles ne peuvent demeurer la chasse gardée des experts car elles nous concernent tous.

Mais que peut dire le politicologue ou le généraliste face à un domaine qui, malgré tout, demeure difficile et complexe ? Quelles voies s'offrent à lui en matière d'analyse ?

Sur le plan de l'observation tout d'abord, les sciences sociales offrent trois angles d'attaque utiles : l'histoire, qui permet d'analyser la façon dont les finances publiques ont évolué au cours des ans, les formes institutionnelles et juridiques qu'elles ont prises, les luttes politiques qu'elles ont occasionnées. Elle autorise en quelque sorte une mise en perspective qui permet de mieux comprendre les formes et la nature des institutions financières actuelles ; l'étude des concepts et des principes traditionnels de la pratique financière, qui facilite la compréhension du cadre politique et juridique dans lequel évoluent les finances publiques actuelles et permet de mieux comprendre le jargon qui les caractérise ; enfin, l'analyse institutionnelle, qui permet de voir comment les fonctions et les pouvoirs financiers se répartissent à l'intérieur de l'appareil gouvernemental.

Sur le plan de la réflexion et de la compréhension d'ensemble, les méthodes précédentes ne constituent cependant que des voies d'accès dont le but final serait l'élaboration d'une théorie politique des finances publiques. Cette théorie aurait pour vocation d'expliquer les dynamismes budgétaires et fiscaux par le biais des luttes de pouvoir qu'ils impliquent.

Plus modestement, le présent chapitre est une introduction ayant pour but de familiariser le lecteur avec le sujet. Dans cette optique, chacune des approches que nous venons de définir sera exploitée brièvement afin d'en faire ressortir la problématique spécifique. Nous tenterons particulièrement, à titre de synthèse finale, de faire apparaître les phénomènes politiques qui structurent le champ d'action financier de l'État aujourd'hui et, par le fait même, d'esquisser des voies de recherche prometteuse.

Sur le plan technique, notons finalement que pour des motifs de simplicité et de concision, l'aspect fiscal des finances publiques ne sera pas abordé. Nous nous concentrerons donc exclusivement sur le budget et la gestion de ce dernier.

5.1
LES FINANCES PUBLIQUES : LA RÉSULTANTE D'UN LENT PROCESSUS HISTORIQUE DE MATURATION

Comme tout système mécanique, biologique, humain ou social, l'État et son appareil administratif ont besoin d'un ensemble de moyens précis pour fonctionner, les plus importants étant le personnel, le matériel technique ou mobilier ainsi qu'une infrastructure immobilière. Il peut évidemment demander, ou parfois prendre, ces moyens « en nature » aux gouvernés. Il peut, en quelque sorte, réquisitionner les instruments, les objets ou les personnes nécessaires pour accomplir sa mission, et cela se fait encore de nos jours en cas de conflit. La conscription, dans cette perspective, est une survivance de cette pratique. Depuis l'Antiquité cependant, probablement dès l'apparition de la monnaie comme moyen d'échange, la perception en espèces (les impôts) a progressivement remplacé la perception en nature et l'État s'est peu à peu comporté comme tout agent économique, c'est-à-dire qu'il a acheté les services et les biens qui lui étaient nécessaires, dans la mesure de ses moyens. En ce sens, le financement public est devenu le besoin qui précède ou conditionne la satisfaction de tous les autres besoins de l'État. Dans une certaine mesure, on pourrait presque dire que le « porte-monnaie » public — le budget — circonscrit précisément la capacité d'action gouvernementale et, donc, définit le pouvoir politique.

Il n'est donc pas étonnant que très tôt dans l'histoire, l'état des caisses gouvernementales (le trésor, comme on l'appelait alors) ait été une des principales préoccupations des princes. En effet, ceux-ci, pour faire face à leur tâche, ne disposaient, malgré tous leurs pouvoirs, que de revenus généralement assez minces. En outre, ces revenus étaient continuellement rognés par les dépenses somptuaires et, surtout, les guerres fréquentes et coûteuses.

Ils ont donc été forcés de faire appel régulièrement à diverses sources de financement, particulièrement au bon peuple « taillable et corvéable à merci ». Les finances publiques sont donc devenues, dès l'origine, un objet de litiges permanents, un enjeu politique prioritaire autour duquel se disputaient les monarques et leurs vassaux et, bien sûr, les principaux contribuables. Il est d'ailleurs remarquable de constater qu'une grande partie de l'histoire politique occidentale peut se lire à travers ces conflits. Ainsi, le succès ou l'échec des monarchies européennes, depuis le moyen âge, dépendait très souvent de la capacité individuelle des rois de bien gérer leurs revenus sans trop taxer leurs sujets ... ce qui n'a pas souvent été le cas, d'où les conflits auxquels on pouvait s'attendre.

En France par exemple, la chute de la monarchie trouve en partie son origine dans la gestion catastrophique des finances qui caractérisait les règnes de Louis xv et Louis xvi ; quant à la révolution américaine, elle a débuté par une révolte contre les taxes imposées par George III. Seule l'Angleterre a pu échapper à de tels bouleversements dans la mesure où le Parlement disposait depuis déjà un siècle du droit exclusif d'autoriser tout nouvel impôt.

En pratique d'ailleurs, c'est avec l'émergence du pouvoir législatif que s'ouvre l'histoire moderne des finances publiques. En effet, les parlements occidentaux, tout au long du xixe siècle, affirmeront peu à peu leurs prérogatives à la fois sur les impôts et sur les dépenses gouvernementales. Ils définiront ainsi le cadre des principes qui, encore aujourd'hui, gouvernent la pratique financière de l'État. La conquête de ce contrôle n'a cependant pas toujours été facile et la lutte qui, au Canada, a opposé l'exécutif et le législatif dans plusieurs provinces, montre le caractère quelquefois dramatique de cette évolution.

Quoi qu'il en soit, au début de ce siècle, les bases juridiques et institutionnelles des finances publiques sont en place dans la plupart des pays industrialisés.

S'ouvre alors la troisième étape de l'histoire des finances gouvernementales. Celle-ci sera caractérisée par le développement des tâches ou des fonctions de l'État face à la société. Jusqu'au xxᵉ siècle en effet, le champ d'action gouvernemental fut très limité. Il comprenait les tâches dites « royales » ou « régaliennes », c'est-à-dire la justice, la police, la diplomatie et la guerre, mais n'incluait que très marginalement des responsabilités d'ordre économique ou social. À partir de cette période cependant, et surtout après 1945, les gouvernements se virent confier un rôle de contrôle et de réglementation central par rapport à la société et à l'économie dans son ensemble.

Au terme de cette évolution, l'État actuel, que l'on appelle souvent « providence », prend en charge :

- certaines responsabilités d'allocation des ressources face aux facteurs de production (formation et répartition de la main-d'œuvre, conseil et information des entreprises, protection des travailleurs, aide économique et financière aux entreprises) ;

- certaines fonctions collectives à retombées économiques (santé, éducation, recherche, sécurité sociale, protection de l'environnement, etc.) ;

- les services publics dont les coûts sont trop élevés pour l'industrie et le public (transport, urbanisme, secteur nationalisé et sociétés d'État) ;

- la redistribution des revenus des couches sociales les plus favorisées vers les catégories à faible revenu (allocations familiales, bien-être social, assurance-chômage, aide à la vieillesse, etc.) ;

- la stabilité et la croissance économique par le biais des impôts, des dépenses et de la surveillance des prix et des revenus.

Par l'expansion de ses fonctions, l'État est donc devenu un agent économique essentiel, mais, ce faisant, ses besoins financiers ont crû de façon proportionnelle. À titre d'illustration, le budget fédéral américain est passé de 3 milliards (1916) à près de 1000 milliards (1986) en moins d'un siècle, et le pourcentage de la main-d'œuvre active travaillant pour les gouvernements a crû dans les mêmes proportions. L'imagination, en fait, permet à peine de saisir l'énormité de ces chiffres, ce qui souligne à quel point les finances publiques sont devenues un sujet complexe et difficile à maîtriser, même pour ceux qui en ont la charge. On peut d'ailleurs se demander si la machine financière de l'État moderne, compte tenu de sa taille, est encore un instrument viable et contrôlable pour gérer l'économie. Il s'agit probablement du défi majeur des finances publiques actuelles.

En résumé, l'évolution historique révèle déjà une problématique générale de notre sujet. Nous voyons en effet que, du point de vue politique, les finances gouvernementales donnent naissance à plusieurs questions : qui contrôle le budget? et surtout, comment ce budget est-il préparé, géré et exécuté?

Ces questions serviront en quelque sorte de toile de fond dans les sections suivantes. Mais, avant de nous y attaquer directement, voyons les concepts et principes qui encadrent la pratique des finances gouvernementales.

5.2
LES CONCEPTS BUDGÉTAIRES DE BASE

Trois thèmes nous occuperont ici : la définition formelle des finances publiques et du budget, la présentation des principes juridiques qui gouvernent la pratique budgétaire et, finalement, les grandes classifications des dépenses.

Budget et finances publiques : définitions

Dans leur acception classique, les finances publiques sont définies comme « la science des moyens par lesquels l'État se procure et utilise les ressources nécessaires à la couverture des dépenses publiques »[1].

Pratiquement, les finances de l'État couvrent certaines opérations spécifiques ; ce sont :

- les opérations budgétaires
  - l'obtention des revenus fiscaux,
  - l'élaboration des dépenses (c.-à-d. le budget) ;

- les opérations de change par lesquelles un gouvernement achète ou vend des devises ;

- la gestion de la dette que l'État a envers ses créanciers ;

- la gestion des finances des sociétés d'État et du secteur nationalisé.

Comme on peut le constater d'emblée, le budget n'est qu'un élément parmi tant d'autres et il est utile de noter qu'aucun document public — au Canada ou ailleurs — ne décrit simultanément l'ensemble de ces opérations. Pour utiliser une image, disons que le budget et les impôts ne représentent que la pointe de l'iceberg, dont la majeure partie échappe à l'attention du public.

Le budget désigne spécifiquement, au sein du secteur financier, l'institution et le processus formel légal par l'intermédiaire duquel l'État — contrôlé par la représentation populaire — met au point sa politique de dépenses annuelles.

Il met en œuvre un ensemble de lois (lois de l'administration financière) et d'institutions au sein d'un processus formalisé comprenant la préparation, l'approbation, l'exécution et le contrôle.

Chaque année, au Canada de même que dans la majorité des pays du monde, la mise en place et le rôle des dépenses constituent un acte gouvernemental essentiel qui définit concrètement l'orientation des politiques officielles, autant dans les domaines économiques et sociaux que dans ceux de la défense ou des affaires étrangères.

Les documents sur lesquels se fonde le budget sont nombreux et diffèrent d'un pays à l'autre. Au Canada, au Québec et dans les pays à tradition anglo-saxonne, le texte essentiel à cet égard est le livre des crédits, communiqué à l'Assemblée ou au Parlement au printemps de chaque année. Il présente, par ministère et par catégorie de dépenses, l'ensemble de débours prévus pour l'année suivante. Parmi les documents annexes qu'il faut aussi connaître mentionnons le discours du budget, qui présente la politique financière d'ensemble du gouvernement et qui précède en général la présentation des crédits, et les cahiers de dépenses particuliers, qui détaillent les débours prévus de chaque ministère. Le budget implique, bien sûr, un ensemble de travaux administratifs préparatoires qui, quant à eux, ne sont pas communiqués au public. Notons aussi qu'à l'issue de l'exécution d'un budget, le gouvernement doit présenter un bilan annuel qui contient un relevé des dépenses réellement effectuées. Au Canada et au Québec, il s'agit de ce que l'on appelle les comptes publics.

Les principes budgétaires

Au cours des luttes qui ont opposé parlements et exécutifs au XVIIIᵉ et XIXᵉ siècles, plusieurs principes très importants se sont imposés peu à peu à la pratique budgétaire. Ils manifestent en quelque sorte la volonté démocratique de contrôle du gouvernement par les assemblées législatives.

Parmi ces principes, citons particulièrement :

- celui de l'autorisation parlementaire, selon lequel tout impôt et toute dépense publique doit faire l'objet d'une loi votée en chambre ; ce principe est d'ailleurs inscrit à l'article 53 de l'Acte de l'Amérique du Nord britannique ; il a pour contrepartie

- le principe de l'initiative financière gouvernementale, qui précise que seuls les projets de lois financières présentés par le gouvernement seront considérés par l'assemblée (art. 54 de l'AANB) ;

- le principe de l'annualité, quant à lui, a pour but d'assurer le contrôle régulier des dépenses ; à cet égard, il est prévu de présenter un nouveau budget chaque année ; parallèlement,

- le principe de la prescription des crédits prévoit que les sommes non dépensées après un an seront annulées et remises au Parlement pour un nouveau vote afin d'éviter que certains ministères se créent des fonds autonomes.

Le même souci de contrôle a inspiré :

- le principe de la consolidation des revenus (art. 102 de l'AANB) ; suivant celui-ci, la totalité des fonds perçus par le gouvernement doit être versée dans un compte unique, le fonds consolidé, afin d'éviter la prolifération des caisses noires (fort en usage au XIXᵉ siècle) ; dans le même esprit encore,

- le principe de l'affectation spécifique des crédits recommande la ventilation détaillée des dépenses par destination, de façon que les parlementaires puissent déceler le plus précisément possible l'usage des sommes qu'ils votent ;

- le principe des contrôles comptables et parlementaires, finalement, implique que les débours gouvernementaux soient soumis à un contrôle d'exécution régulier sous la supervision des corps législatifs.

Quoiqu'ils paraissent à première vue désuets, ces « sept commandements » budgétaires sont essentiels car ils garantissent le droit de regard et de contrôle des citoyens sur les actes financiers du gouvernement. C'est pour cette raison qu'ils s'inscrivent dans la loi constitutionnelle. Notons aussi que la même loi prescrit aux provinces d'adopter les mêmes principes (art. 90). C'est donc dire qu'ils s'appliquent aussi au Québec.

En conséquence, nous pouvons déjà répondre formellement à la première question que nous nous posions plus haut : juridiquement et constitutionnellement, le Parlement et les assemblées législatives provinciales contrôlent et approuvent les revenus et les dépenses gouvernementales. L'exécutif, quant à lui, prépare et exécute le budget. Ceci est la loi ; en ce qui concerne la pratique, nous verrons un peu plus loin de quoi il retourne.

Les grandes classifications budgétaires

Afin de remplir sa tâche budgétaire, le Parlement doit évidemment pouvoir lire et comprendre les données qui lui sont présentées. Le fonctionnaire des finances, quant à lui, a les mêmes exigences à des fins de comptabilité et de gestion. Ceci a l'air un peu simpliste, mais, en réalité, la lecture d'un budget n'est pas une tâche facile. En effet, au cours des années, à mesure de la croissance des dépenses, s'est développé un système de présentation budgétaire plus ou moins complexe suivant les pays. Dans certains cas même, une longue familiarisation est nécessaire pour se retrouver dans ce que certains ont appelé un « cimetière de chiffres ». Fort heureusement, le Canada et spécifiquement le Québec ont un système de classification assez clair et les principes généraux de catégorisation sont à la portée de tous.

Dans l'ensemble, on distingue trois méthodes de classification : les classifications juridico-administratives, les classifications fonctionnelles et les classifications économiques.

La **méthode administrative** est la plus ancienne. Elle se fonde sur la répartition des dépenses par organisme et sous-organisme administratifs, et on la retrouve encore de nos jours dans la division des budgets par ministère. Ceci semble assez simple, mais cette méthode se double parfois d'un mode de classement juridique calqué sur les pratiques financières ou parlementaires. En France par exemple, on distingue encore les budgets suivant leur statut légal. Ainsi, on retrouve un budget principal, des budgets annexes et des comptes spéciaux de même que des classifications internes par titre, chapitre, partie et ligne qui se fondent plus sur la tradition que sur la logique.

Nous n'entrerons pas dans le détail de ces concepts étant donné qu'ils sont spécifiques à chaque pays. Qu'il suffise ici de dire que les classifications juridico-administratives tendent à disparaître au profit de méthodes plus claires et plus maniables.

Les **classifications économiques** se fondent sur la répartition des activités économiques de l'État (c.-à-d. industrie, transport, agriculture). Elles se distribuent par type de dépenses. Par exemple, on distingue les dépenses d'activité (dépenses de consommation, débours salariaux), les transferts (aide sociale, subventions), les dépenses de l'État à l'étranger (aide aux pays en voie de développement). La distinction de type économique la plus connue est évidemment celle qui différencie les dépenses de fonctionnement des dépenses d'investissement ou, si l'on préfère, les dépenses qu'impliquent les activités ordinaires d'un organisme et les achats « extraordinaires » de matériel ou d'immeubles.

Les **classifications fonctionnelles**, finalement, sont issues de la modernisation des concepts de finances publiques. Suivant ce schéma, on répartit les dépenses selon les grandes missions de l'État. On distinguera, par exemple, les fonctions administratives, les fonctions économiques, la mission défense, etc. L'idée qui inspire cette méthode est de mesurer le coût des activités gouvernementales par souci d'économie et d'efficacité.

Les modes de classement modernes des dépenses se fondent généralement sur les principes des deux dernières méthodes précédemment citées.

Dans le cas du Québec par exemple, on a défini une hiérarchie fonctionnelle qui, partant des quatre grandes missions de l'État (économique,
sociale, culturelle, gouvernementale), subdivise chacune de ces missions en
domaines, secteurs, programmes, etc. À titre d'illustration, la mission économique inclut, entre autres, le domaine des ressources naturelles et de
l'industrie primaire qui comprend lui-même un certain nombre de secteurs
(agriculture, forêts, mines, etc.) et chacun d'eux fait l'objet de programmes
budgétaires particuliers. Ces programmes figurent dans le livre des crédits
sous la rubrique du ministère dont ils relèvent et chacun voit ses dépenses
ventilées d'après un système comprenant douze catégories (par exemple,
salaires, loyers, fournitures, équipement, transferts, etc.).

Comme on peut le constater, il s'agit donc d'un système à la fois simple et efficace qui permet au parlementaire et à l'observateur intéressé de
prendre rapidement connaissance des données budgétaires et de comprendre leur sens.

Gardons cependant à l'esprit qu'un mode de classement ou qu'une
liste de principes juridiques ne révèle pas la réalité politique du phénomène
budgétaire, ni d'ailleurs sa complexité véritable. C'est pourquoi, même si la
connaissance de ces éléments est nécessaire à titre introductif, il nous faudra
pousser la réflexion plus loin. Auparavant cependant, nous compléterons
notre description générale par la présentation des institutions et du processus qui président à l'élaboration du budget.

5.3
LE CADRE INSTITUTIONNEL DES FINANCES PUBLIQUES ET LE PROCESSUS BUDGÉTAIRE

Le système institutionnel qui encadre le budget comporte cinq grandes fonctions qui, sous une forme ou une autre, se retrouvent dans
tous les pays.

La fonction de direction centrale par exemple est, la plupart du temps,
prise en charge par le chef de l'exécutif lui-même. Dans cette perspective,
c'est le premier ministre ou le président qui arrête les grandes lignes du budget et, en particulier, le plafond des dépenses. Notons que cette fonction
comporte une tâche de coordination politique qui est effectuée par le Conseil des ministres.

La fonction de direction cependant, pour s'exercer pleinement, s'appuie sur deux institutions essentielles : la première est chargée particulièrement de l'élaboration de la politique économique et budgétaire, la seconde
supervise l'élaboration du budget par les ministères. Ces trois missions
constituent le cœur institutionnel de l'activité gouvernementale en matière

budgétaire. On peut y ajouter la fonction de contrôle interne dont le but est d'assurer, pour le gouvernement lui-même, la régularité de l'exécution du budget.

Sur le plan externe, la cinquième fonction budgétaire est celle de la vérification et du contrôle parlementaire. Elle concerne, d'une part, les organes législatifs eux-mêmes et d'autre part, les institutions qui prêtent leur expertise au législatif à des fins de vérification et de contrôle. Les droits et les tâches de toutes ces institutions sont, en principe, définis dans le cadre d'une loi des finances.

Au Canada, les principaux acteurs et organismes concernés par la gestion du budget correspondent au schéma précédent, à quelques nuances près. Les plus importants, mis à part les comités du cabinet chargés de la définition des politiques, sont le Conseil du Trésor, le ministère des Finances, les ministères des Approvisionnements et Services, le contrôleur général et le vérificateur général. Voyons-les tour à tour.

Le Conseil du Trésor constitue à la fois un conseil et un ministère distincts. En tant que conseil, il est constitué de 6 ministres, dont celui des Finances, ainsi que du président du Conseil du Trésor ; à titre de ministère, il emploie 700 personnes réparties dans quatre directions spécifiques. Les missions du Conseil incluent, entre autres :

- la sélection des programmes budgétaires gouvernementaux ;
- l'élaboration de politiques de gestion budgétaire efficaces ;
- l'examen des projets de dépenses ministériels.

Le Conseil du Trésor représente en quelque sorte le bras armé du gouvernement en matière budgétaire. En ce sens, il faut retenir que le Conseil est au cœur du système décisionnel gouvernemental ; c'est un organisme de conception, de conseil, un centre d'information très puissant, mais aussi un organe de décision qui exerce les pouvoirs du Conseil des ministres, le cas échéant. Le Conseil contrôle donc sans ambiguïté la préparation du budget, tout en contribuant aussi à la surveillance de son exécution : aucun engagement ou paiement important ne peut se faire sans son accord.

Le ministère des Finances, pour sa part, « a la gestion du fonds consolidé et la surveillance, le contrôle et la direction de toute matière relative aux affaires financières du Canada »[2]. Spécifiquement, le Ministère désigne les banques et agents dépositaires des deniers publics, achète ou vend des valeurs (actions ou obligations) pour le compte de l'État et transige les emprunts gouvernementaux ainsi que leur remboursement. Autrement dit, le Ministère est le gérant des fonds publics dans la mesure où ils ne sont pas affectés à un autre ministère.

Plus encore, le Ministère est le centre d'élaboration de la politique économique canadienne. En ce sens, il analyse et évalue la conjoncture économique canadienne et étrangère ainsi que la situation fiscale et budgétaire, et recommande au gouvernement des mesures à cet égard. C'est d'ailleurs le ministre lui-même qui présente chaque année la politique économique et fiscale du gouvernement, devant le Parlement, lors du discours du budget.

Finalement, c'est encore le Ministère qui reçoit annuellement les comptes publics préparés par le receveur général et les dépose à la Chambre.

Parallèlement au ministère des Finances, la pratique financière canadienne confie au ministère des Approvisionnements et Services la supervision de l'exécution du budget. Le chef de ce ministère, qui est aussi le receveur général, représente en quelque sorte l'intendant de l'État. Dans cette optique, il achète, entrepose et distribue le matériel gouvernemental, il tient la comptabilité générale des dépenses, effectue les paiements et assure le contrôle d'exécution financier. Le Ministère, finalement, assure aussi des services de consultation et de gestion pour les autres organismes publics, particulièrement dans le domaine de l'informatique.

La tâche de supervision interne de la gestion budgétaire est aussi prise en charge partiellement par les services du contrôleur général. Ce dernier, dont la fonction est assez récente (1978), est responsable de la qualité et de l'harmonie des politiques et des pratiques d'administration financière appliquées dans l'administration fédérale. À ce titre, il assure la qualité et la probité des systèmes de contrôle financier des ministères et évalue l'efficacité des programmes du gouvernement.

Soulignons donc que, finalement, parmi les organismes gouvernementaux à vocation budgétaire, trois d'entre eux se partagent la mission de contrôle (Trésor, Approvisionnements et Services et contrôleur général). Ceci met en évidence le souci de discipline budgétaire qui anime le gouvernement depuis quelques années.

Sur le plan du contrôle externe maintenant, si nous excluons le Parlement dont il sera question plus loin, mentionnons le vérificateur général du Canada. Celui-ci a pour tâche d'enquêter sur les comptes publics et de faire un rapport annuel à l'Assemblée sur ce sujet. Spécifiquement, le vérificateur veille à la bonne tenue des comptes, au respect des procédures et, en général, au respect de l'efficacité budgétaire. Il détient un droit d'enquête dans tous les ministères, y compris les sociétés de la Couronne. C'est en quelque sorte le chien de garde financier du Parlement. À quelques détails près, le cadre institutionnel que nous venons de décrire se retrouve au Québec.

Comme on peut le constater, les acteurs et organismes à vocation budgétaire constituent un système vaste et complexe. C'est le processus budgétaire qui met en œuvre ce système.

En général, le processus budgétaire peut se découper en trois phases :

- la préparation ;

- l'exécution ;

- le contrôle.

Si nous reprenons l'exemple fédéral, la préparation tout d'abord est entamée au moins 12 mois avant le dépôt du budget à l'Assemblée. L'étape préliminaire de la préparation consiste à fixer les priorités et les plafonds budgétaires ; le Conseil des ministres et ses comités — particulièrement celui des priorités — s'en chargent. Le système en usage veut que chaque secteur fonctionnel (développement économique, développement social et culturel, affaires extérieures et défense, opérations gouvernementales) reçoive une enveloppe qui définisse précisément la somme qui lui est allouée pour l'année à venir. Établies au début de l'année, ces « enveloppes » ainsi que les directives politiques qui les accompagnent sont transmises aux ministères par le Conseil du Trésor. À partir de ces données, les ministères doivent alors préparer des estimations détaillées de chacun de leurs programmes de dépenses. Ces prévisions contiennent, en particulier, la liste des moyens requis et les dépenses nécessaires, par catégorie. En principe, cinq années doivent être couvertes par ces estimations : l'année en cours, l'année à venir ainsi que les trois années suivantes. L'inclusion de ces dernières doit permettre une meilleure évaluation du développement des dépenses. Cette phase de la préparation, qui dure plusieurs mois (du printemps à l'automne), s'achève par la transmission des plans de dépenses ministériels au Cabinet. Celui-ci les examine, effectue les derniers ajustements avec le Conseil du Trésor puis dépose ses prévisions, sous forme de budget, au début de l'année suivante.

Le « livre bleu » des crédits, qui contient le budget pour l'année, est alors remis aux différents comités fonctionnels du Parlement (finances et économie, affaires extérieures et défense, etc.). Ceux-ci, au nombre de dix, ont trois mois pour examiner les programmes gouvernementaux ; ils peuvent les critiquer, mais ils ne peuvent y apporter des changements. Après examen, les comités font un rapport au Parlement ; ce rapport sera alors suivi d'un débat qui n'excédera pas 25 jours. Le débat est clos par le vote d'une loi d'approvisionnement et d'appropriation signée par le Gouverneur général.

En ce qui concerne l'exécution du budget, chaque ministère dispose d'une série de programmes identifiés par un numéro d'appropriation. Les crédits attachés à ces programmes sont divisés par les ministères eux-mêmes en versements périodiques (*allotment*). Ceux-ci, répartis sur l'année, servent de base aux demandes de paiement soumises au receveur général et au Trésor. Ce processus garantit un contrôle serré et continu des dépenses par l'exécutif. Il arrive cependant que, pour des raisons conjoncturelles, les fonds alloués soient insuffisants. Dans ce cas, pour éviter une crise de trésorerie, le gouvernement peut présenter un budget supplémentaire au cours de l'année. Dans les cas moins graves, le ministre des Finances peut user de fonds de suppléance et, si la situation l'exige, il peut faire appel à un mandat spécial lui permettant de parer au plus pressé.

Au terme de l'exécution budgétaire, les comptes tenus par le receveur général sont alors compilés et présentés au Parlement, généralement neuf mois après la fin de l'exercice financier. C'est à partir de ces comptes que le vérificateur général fait son rapport.

5.4
VERS UNE ANALYSE POLITIQUE DES FINANCES PUBLIQUES

Comme on peut le constater, le rapide tour d'horizon effectué dans les sections précédentes montre à quel point le domaine des finances publiques peut être technique et complexe. Toutefois, en y appliquant la problématique esquissée dans la première section, nous essaierons ici de définir quelques pistes de réflexion de nature plus politique.

Qui contrôle le budget ?

Le budget, au-delà de son cadre institutionnel et légal, est une arène politique. En ce sens, les acteurs qui se disputent chaque année l'enjeu des crédits sont : le gouvernement en place, les administrations et la population, par l'intermédiaire des partis, des groupes de pression et de l'opinion publique. Ces trois catégories d'acteurs ne sont cependant pas de force égale. Il est un peu ironique de constater (en particulier) que l'organisme parlementaire qui, légalement, devrait tenir les cordons de la bourse est celui qui — au Canada par exemple — est le plus démuni. En ce qui concerne la sanction budgétaire, le parlement est « incapable de modifier le plan budgétaire annuel d'un exécutif qui bénéficie du soutien d'une majorité stable et disciplinée […] » (Bernard, 1992, p. 315). En effet, les parlementaires n'ont ni les connaissances requises, ni le temps ni les ressources nécessaires pour examiner en profondeur un document de plus de 600 pages qui est lui-même une synthèse de travaux préparatoires extrêmement détaillés. Dans une large mesure, le vote du budget est un acte parlementaire relativement symbolique ; ceci est aussi le cas dans plusieurs autres pays, dont la France en particulier. Même aux États-Unis, où l'examen du budget fédéral par le Congrès se fait plus en profondeur, il est rare que les modifications apportées par les législateurs soient significatives, malgré les pouvoirs très étendus de ces derniers. Par ailleurs, le contrôle parlementaire suivant l'exécution du budget peut lui aussi susciter quelques doutes quant à son efficacité. D'une part, comme l'a noté André Bernard (1992, p. 405), il peut y avoir une incompatibilité entre le respect de la loi dans toute sa complexité et l'atteinte de l'objectif d'une gestion optimale des ressources. D'autre part, les comptes publics, étant devenus, sous le poids des chiffres, moins détaillés qu'autrefois, ce sont les vérificateurs généraux plutôt que les députés « qui signalent dorénavant les abus, les irrégularités et même les erreurs de gestion » (Bernard, 1992, p. 398).

Il est donc logique de conclure, à partir de là, que les principaux pouvoirs, en ce qui a trait au budget, se partagent principalement entre le gouvernement au pouvoir et l'administration. En pratique cependant, ce jugement doit être nuancé car la marge de manœuvre ou, si l'on préfère, le pouvoir d'initiative du gouvernement est relativement limité en matière budgétaire. Une grande partie du budget, en effet, est hypothéquée par des programmes permanents et politiquement sensibles, et il est impensable que le gouvernement s'aliène l'opinion publique en les réduisant. L'éducation, la santé et le bien-être, par exemple, représentent au Québec plus de 60 % des dépenses gouvernementales. Aux États-Unis également les transferts à vocation sociale constituent près de 50 % du budget et, si l'on ajoute la défense (près de 30 %), on se rendra compte que, même chez notre voisin du sud, les choix budgétaires gouvernementaux se font dans un cadre fort contraignant.

En pratique, on pourrait dire que la prérogative essentielle des gouvernements actuels est de contenir leurs dépenses et non de diriger leur budget. Face à cela, la politique des administrations en matière budgétaire consisterait principalement à défendre leurs droits acquis et leurs programmes. Si l'on en croit les expériences récentes des praticiens des finances publiques, aucune autorité ne dirigerait pleinement la machine budgétaire et celle-ci ne se prêterait plus qu'à un contrôle négatif destiné à freiner son expansion.

La gestion budgétaire : le difficile cheminement de la rationalisation

Depuis quelques dizaines d'années déjà, le problème du contrôle des dépenses et, parallèlement, la question des luttes politico-administratives entourant l'enjeu financier ont inspiré de nombreuses critiques. Au Canada, la Commission Glassco, créée en 1960, concluait, au terme de son rapport,

« que les méthodes qui président à l'établissement et à l'examen des prévisions budgétaires sont inefficaces et peu économiques [et que] la forme que revêtent les prévisions empêche d'en faire une critique intelligente »[3]. Ce rapport inspira un ensemble de réformes que l'on peut généralement classer sous l'étiquette de la rationalisation budgétaire. Notons d'ailleurs que le Canada, encore une fois, n'a pas été un cas unique et que le même type de réforme a été entrepris dans plusieurs pays, dont la France, l'Allemagne, la Suède et les États-Unis.

L'idée centrale qui sous-tendait ces réformes était de refaire du budget un instrument politique viable. Dans cette perspective, il s'agissait, d'abord et avant tout, de redonner au plan annuel des dépenses une structure claire et intelligible qui permette de connaître avec précision le montant des programmes budgétaires et surtout leur destination. Les méthodes mises au point à cet effet portèrent différents titres, mais les plus connues furent, dans les pays anglo-saxons, le PPBS (Planning, Programming, Budgeting System) et, en France, la RCB (méthode de rationalisation des choix budgétaires).

Sur le plan historique, pour être plus précis, le PPBS a été conçu aux États-Unis par une entreprise de consultation semi-privée, la Rand Corporation, œuvrant pour le ministère de la Défense. Il a ensuite été mis à l'essai dans ce même Ministère, puis appliqué, en 1965, à l'ensemble du gouvernement américain. La France, l'Allemagne ainsi que la Suède et de nombreux autres pays emboîtèrent rapidement le pas aux États-Unis. En France par exemple, le système PPB, rebaptisé rationalisation des choix budgétaires (RCB), vit son usage généralisé dès 1968 et, jusqu'à la moitié des années 1970, le système PPB/RCB demeura certainement l'un des thèmes centraux de la gestion budgétaire pour la majorité des pays occidentaux. Au Canada, le PPBS fut adopté dès 1969 et le Québec suivit l'exemple fédéral dès l'année suivante. Plusieurs municipalités canadiennes et québécoises (Laval, Montréal, Toronto) adoptèrent à leur tour ce système dans les années 1970. Il est à noter aussi que ce mouvement connut diverses formes que l'on peut rattacher, sans trop de difficultés, au tronc commun. Par exemple, la budgétisation à base zéro (BBZ), l'évaluation des programmes ainsi que des méthodes plus spécifiques, telles l'analyse coût-efficacité ou l'analyse de systèmes, complètent ou prolongent le PPB malgré leur dénomination différente. Au Canada, la notion d'imputabilité — tellement à la mode depuis le rapport Lambert — reflète elle aussi cette préoccupation d'efficacité et de rationalisation qui sous-tend l'ensemble des méthodes susmentionnées.

Sans entrer dans les détails, ces méthodes (nous prendrons le PPB et le BBZ comme exemples) recommandaient de définir, tant pour chaque ministère que pour le budget dans sa totalité, une hiérarchie d'objectifs précis auxquels devait correspondre l'ensemble des programmes de dépenses. Le système de classification budgétaire québécois que nous avons décrit plus haut constitue un exemple parfait de cette démarche. Le but de l'entreprise, évidemment, était non seulement de permettre au parlementaire et au gestionnaire une lecture plus facile des crédits, mais aussi d'étudier les programmes sur le plan de l'efficacité. On pouvait ainsi se demander si les moyens prévus dans le programme étaient suffisants, s'ils étaient efficacement gérés ou si le programme lui-même était justifié en raison de son impact. La rationalisation des choix budgétaires, en fait, ouvrait la porte au contrôle de l'efficacité et devait permettre de meilleurs choix politiques, fondés non plus sur l'intuition mais sur l'analyse.

Spécifiquement, le système PPB ou RCB s'articule suivant plusieurs éléments que l'on peut décrire comme étant les étapes d'une démarche. Celles-ci sont respectivement la planification, la programmation, la budgétisation et l'évaluation-contrôle. Elles forment par ailleurs un cycle — ou itération — perpétuellement recommencé.

Dans un premier temps, la planification constitue la phase prospective du cycle. Fondamentalement, elle amène le décideur politico-administratif à clarifier les objectifs qu'il vise : quels sont les buts précis que poursuit, à long terme, le gouvernement ? Pratiquement, elle donne lieu à la définition et à l'harmonisation des avenues prioritaires de développement de la politique, dans une perspective au minimum décennale.

La programmation qui, quant à elle, s'inscrit dans un cadre quinquennal tente déjà, par tranche annuelle, de prévoir les moyens matériels et surtout financiers nécessaires à la réalisation partielle des objectifs finaux. En ce sens, les objectifs sont traduits et répertoriés sous forme de programmes, d'opérations ou de projets contribuant à leur réalisation ; à chacun de ces éléments sont attachées des ressources. Autrement dit, la programmation permet au gestionnaire de prévoir ce qu'il aura à dépenser pour atteindre progressivement les objectifs qu'il s'est fixés à l'étape de la planification.

La budgétisation à son tour vise à transcrire annuellement la tranche correspondante de la programmation dans le budget ou, si l'on préfère, le livre des crédits.

Enfin, l'évaluation-contrôle permet elle aussi, parallèlement à la budgétisation, d'effectuer annuellement les ajustements nécessaires à la programmation pour qu'elle puisse s'insérer dans la réalité de la conjoncture financière. Il est bien clair que si les ressources destinées à un programme ont été insuffisantes l'année précédente, les besoins prévus pour l'année suivante doivent être révisés. Par ailleurs, l'évaluation-contrôle permet de sonder régulièrement et à fond plusieurs programmes afin de s'assurer qu'ils « valent toujours le coût ». Dans une certaine mesure, on pourrait avancer que l'évaluation de programmes est une opération ponctuelle qui se justifie, quel que soit le système budgétaire employé, dans la mesure où elle autorise la remise en question d'opérations ou de projets peu efficaces et contribue ainsi à dégraisser l'ensemble de la masse budgétaire[4].

La budgétisation à base zéro, quant à elle, doit être perçue comme un complément au système global de rationalisation qu'est le PPB/RCB. En ce sens, c'est un outil de travail destiné avant tout au gestionnaire de programme plutôt qu'au décideur politique. Le système repose en fait sur la mise au point annuelle, par le gestionnaire, d'un dossier de programme (*decision package*). Celui-ci doit contenir — sans considération des budgets précédents — la liste exhaustive des besoins et des performances du programme, compte tenu d'une série d'hypothèses touchant à son niveau de financement. Spécifiquement, le dossier de programme permet d'évaluer ce qui se passerait si le budget était augmenté, diminué ou tout simplement supprimé. En fait, la BBZ est une opération d'évaluation de programmes annuelle, qui permet de faire table rase du passé et présente au décideur une série d'options financières comparables à partir des coûts et des performances prévus.

Cet ensemble de méthodes, dont nous venons de décrire les traits essentiels, n'eut pas les effets escomptés, et ce autant en Europe et aux États-Unis qu'au Canada.

En effet, si l'application de la nouvelle présentation budgétaire a pu s'effectuer sans grande difficulté, l'introduction des méthodes de contrôle, quant à elle, s'est heurtée à la fois à l'hostilité des fonctionnaires et à l'inertie du processus budgétaire. En ce sens, il s'est avéré extrêmement difficile d'introduire la planification dans une procédure qui demeure annuelle, et la révision des programmes s'est révélée rapidement futile devant la résistance des administrations. Il faut noter d'ailleurs que les difficultés techniques ayant trait à la mesure de l'efficacité ainsi que le peu de fiabilité des prévisions financières n'ont pas contribué à convaincre les gestionnaires et le service « dépensiers » de la valeur absolue du concept de rationalité.

En effet, la formule même de la rationalisation budgétaire — dans son acception pratique — est viciée du fait de son ambition irréaliste, à savoir : connaître l'ensemble des données budgétaires et prévoir leur évolution sur 5 ou 10 ans ; cela n'est simplement pas possible. Comme l'a noté Wildavsky :

> Un paramètre important concernant la budgétisation est la complexité extraordinaire des calculs qu'elle implique. Dans n'importe quelle organisation de grande taille, un nombre très élevé d'éléments doivent être évalués, ce qui présente des difficultés techniques considérables.[5]

Par conséquent, le PPB s'est soldé par un échec, car :

> Il n'a pu remplir une condition essentielle à son succès : la connaissance nécessaire pour effectuer les opérations qu'il demande…[6]

De plus, comme le montrent les textes et manuels consacrés au PPB :

Beaucoup de gens savent à quoi devrait ressembler le système PPB *en général*, mais personne ne sait ce qu'il devrait être concrètement : *personne ne sait comment mettre en pratique le PPBS.*[7]

Il n'est donc pas étonnant qu'en 1979, dix ans après l'introduction du système PPB au gouvernement fédéral, la Commission Lambert puisse souligner, une fois de plus, la quasi-perte de contrôle du gouvernement sur les deniers publics.

On peut donc légitimement conclure que les réformes entreprises depuis les années 1960 n'ont pas fondamentalement modifié la nature d'un processus qui demeure profondément politique et bureaucratique, et ceci renforcerait encore les conclusions de la section précédente.

Que nous réserve l'avenir ? Pour l'instant, nous ne nous risquerons pas à répondre à cette question. En effet, si, au Canada, le Rapport Lambert a suscité un certain nombre de réformes touchant en particulier à la centralisation du contrôle des dépenses, rien ne permet de supposer que les réorganisations actuelles soient plus significatives que celles qui les ont précédées.

Nul, mieux que D. Stockman, n'a résumé l'impression qui se dégage de l'observation du phénomène budgétaire actuellement. Après deux ans de pratique au Bureau du budget américain, il déclarait :

Le monde était moins gérable que nous ne l'imaginions ; cette machine [budgétaire] comportait trop de rouages autonomes pour qu'il soit possible d'intégrer l'ensemble dans une théorie claire et homogène. Les composantes imprévisibles de l'histoire — la politique, l'économie, les chiffres anarchiques du budget — étaient impossibles à contrôler.[8]

NOTES

(1) DUVERGER, M. (1963) *Finances publiques*, Paris, PUF, Coll. Thémis, p. 47.

(2) Loi sur l'administration financière, S.R., c. F-10, article 9.

(3) COMMISSION GLASSCO (1962) *Rapport de la Commission royale d'enquête sur l'organisation du gouvernement*, Vol. 1, p. 104.

(4) Au sujet de l'évaluation de programme, voir Bellavance, 1985, et Marceau *et al.*, 1992.

(5) WILDAVSKY, A. (1975) *A Comparative Theory of Budgetary Processes*, Boston, Little Brown, p. 5, traduction libre.

(6) *Ibid.*, p. 354.

(7) *Ibid.*, p. 359.

(8) GREIDER, W. (1981) « The Education of David Stockman », *The Atlantic*, Vol. 248(6), p. 51, traduction libre.

BIBLIOGRAPHIE

ACHOUR, D. (1978) *Finances municipales en transition*, Chicoutimi, Gaëtan Morin.

ARDANT, G. (1976) *Histoire financière de l'Antiquité à nos jours*, Paris, Gallimard, Idées.

BÉLANGER, G. (1981) *L'économique du secteur public*, Chicoutimi, Gaëtan Morin.

BELLAVANCE, M. (1985) *Les politiques gouvernementales, élaboration, gestion et évaluation*, Montréal, Agence d'Arc.

BERNARD, A. (1992) *Politique et gestion des finances publiques, Québec et Canada*, Sillery, Les Presses de l'Université du Québec.

BONNEFOUS, E. (1980) *À la recherche des milliards perdus*, Paris, PUF.

CLAIR, P. (1968) *Mais que font-ils aux finances?* Paris, C.L.E.

DEVAUX, G. (1957) *La comptabilité publique*, Paris, PUF, Thémis.

DUVERGER, M. (1971) *Finances publiques*, Paris, PUF.

GENIERE (de la), R. (1976) *Le budget*, Paris, Presses de la Fondation nationale des sciences politiques.

JACQUES, J. et PAQUIN, M. (1977) *Le budget de programmes*, Québec, Éditeur officiel du Québec.

MARCEAU, R., SIMARD, P. et OTIS, D. (1992) « La gestion de l'évaluation de programme au gouvernement du Québec », *in* R. Parenteau (dir.) *Management public*, Sillery, Les Presses de l'Université du Québec, p. 481-501.

PICHOT, A. (1979) *Comptabilité nationale*, Paris, Dunod, Modules économiques.

PYHRR, P. (1973) *Zero-Base Budgeting*, New York, Wiley & Sons.

RAPPORT LAMBERT (1979) *Rapport de la Commission royale d'enquête sur la gestion financière et l'imputabilité*, Ottawa, Approvisionnement et Services.

RIVOLI, J. (1975) *Le budget de l'État*, Paris, Éditions du Seuil.

ROBINSON et CUTT (1973) *Public Finance in Canada* (Readings), Toronto, Methuen.

ROSE et PETERS (1978) *Can Government Go Bankrupt?*, New York, Basic Books.

SAVOIE, D. (1990) *The Politics of Public Spending in Canada*, Toronto, University of Toronto Press.

SHARP et OLSON (1978) *Public Finance*, St. Paul, West Publishing Co.

STRICK, J.C. (1973) *Canadian Public Finance*, Toronto, Holt, Rinehart & Winston.

WARD, N. (1962) *The Public Purse*, Toronto, University of Toronto Press.

WILDAVSKY, A. (1964) *The Politics of the Budgetary Process*, New York, Little Brown.

Chapitre **6**

La gestion du personnel dans la fonction publique

James Iain Gow

PLAN

La position des fonctionnaires dans la société est paradoxale. D'une part, ils sont peu aimés et peu appréciés ; ils sont la cible de tous les partis politiques et sont représentés comme étant peu dynamiques et inefficaces, plus concernés par leurs droits et leur confort que par le bien public. Quand un commentateur, journaliste ou professeur, veut souligner les mérites ou le dynamisme d'un groupe de fonctionnaires, il utilisera une autre appellation, telle que technocrate, diplomate ou superbureaucrate. D'autre part, le concours des fonctionnaires est essentiel à la bonne marche des affaires publiques, puisque ce sont eux qui font fonctionner la machine étatique.

Donc, si la gestion du personnel est un objet de décisions techniques, de même que le sont les finances, l'élaboration des politiques ou les travaux publics, il s'agit d'un domaine très sensible en raison des acteurs et des enjeux impliqués. Parmi les acteurs principaux, il y a bien sûr les fonctionnaires, les citoyens-clients des administrations publiques et les ministres membres du gouvernement. Cette relation triangulaire est très complexe. Les fonctionnaires sont supposés être au service du public mais tout en obéissant aux instructions et aux directives des ministres. En principe, les fonctionnaires sont à la fois responsables devant le public de la qualité et de la compétence de la fonction publique et limités par son ampleur et sa complexité et par les règles imposées par le statut que leur accorde la législation. Les citoyens, en tant que contribuables et clients, sont censés être les patrons ultimes des fonctionnaires. Cependant, toute revendication qui remet en question une politique établie se heurtera à l'obligation d'obéissance du fonctionnaire ; elle prendra alors la forme d'une pression politique qui aboutira soit devant le ministre, soit devant la législature.

Pour le gouvernement et les cadres supérieurs, les enjeux sont d'autant plus importants que les choix de base faits en matière de système de gestion du personnel amènent des contraintes politiques et techniques. Ils ont une certaine marge de choix, mais ils sont contraints de choisir et chaque option aura ses conséquences. C'est le thème principal de ce chapitre, lequel débute par une délimitation des éléments d'une politique de gestion du personnel de la fonction publique, aborde ensuite les grandes options qui sont débattues dans ce domaine et termine en considérant le poids des fonctionnaires dans le système politique.

6.1
LE SYSTÈME DE LA FONCTION PUBLIQUE

Dans cette section, il s'agit de circonscrire le sujet en spécifiant quels agents de l'État font partie de la fonction publique ainsi que les principales composantes d'une politique de gestion des ressources humaines.

Les agents de la fonction publique

Les définitions précises de la fonction publique varient d'un État à l'autre, ce qui pose un problème considérable, soit celui des comparaisons internationales. En général, on considère que les employés civils de l'État qui sont rémunérés grâce aux fonds votés par la législature font partie de la fonction publique (La Documentation française, 1971 ; Puget, 1969, p. 323-324 ; Rapport Fulton, 1968, p. 5). Cette définition exclut plus d'agents publics qu'elle n'en comprend, comme nous le verrons plus loin (tableau 6.4), car elle élimine les personnes nommées à un poste politique, les juges des cours judiciaires, les militaires, les policiers, les employés des entreprises publiques et ceux des réseaux décentralisés (municipalités, commissions scolaires et établissements des affaires sociales) (Dussault et Borgeat, 1986, p. 238-242).

Quelles raisons nous poussent à accepter une définition qui paraît aussi arbitraire que restrictive ? Chacune de ces raisons nous informe sur la nature de la fonction publique. Ainsi, on élimine le personnel politique car ses fonctions et son mode de nomination sont très différents de ceux des fonctionnaires de carrière ; il s'agit en fait du personnel appelé à diriger ceux-ci. Les juges sont exclus de la fonction publique, car ils sont justement censés être neutres et autonomes vis-à-vis des autorités politiques. Bien que leur nomination, au Canada et au Québec, relève du gouvernement, ils ne lui sont pas soumis, ni sur le plan hiérarchique, ni sur le plan disciplinaire. Les militaires et les policiers quant à eux ont des régimes distincts à cause de la nature particulière de leurs fonctions et du statut moins autonome qui en découle. Finalement, les employés des réseaux décentralisés ont des employeurs distincts ; ainsi, plutôt que de travailler directement pour l'État, ils sont employés des sociétés d'État, des municipalités, des commissions scolaires, des hôpitaux, etc.

Quatre critères émergent de ces raisons. Premièrement, il s'agit d'employés civils, donc les militaires et les policiers sont exclus. Deuxièmement, il est question d'employés soumis à la direction politique du gouvernement ou de l'un de ses ministres ; c'est là une distinction d'une grande importance sur le plan politique, car les ministres, collectivement ou seuls, ne peuvent être tenus responsables que des actes des personnes directement sous leurs ordres. Dans le cas des réseaux décentralisés, ce sont les conseils élus ou nommés qui répondront de la gestion courante de leur organisme. Un troisième critère, la législation du travail qui s'applique aux fonctionnaires est, à plusieurs égards, distincte du Code du travail qui gouverne les relations de travail entre les employés des municipalités, des écoles, des hôpitaux et des entreprises publiques et leurs employeurs. Le dernier critère, mais non le moindre, est celui du financement. Dans la fonction publique, les revenus proviennent directement de fonds votés par le Parlement. Dans le cas des municipalités et des entreprises publiques, malgré certaines possibilités de subventions, leur autonomie financière est en bonne partie la justification de leur autonomie politique et administrative. Tel n'est pas le cas des secteurs de l'éducation et des affaires sociales. Leur autonomie formelle est fortement attaquée par leur dépendance très grande, sinon exclusive, à l'égard des subventions octroyées par le gouvernement. Ils dépendent du gouvernement du Québec de deux manières : leur budget doit être approuvé par le ministère de tutelle (Éducation ou Santé et Services sociaux) et les négociations collectives avec leurs employés sont dirigées par le Conseil du Trésor, parce qu'il est leur bailleur de fonds. Cette distinction sur le plan des relations de travail est consacrée par le vocabulaire courant à Québec. Au-delà de la fonction publique proprement dite, on appelle *parapublic* le secteur comprenant l'éducation et les affaires sociales, tandis que le secteur plus autonome des municipalités et des entreprises publiques est appelé *péripublic* (Rapport Martin-Bouchard, 1978, p. 15-16).

La fonction publique est donc composée du noyau des employés publics civils qui travaillent dans les ministères et organismes du gouvernement et qui sont rémunérés directement à même les fonds votés par le Parlement. Même si leurs services sont souvent moins « essentiels » dans l'immédiat que ceux des policiers ou des employés d'hôpital ou de compagnie d'électricité, ils sont plus « politiques » que ceux-ci, car ils préparent et mettent en œuvre les décisions des autorités politiques dans tous les domaines de la vie politique.

Même au sein de l'administration centrale de l'État, on note certaines différences dans le statut des employés. Ainsi, au sommet d'un ministère, on trouve des postes de nomination politique. Ce sont, en plus de celui de ministre, ceux de sous-ministre et de membre du cabinet du ministre. Le sous-ministre, comme le ministre, est nommé sur recommandation du premier ministre. Quant aux membres du cabinet, ils sont choisis par le ministre lui-même. Ces nominations sont politiques [1], sans concours, et la durée en poste est liée à celle du titulaire du pouvoir de nomination. En dessous de cet échelon se trouve le groupe des fonctionnaires « permanents », sur qui repose la plus grande partie du travail de la fonction publique. Nous verrons plus loin la signification de leur « permanence » ; pour l'instant retenons que ce sont là les personnes qui tombent sous le régime de la fonction publique. Enfin, deux autres catégories ne sont que partiellement ou pas du tout couvertes par la Loi de la fonction publique : le personnel occasionnel (des employés saisonniers ou des remplaçants temporaires) et le personnel contractuel (par exemple les consultants ou les avocats engagés pour plaider une cause impliquant l'État). S'il s'agit là d'éléments de flexibilité indispensables, ce sont aussi deux groupes qui, traditionnellement, étaient des foyers du favoritisme partisan (du « patronage ») lors de leur nomination, mais cette position a quelque peu évolué, notamment en ce qui concerne les occasionnels (Borgeat *et al.*, 1982, p. 110-111).

Les fonctionnaires permanents sont divisés en grandes catégories qui sont à leur tour divisées en corps selon la classification des emplois en vigueur. Comme on peut le constater en consultant le tableau 6.1, ces catégories sont basées à la fois sur les fonctions et sur les types et niveaux d'instruction. Les administrations québécoises et canadiennes distinguent d'abord

TABLEAU 6.1
Les catégories d'emplois dans la fonction publique

CANADA	QUÉBEC
Emplois non syndicables	
Direction	Cadres supérieurs
	Cadres intermédiaires
Emplois syndicables	
a) Exigeant un diplôme universitaire	
Scientifique et professionnel	Professionnels
Administration et service extérieur	Enseignants*
b) Exigeant un diplôme collégial ou secondaire	
Technicien	Personnel de bureau, techniciens
Soutien administratif	et assimilés
	Agents de la paix
Exploitation	Ouvriers

* Il s'agit des enseignants directement à l'emploi du gouvernement et non ceux des commissions scolaires.

les postes de direction qui ne sont pas syndicables. Viennent ensuite les catégories d'emploi exigeant des diplômes universitaires. En troisième lieu, les emplois nécessitant une scolarité moindre sont plutôt divisés par type d'activité : techniciens, employés de bureau et ouvriers. Ceci nous rappelle qu'il n'y a pas de profession « fonctionnaire » au sens strict du terme, puisque la fonction publique est composée de toutes sortes de professions et de métiers ; en langage plus imagé par contre, on peut dire que leur profession à tous c'est le gouvernement (Chapman, 1959)[2].

Les composantes d'une politique de gestion des ressources humaines

Comme nous l'avons dit, les ressources humaines sont l'objet de politiques de gestion dans la fonction publique, tout comme les ressources financières et matérielles. Cependant, il s'agit de « ressources » conscientes qui ont des intérêts à défendre et qui sont capables de réagir face à ces politiques. Au tableau 6.2, nous exposons les éléments qui composent cette politique de gestion du personnel et, de ce fait, nous établissons leur signification pour le gestionnaire et pour l'employé.

Logiquement, sinon chronologiquement, la première chose à faire en mettant sur pied un système de gestion du personnel dans la fonction publique est de dresser une classification des emplois. Cette classification, qui sera basée sur de grandes catégories d'emploi comme celles données au tableau 6.1, regroupera des emplois similaires sur les plans du recrutement, de la mutation, de l'avancement, de la promotion et de la rémunération. La classification d'un corps ou d'un groupe d'emplois indiquera les conditions d'admissibilité aux concours de sélection, les critères d'avancement (l'ancienneté, l'expérience ou les qualifications de la personne), les échelles de traitement, etc. Pour l'employé, son classement détermine la nature syndicable ou non de son emploi, la reconnaissance de son niveau de formation et de son expérience pertinente passée, de même que son éligibilité à une promotion.

La planification des effectifs appartient à la gestion qui décide où il convient d'ouvrir ou de fermer des postes selon les besoins du service. Ceci intéresse vivement les employés, mais c'est davantage à l'étape de la dotation des emplois qu'ils vont manifester de l'intérêt. La dotation signifie la façon de combler une vacance, que ce soit par réaffectation, mutation, promotion ou concours de recrutement externe. La grande période d'expansion de la fonction publique étant passée, les gouvernements canadien et québécois ont depuis quelque temps adopté des politiques prioritaires de recrutement interne avant d'ouvrir un poste à un concours externe. Pour l'employé, l'application d'une telle politique décidera de ses possibilités de mutation ou de réorientation de carrière, ou encore de ses possibilités d'une nouvelle nomination dans l'éventualité où son poste actuel serait appelé à disparaître. Évidemment, la politique de perfectionnement est d'une grande importance ici, car elle détermine les possibilités, pour de nombreux employés, de se recycler dans le but d'acquérir les nouvelles compétences nécessaires à la poursuite de leur carrière.

TABLEAU 6.2
Les composantes d'une politique de gestion des ressources humaines

Du point de vue ...

du gestionnaire	du fonctionnaire
1. La classification des emplois	1. Son classement
2. La planification des effectifs	2. L'ouverture ou la fermeture de postes
3. La dotation des emplois : recrutement, mutation, réaffectation, promotion, nomination	3. Perspectives d'avancement et de carrière
4. La formation et le perfectionnement	4. Pertinence de la formation académique, possibilités de cours de perfectionnement
5. Relations de travail : • négociations collectives • gestion • griefs	5. Conditions de travail : • possibilités de grève • droits et obligations • possibilités d'appel

En ce qui a trait aux relations de travail, il y a trois points à considérer : d'abord, il y a la politique salariale, qui comprend non seulement les questions de traitement et d'avantages sociaux, mais aussi celles dites « normatives » qui concernent la charge de travail, la sécurité d'emploi, les droits politiques et syndicaux. Ces questions ont une grande importance pour chaque fonctionnaire. Toutefois, les possibilités d'influencer leur détermination proviennent principalement du côté du syndicat qui les négocie avec le Conseil du Trésor ; deuxièmement, comme c'est le personnel dirigeant qui interprète quotidiennement les dispositions des lois, des règlements et des conventions collectives concernant le travail, ces fonctionnaires seront aussi conscients de leurs droits et de leurs obligations et pourront parfois opposer leur interprétation à celle de leur supérieur ; enfin, troisièmement, il s'agit de l'arbitrage des griefs selon la procédure prévue dans la convention collective.

Voilà, présentées d'une manière très sommaire, les principales composantes d'une politique de gestion des ressources humaines du point de vue des gestionnaires et de celui du personnel. Nous passons maintenant à la considération des grands problèmes qui se posent dans la gestion du personnel de la fonction publique.

6.2
LES GRANDS DÉBATS CONCERNANT LA FONCTION PUBLIQUE

Les techniques de gestion du personnel, loin d'exister de manière autonome et désincarnée, reflètent des conceptions différentes de la fonction publique, c'est-à-dire des ensembles de jugements de valeur, de choix politiques et de connaissances pratiques. Dans cette section, nous explorerons les grands débats issus de ces conceptions opposées ainsi que les techniques qui les sous-tendent.

Neutralité ou politisation ?

La notion d'une fonction publique permanente, recrutée pour sa compétence et indépendante des luttes politiques est loin de faire l'unanimité au niveau mondial, c'est plutôt une exception. Quoiqu'elle remonte aux époques lointaines du mandarinat chinois, dans les démocraties libérales elle trouve ses origines dans le développement, au cours du XIXe siècle, de deux éléments-clés, le statut et le concours. Les deux assurent une certaine indépendance au fonctionnaire face à l'homme politique : le *statut*, en précisant ses droits et obligations ; le *concours*, en réduisant ou en éliminant le jeu de l'influence politique au moment de sa nomination. C'est la Prusse qui, la première, a innové dans les deux cas. En effet, en 1794, elle procédait à l'adoption d'un statut général de sa fonction publique, lequel était repris et étendu à toute l'Allemagne, lors de la création de l'Empire allemand, en 1870. Cependant en France, malgré l'existence d'un premier concours au Conseil d'État en 1810, la pratique du concours pour accéder à la haute fonction publique ne sera généralisée qu'entre 1868 et 1890, mouvement qui coïncide avec la création, en 1872, de l'École libre des sciences politiques, ancêtre de l'École nationale d'administration, créée en 1945. La Grande-Bretagne introduit son système de recrutement des fonctionnaires par examen suivant deux étapes, soit en 1855 et en 1870. Quant au gouvernement américain, il adopte une loi en 1883 et, graduellement, l'applique aux différentes couches de la fonction publique, par le biais des présidents successifs, au cours des cinquante années qui suivent. Ce mouvement atteint le Canada avec un certain retard, son système étant introduit par des lois votées en 1908 et 1918. Pour ce qui est du Québec, comme les autres provinces il accuse un certain retard, et encore plus, dans l'adoption d'un statut général de ses fonctionnaires et d'un système de recrutement par concours ; les dates-clés sont 1943 et 1965.

Cette conception du fonctionnariat se heurte à deux notions opposées qui, toutes les deux, prônent le libre choix des fonctionnaires par les autorités politiques. Dans l'un des cas on invoque la nécessité, pour les partis politiques, de pouvoir nommer leurs partisans aux postes de la fonction publique afin de récompenser leurs services pour le parti. Cette idée, qui s'est développée avec l'extension du suffrage à toutes les couches adultes de la population, a trouvé son expression la plus vigoureuse lorsque le Président américain Andrew Jackson déclarait, au moment de prendre le pouvoir en 1829 :

> Les tâches correspondant à tous les emplois publics sont, ou du moins peuvent être rendues, si claires et simples que tout homme de sens soit constamment apte à les remplir ... Il y a plus à perdre en maintenant les fonctionnaires en place qu'à gagner en profitant de leur expérience (Grégoire, 1954, p. 18).

C'est le *spoils-system* basé sur l'expression « dépouilles opimes », c'est-à-dire « au vainqueur vont les dépouilles ». La pratique d'offrir des postes de la fonction publique aux fidèles du parti au pouvoir s'appelle aussi, partout en Amérique du Nord, « le patronage ». (Pour le Québec, voir Lemieux et Hudon, 1975.)

Chez les apologistes du patronage, l'argument de la nécessité d'avoir des personnes fiables autour d'un gouvernement est aussi invoqué. Dans les pays communistes et du tiers monde, ce raisonnement prédomine pour deux raisons : d'une part, les systèmes unipartistes n'ont pas les problèmes des démocraties libérales de trouver des places aux militants lors des changements de parti au pouvoir. Les dirigeants d'un parti unique doivent aussi récompenser leurs militants, mais dans leur cas il s'agit d'un processus continu qui implique tout l'appareil étatique ; alors que dans une démocratie libérale, un nouveau gouvernement trouve dans son entourage toute une armée de postulants qui ne seront satisfaits que si un nombre de fonctionnaires déjà en poste sont remerciés ; d'autre part, l'idéologie des partis communistes et de plusieurs pays du tiers monde rejette toute notion de neutralité chez les fonctionnaires. Mouvements révolutionnaires, ces partis refusent d'être frustrés par la résistance d'une caste de fonctionnaires permanents qui représentent souvent, à leurs yeux, les anciennes bureaucraties royales ou coloniales (Kesler, 1967, p. 58-80; Timsit, 1972 ; Chevallier et Loschak, 1978, p. 237-245, 282-286). Ces mouvements révolutionnaires affirment la suprématie du politique et le contrôle de l'administration par le parti au nom des masses ; ils refusent donc d'accorder aux fonctionnaires un domaine où on n'exige que leur compétence et leurs droits et obligations juridiques.

Ce mouvement opposé chez de nombreux régimes à parti unique nous a permis de mieux cerner le sens et la portée des statuts des fonctionnaires dans les pays occidentaux. D'abord, la triste expérience de l'incompétence de nombreuses personnes nommées par patronage a poussé les gouvernements à chercher des solutions qui tenaient compte des exigences techniques toujours plus élevées de l'ensemble des emplois à l'ère industrielle.

C'est pourquoi, nous l'avons vu au chapitre 2, une alliance fut établie aux États-Unis entre ceux qui voulaient réformer la fonction publique et les adeptes de l'organisation scientifique du travail de Frederick Taylor. Quant à l'obligation de neutralité, elle ne suppose pas que les fonctionnaires peuvent être neutres en toutes choses, mais elle implique trois règles : première, les fonctionnaires acceptent le régime démocratique et seront loyaux au système établi ; deuxième, ils resteront à l'écart des luttes et querelles partisanes ; troisième, en cas de désaccord avec la direction politique, ils respecteront le devoir d'obéissance dans les limites prévues par leur statut (nous reviendrons sur ce point plus loin).

C'est quoi le mérite ?

En Amérique du Nord, le principe de la sélection des fonctionnaires selon leurs compétences est appelé « régime du mérite ». Pendant longtemps, le souci de contrer les influences partisanes indues a donné au régime du mérite un statut de doctrine consacrée aux yeux des réformateurs et des spécialistes. Depuis plusieurs années, cette doctrine est en processus de révision pour des raisons qui concernent à la fois l'efficacité et la justice. D'une part, on considère que le concept du mérite a pris une allure trop statique, voire négative, et d'autre part, différents groupes, sous-représentés au sein de la fonction publique, considèrent qu'il a été défini et mis en pratique de manière discriminatoire. Voyons ces questions de plus près.

En principe, le régime du mérite implique le recrutement par concours. Cependant, on peut vérifier la compétence des candidats de plusieurs façons. Par exemple, on peut limiter le libre choix des autorités politiques en exigeant que le candidat détienne un diplôme précis ou ait réussi un examen de qualification. Néanmoins, la notion de concours constitue la norme d'un recrutement selon le mérite, car elle exige que les candidats soient classés par ordre, selon les notes obtenues lors des épreuves écrites et orales. Même ici, une variété de pratiques est possible. Ainsi, on peut laisser aux autorités compétentes le choix parmi les meilleurs candidats ou leur imposer le choix des candidats suivant l'ordre établi par le concours. Depuis l'adoption de la *Loi du service civil* de 1918, les nominations aux postes de la fonction publique canadienne relèvent de la Commission de la fonction publique et ce, selon le classement des candidats, lequel est obtenu par des examens tenus par la Commission[3]. Pour sa part, le Québec a gardé le système du choix parmi les meilleurs candidats jusqu'à l'adoption de la *Loi de la fonction publique* de 1978. Cette loi stipulait que la nomination devait se faire suivant l'ordre établi par la liste d'éligibilité. En réalité, bon nombre de concours fonctionnaient selon ce principe depuis le début des années 1960. Mais, à partir de 1966, plusieurs conventions collectives de fonctionnaires québécois ont exigé le respect intégral de la liste d'éligibilité (Garant, 1973, p. 204).

Les examens de la fonction publique peuvent être écrits ou oraux. Quant à l'examen écrit, il peut à son tour être de deux types, soit choix multiples ou dissertation. Chaque type possède ses points forts et ses points faibles. L'examen choix multiples permet de vérifier, de manière apparemment objective, non seulement les connaissances techniques et générales des candidats, mais aussi leurs compétences dans des domaines tels que la logique, la grammaire, les mathématiques, etc. Par ailleurs, le point objectif de ce genre d'examen est que la correction peut être confiée à une machine. Le choix des questions devra refléter une certaine conception du travail de fonctionnaire de même que des programmes d'études collégial et universitaire les plus appropriés. Aussi, les examens à choix multiples n'apprennent-ils rien aux gestionnaires en ce qui a trait aux capacités de synthèse, d'expression et d'argumentation des candidats. Malheureusement, les examens qui permettent de vérifier ces qualités sont d'autant plus subjectifs qu'ils traitent d'éléments personnels tels que le style, le discours, la personnalité et même l'apparence des personnes en lice. Il s'agit d'un des dilemmes de la gestion du personnel : plus on monte dans la hiérarchie administrative, plus les autorités compétentes voudront faire appel aux techniques de dissertation et d'entrevue, avec le résultat qu'un biais s'y installe facilement, source de l'élitisme auquel nous reviendrons plus loin. De toute façon, personne ne songe à recruter les cadres supérieurs par épreuves de type choix multiples seulement.

Dans la tradition nord-américaine, le régime du mérite signifiait un système d'examens compétitifs dirigé par un organisme autonome, la Commission de la fonction publique. Or, déjà en 1962, la Commission d'enquête sur l'organisation du gouvernement canadien (la Commission Glassco) trouvait que le système était trop rigide. En effet, de peur d'être victime de patronage ou autres formes de favoritisme ou de laxisme, la Commission du service civil (comme on l'appelait à l'époque) intervenait trop dans la gestion courante des ministères et organismes sous sa surveillance (Rapport Glassco, 1962, p. 43-47). En 1979, un comité spécial sur le régime du mérite, présidé par Guy D'Avignon, juge que l'approche traditionnelle correspond à une conception bureaucratique classique où l'on recrutait les personnes compétentes à exercer des fonctions précises. L'approche plus dynamique proposée par le Comité Davignon consistait à évaluer non seulement les aptitudes d'un candidat à exercer « un ensemble déterminé de fonctions mais aussi ... son aptitude à occuper divers autres postes le cas échéant » (Rapport D'Avignon, 1979, p. 91). On cherche davantage à évaluer le potentiel des candidats à acquérir les habiletés et compétences nécessaires pour occuper des postes supérieurs.

Une approche plus dynamique est également en vigueur au niveau fédéral depuis le début des années 1970 et au Québec depuis 1978 : il s'agit de la délégation des pouvoirs de nomination et de promotion de la majorité des fonctionnaires au profit des ministères et organismes. Là où, par le passé, la Commission de la fonction publique s'occupait de toutes les étapes de la dotation d'un poste vacant, les ministères et organismes seront désormais responsables du recrutement et de la sélection de la plupart de leurs employés, mais sous la surveillance de la Commission. Cette dernière peut enquêter sur le respect de la loi et aussi recevoir les plaintes de fonctionnaires qui se croient lésés par le non-respect du régime du mérite.

Mérite et égalité

Alors que le régime du mérite était critiqué pour son approche classique de gestion du personnel trop figée et trop bureaucratique, il était d'autre part la cible de critiques encore plus graves. Ainsi, en principe, tous les candidats à un poste sont égaux, leur compétence étant la seule base de discrimination. Toutefois, en réalité il n'en est rien ; partout, le concours fonctionne à l'avantage de certains groupes et, par conséquent, au détriment d'autres. Dans tout le monde occidental, les élites administratives, pour ne prendre que cet exemple crucial, sont des individus issus des classes bourgeoises ou moyennes supérieures, qui appartiennent au groupe ethnique ou linguistique dominant, qui sont originaires de certaines régions ou villes et enfin diplômés de certaines universités (Sheriff, 1976 ; Bolduc, 1978 ; Aberbach et al., 1981 ; Peters, 1988 ; Bourgault, 1989 ; Carroll, 1991). Au Canada et au Québec, certains groupes sont particulièrement défavorisés historiquement, soit les Canadiens-français au niveau fédéral et les femmes aux niveaux fédéral et provincial[4]. Non seulement ils étaient trop souvent écartés des postes de cadre supérieur, mais en plus ils étaient cantonnés dans les emplois subalternes les moins bien payés (Rapport Laurendeau-Dunton, 1969, p. 215 ; Rapport Bird, 1973, p. 21-41).

En cherchant les origines de cette discrimination, on découvre bien des failles dans le système du mérite. D'abord, on constate que la notion du mérite est strictement individuelle, c'est-à-dire qu'elle ne tient aucun compte de la représentation des groupes. Ensuite, on apprend qu'on peut manipuler les conditions d'admissibilité aux concours de sélection ou de promotion de sorte que seules les personnes ayant un profil précis d'études et de carrière puissent être éligibles. Prenons deux exemples : pendant très longtemps la formation des Canadiens-français aux collèges classiques et à l'université ne faisait aucune place aux tests de type choix multiples, tandis que dans les universités canadiennes anglaises, comme on utilisait fréquemment cette forme d'évaluation, les étudiants étaient mieux préparés aux concours de la Commission du service civil ; d'autre part, en refusant de reconnaître la pertinence de toute expérience bénévole, les autorités des deux gouvernements ont de ce fait longtemps empêché de nombreuses femmes d'être qualifiées pour des concours exigeant à la fois une formation et une expérience préalables précises. Par ailleurs, toujours dans le cas des femmes, le système de classification des emplois a été structuré de manière à créer des « ghettos féminins », c'est-à-dire des catégories ou classes d'emploi où les femmes sont majoritaires et qui se distinguent par des salaires inférieurs à ceux payés pour des emplois comparables mais occupés majoritairement par des hommes (Simard, 1983). Finalement, tout groupe qui ne correspond pas au profil socio-économique des cadres supérieurs actuels est désavantagé lors des entrevues de sélection pour des raisons de style, de vocabulaire voire de culture.

À l'instar des autres régimes occidentaux, le Québec et le Canada ont adopté ces dernières années des programmes d'égalité d'emploi. Ceux du Québec visent les femmes, les minorités culturelles et les personnes handicapées, alors que dans les programmes fédéraux s'ajoutent, aux femmes et aux personnes handicapées, les Canadiens français, les autochtones et, dans les Provinces maritimes, les noirs. Le tableau 6.3 nous donne un aperçu de l'évolution réalisée sur une vingtaine d'années à la suite des programmes impliquant les groupes les plus nombreux, soit les femmes et les minorités linguistiques ou culturelles. Selon une première impression, le programme le plus ancien, le bilinguisme institutionnel au gouvernement fédéral, qui remonte à une décision de principe de 1966 ou à la *Loi des langues officielles* de 1969, est celui qui a connu le plus de succès. En effet, les Canadiens français sont représentés, dans l'ensemble de la fonction publique, dans une proportion supérieure à leur présence dans la population, celle-ci étant de 24,9 % en 1991 ; chez les membres du groupe de la direction, leur présence à un taux de 23 % est aussi très respectable. Certes, les organismes et groupements représentant les femmes souhaiteraient autant de progrès pour les femmes fonctionnaires en ce qui a trait aux emplois de cadres supérieurs. Les programmes d'égalité des femmes datent des années 1973-1975, tandis que celui des minorités culturelles au Québec n'existe que depuis 1981.

En regardant de plus près les situations respectives de tous les groupes sous-représentés dans la fonction publique, on se rend compte qu'elles sont très diversifiées et que, par conséquent, les solutions aussi doivent varier. Chaque relation complexe contient trois éléments identiques : d'abord, il y a un rapport de force qui permet aux groupes qui peuvent déranger soit le pouvoir politique, soit le système administratif, d'être entendus ; deuxièmement, il y a un débat sur l'équité qui se tient sur 2 plans, à savoir : d'une part, il y a des groupes qui ont droit à certaines priorités sans avoir beaucoup de poids politique, par exemple les handicapés et les autochtones, et d'autre part, les groupes qui revendiquent plus d'égalité doivent répondre à ceux qui véhiculent d'autres valeurs telles que l'efficacité (représentée souvent par l'idée du mérite) et l'ancienneté (défendue souvent par les syndicats des fonctionnaires) ; le troisième élément, situé entre le rapport de force et le débat sur l'équité, est la possibilité de trouver des solutions techniques aux problèmes avec un minimum de tension.

Le sort injuste réservé aux Canadiens français au sein de la fonction publique fédérale n'a été reconnu, par le gouvernement fédéral, que lorsque

TABLEAU 6.3
L'accès à l'égalité : la situation des femmes et des minorités linguistiques et culturelles au Canada et au Québec (en %)

	CANADA			QUÉBEC		
Les femmes	1967	1985	1991	1965	1985	1991
Dans la fonction publique	27,0	41,6	45,2	30,5	36,8	41,3
	1971	1985	1991	1969	1985	1991
Cadres supérieurs	1,0	7,0	16,1	0,8	5,6	10,9
Francophones dans la fonction publique						
	1965	1985	1991			
Dans la fonction publique	21,5	27,8	28,8			
	1966	1985	1991			
Cadres supérieurs	11,9	20,3	23,2			
Anglophones au Québec				1965		1990
Dans la fonction publique				1,6		0,75
Communautés culturelles au Québec*					1985	1992
Dans la fonction publique					3,7	3,7

Source : Rapport Laurendeau-Dunton, 1969 ; Rapport Bird, 1973 ; Rapport Blair, 1991 ; Document remis à la Chambre des communes par le Premier Ministre Pearson le 7 décembre 1966 ; rapports annuels de la Commission de la fonction publique du Canada ; *Portrait statistique de l'effectif régulier de la fonction publique du Québec* (publication annuelle), Office des ressources humaines du Québec.

* Les communautés culturelles, d'après la définition officielle, comprennent les membres des minorités visibles ainsi que les personnes qui sont de langue maternelle autre que le français et l'anglais.

la montée du nationalisme québécois a fait en sorte qu'une solution soit nécessaire et urgente. Par contre, il était plus facile de trouver des éléments de solution puisqu'une compétence linguistique pouvait être exigée de tous les candidats, pour certains postes, sans faire d'entorse au régime du mérite. Le principal élément coercitif dans la promotion du français comme langue officielle de la fonction publique fédérale était la désignation des postes comme étant unilingues anglais, unilingues français ou encore bilingues. Ceci avait l'avantage de permettre, aux personnes ayant la compétence linguistique voulue, de pourvoir les postes sans considération d'origine ethnique ou nationale. Dans les faits, on a permis aux fonctionnaires anglophones autrement qualifiés pour un poste exigeant le français d'y être nommés sous réserve d'un apprentissage convenable du français dans un délai fixe. Ce compromis, qui peut paraître timide et boîteux, avait néanmoins le mérite de satisfaire les revendications des syndicats de fonctionnaires dominés par la majorité anglophone.

Dans le cas des femmes ou des personnes faisant partie des minorités raciales, ce genre de solution n'existe pas. Ici, les controverses portent généralement sur les moyens de redressement, notamment sur leur nature volontaire ou coercitive. Les programmes d'égalité d'emploi pour les femmes au Canada, et jusqu'à récemment au Québec, ont été incitatifs ou volontaires, ce que de nombreuses personnes ont trouvé inadéquat[5]. Parmi les mesures les plus hardies retenons-en quatre : le quota, l'avantage absolu, l'avantage relatif et le rangement par niveau. Pris dans un sens strict, un système de quotas signifierait que l'on doive nommer aux postes vacants, à chaque niveau et dans chaque catégorie d'emplois, des personnes d'un groupe sous-représenté tant que cette sous-représentation persisterait. Il est peu probable qu'on adopte cette procédure dans la fonction publique sans un minimum de vérification des compétences. Un système de quotas pourrait alors être combiné avec la deuxième méthode mentionnée, celle de l'avantage absolu, lors d'un concours. Ce système de l'avantage absolu a longtemps été en vigueur au niveau fédéral pour les anciens combattants : une telle personne qui rencontrait les normes et obtenait la note de passage lors d'un concours passait automatiquement en tête de liste. Ainsi, selon cette règle, il n'y avait aucune limite au nombre d'anciens combattants qui pouvaient être admis, de sorte qu'en 1946, 59 % des nouvelles nominations étaient allées à des anciens combattants et quinze ans plus tard 40 % de l'effectif de la fonction publique en avait profité (Rapport Glassco, 1962, p. 369-370).

Donc, si la volonté y est, on peut adopter des solutions et les appliquer très vigoureusement pour la poursuite d'une politique de redressement. Celles-ci risquent cependant de se heurter à l'opposition (syndicale ou autre) des autres groupes composant la fonction publique ou désirant y entrer. Alors, on peut utiliser des techniques donnant un avantage relatif aux personnes du groupe que l'on veut avantager — ou des groupes-cibles. Une technique simple consiste à augmenter le résultat des candidats de ces groupes d'un pourcentage ou d'un nombre de points fixe. C'est la méthode traditionnellement utilisée aux États-Unis pour reconnaître les services rendus à la nation par les anciens combattants.

Une variation de l'avantage relatif a été adoptée par le gouvernement du Québec en 1982, le rangement par niveau. Il s'agit de classer par niveau les candidats qui ont réussi le concours et de choisir la personne appartenant au groupe-cible qui figure dans le premier niveau, s'il y en a une évidemment. Dans la version québécoise, on regroupe les personnes dont le résultat se situe dans un écart de dix pour cent de la valeur totale de la procédure d'évaluation. On doit épuiser la liste des candidats classés au premier niveau avant de passer au deuxième. Parmi les personnes d'un même niveau, on donnera alors la priorité aux personnes membres de groupes désignés comme étant bénéficiaires de mesures de redressement. Cette méthode a le grand mérite de réconcilier le principe du concours avec une politique d'égalité d'emploi, car s'il n'y a personne provenant d'un groupe-cible parmi les meilleurs candidats d'un concours, alors l'avantage ne joue plus.

La solution qu'on adoptera ou qu'on préférera pour résoudre le problème des inégalités dépendra à la fois de nos préférences et de notre perception des possibilités. Tout en admettant que c'est un domaine où les notions de justice et d'injustice rendent très difficile une discussion impartiale, nous aimerions soulever quelques dimensions qui devraient être considérées lors de l'adoption de n'importe quel programme d'égalité d'emploi. D'abord, quel est le but ultime ? On parle, à l'occasion, d'« égalité des chances », d'« égalité d'accès » à la fonction publique ou encore d'« accès à l'égalité ». Toute discussion de quotas par exemple suppose que l'on a adopté la dernière formule, ou ce que l'on pourrait appeler l'« égalité des résultats ». Dans ce cas, il faudra préciser quel sera le standard ou le critère pour mesurer l'égalité. Dans le cas des femmes par exemple, quel chiffre faut-il retenir pour juger de la validité d'un programme d'égalité d'emploi ? le pourcentage de femmes dans la population ; le pourcentage de femmes sur le marché du travail ; le pourcentage de femmes qualifiées (diplômées) dans les différentes disciplines de la fonction publique et, dans ce dernier cas, faudra-t-il prendre un chiffre national ou régional ? Ce sont là des questions qui doivent trouver leurs réponses, car l'imposition de solutions autoritaires pourrait mener à un grand désordre et même à des effets contraires aux résultats escomptés. Un programme mal conçu risque désormais d'être déclaré illégal en vertu de la charte des libertés intégrée à la constitution canadienne depuis 1982. Aussi, les succès obtenus par certains groupes pourront-ils susciter des demandes similaires chez d'autres groupes, entraînant éventuellement un fractionnement très complexe du groupe des candidats possibles lors d'un concours. Pour toutes ces raisons, le rangement par niveau, avec sa flexibilité et son respect du principe du mérite, nous paraît une solution intéressante aux défis de l'égalité d'emploi.

La capacité d'innovation des spécialistes de la gestion du personnel sera particulièrement mise à l'épreuve dans le domaine de l'égalité d'emploi si la fonction publique doit vivre encore longtemps avec les plafonnements et les compressions qu'elle connaît depuis la fin des années 1970. En effet, il est beaucoup plus facile d'introduire des politiques favorisant certains groupes dans une fonction publique en pleine expansion, car on ne fait que leur réserver une certaine part des nouveaux postes. Dans un contexte de compressions budgétaires, on utilise plusieurs pratiques qui nuisent à l'entrée de membres des groupes sous-représentés. D'abord, dans toute opération de mise à pied ou de renvoi de personnel excédentaire, la règle de l'ancienneté fait que les premiers à partir sont toujours les derniers à avoir été nommés, ce qui affecte particulièrement les personnes ayant profité récemment d'un programme d'accès à l'égalité. Deux autres politiques affectent particulièrement les femmes : premièrement, celle de ne pas remplacer les personnes qui démissionnent ce qui, à l'avantage de la direction, évite les conflits suscités par les renvois. Et comme les femmes, pour des raisons familiales, démissionnent plus souvent que les hommes, leurs chances d'être réengagées sont donc diminuées d'autant ; deuxièmement, la pratique de plus en plus courante de confier des tâches autrefois permanentes à des employés contractuels affecte particulièrement les emplois de bureau où les femmes sont majoritaires.

Dans un contexte de compressions budgétaires, de priorité au recrutement interne, de respect de l'ancienneté et, simultanément, de programmes d'accès à l'égalité, d'autres discriminations risquent de surgir, cette fois sur le plan de l'âge. D'une part, les personnes au seuil de la retraite revendiquent le droit de rester au travail tant que leurs capacités n'ont pas diminué, alors que d'autre part, et surtout, les jeunes diplômés d'université risquent d'être laissés pour compte. Si les gouvernements semblent être conscients de ce problème, on constate combien il peut devenir complexe de gérer du personnel quand on place l'égalité au même niveau que le mérite dans l'échelle des valeurs.

L'élitisme de la fonction publique

Un problème politique et administratif qui provient des exigences techniques et managérielles des postes supérieurs de la fonction publique est l'élitisme. Ce problème a son origine dans la sélection par concours qui joue tout au long de la carrière du fonctionnaire professionnel. Cependant, le même phénomène existe dans le cas des postes supérieurs qui sont pourvus au gré du personnel politique. Le premier ministre ou toute autre autorité compétente cherche sans doute des personnes fiables pour ces postes. Toutefois, en plus de la fidélité on cherchera la compétence, car on ne peut guère se permettre des nominations basées uniquement sur la loyauté ou les services rendus au parti lorsqu'il s'agit de postes à ce niveau (Bourgault, 1989 ; Bourgault et Dion, 1990). Le patronage se fait habituellement dans la catégorie des postes honorifiques à des niveaux moins élevés.

Dans l'administration publique moderne, la question n'est pas tellement de savoir s'il y aura une ou des élites aux postes de direction, mais bien de savoir quelles élites on veut avoir. Nous sommes ici en présence d'une des lois de l'organisation complexe, appelée « la loi d'airain de l'oligarchie » par le sociologue allemand Roberto Michels (1971) ; cette loi touche les administrations et leurs clients, les partis politiques y compris. Mais, comme c'est justement plus souvent le cas en administration publique, il s'agit davantage d'une très forte tendance que d'une loi absolue. Nous avons déjà mentionné la tendance, en ce qui a trait aux élites administratives, à être masculines, fortement scolarisées, issues des classes moyennes et supérieures, détentrices de diplômes de disciplines spécifiques, originaires de certaines régions ou villes et membres du groupe ethnique dominant. Malgré tout, il y a certaines exceptions. Ainsi, dans un article de revue portant sur cette question, Peta Sheriff (1976) nota que quelques pays (Sénégal, Guinée, Malaisie, Nouvelle-Zélande, Irlande et Pologne) n'avaient pas suivi la tendance générale, à savoir une forte scolarisation de ses hauts fonctionnaires, avec le résultat que dans au moins trois cas les origines sociales des fonctionnaires correspondaient davantage au profil général de la population. Pour sa part, Guy Peters (1988) note des variations considérables dans la présence de personnes issues de la classe ouvrière parmi les hauts fonctionnaires des pays développés.

Sans qu'on puisse expliquer parfaitement les variations observées d'un pays à l'autre, on peut retenir trois facteurs qui ont leur importance dans la gestion du personnel. D'abord, par un effort concerté on peut changer la composition raciale, ethnique et sexuelle de la fonction publique. Sheriff cite les cas de la Guyana, de Sri Lanka et de la Malaisie qui l'ont fait sur le plan ethnique. Nous avons vu qu'au Canada et au Québec, la situation des Canadiens français dans la fonction publique fédérale et des femmes aux niveaux fédéral et provincial a changé de façon appréciable. Deuxièmement, certaines pratiques administratives vont modifier la composition des élites. Ainsi, le fait de recruter bon nombre de l'élite par voie de promotion des employés occupant des postes subalternes permettra à des personnes d'origine sociale moins élevée et ayant moins d'études formelles d'en faire partie. En effet, l'une des raisons qui expliquent pourquoi la fonction publique américaine connaît depuis longtemps une composition sociologique plus démocratique que celle des pays d'Europe est l'absence de corps de fonctionnaires supérieurs recrutés soit à la sortie de l'université, soit par l'intermédiaire d'une école de formation supérieure. Cette promotion par voie interne se combine avec une autre différence, toujours observée aux États-Unis, à savoir qu'il y a peu de hauts fonctionnaires dont le père a aussi été fonctionnaire moyen ou supérieur tandis qu'en Europe c'est chose courante (Fesler et Kettl, 1991, p. 143 ; Kesler, 1980, p. 60). Ainsi, le système de gestion reflète et influence à la fois les idées et les pratiques d'une société. Aux États-Unis et au Canada, bon nombre de hauts fonctionnaires entrent dans la fonction publique après un début ou parfois toute une carrière dans le secteur privé ou universitaire. En Europe, le recrutement directement par les postes supérieurs de même que le système de classification des emplois en vigueur donnent plutôt lieu au phénomène du « pantouflage », c'est-à-dire le fait, pour un fonctionnaire dans la force de l'âge, de quitter la fonction publique après quinze ou vingt ans de carrière, pour occuper un poste dans le secteur privé ou dans une entreprise nationalisée. Finalement, les différences s'expliquent par la tradition politique aux États-Unis, c'est-à-dire réserver aux nominations politiques une couche plus étendue d'emplois supérieurs de la fonction publique (Fesler et Kettl, 1991, p. 147).

Donc, ces particularités d'un régime à l'autre peuvent s'expliquer par des différences de politiques conscientes et volontaristes, de gestion du personnel ou encore de traditions et de faits de culture politique propre à chaque pays. On peut ajouter cependant que si on a un système privilégié d'accès à la haute fonction publique, que ce soit un concours qui favorise certaines disciplines et universités ou une école nationale d'administration, on augmente ses chances d'avoir une élite plutôt homogène qui se perpétuera par cooptation. C'est l'élite en place qui fixe les critères de sélection et de réussite des postulants selon ce que Pierre Sadran appelle « *l'effet de miroir* ... Dans les concours de haut niveau, c'est nécessairement sa propre image que le jury recherche » (Sadran, 1977, p. 98 ; Chapman, 1979).

Le problème de l'élitisme provient d'un excès d'une chose bonne et utile. Chaque système a besoin de hauts fonctionnaires compétents et expérimentés qui peuvent seconder les ministres et leurs cabinets, forcément non permanents. La difficulté surgit quand un groupe parvient à établir un monopole qui lui permet de contrôler l'accès à ces postes. La solution ne réside pas dans des mesures radicales qui pourraient faire perdre les avantages d'une élite compétente. Il s'agit plutôt, par des politiques bien arrêtées, d'amener la haute fonction publique à être plus ouverte face aux membres des différents groupes composant la société, d'accorder des possibilités d'avancement aux personnes expérimentées mais qui n'ont pas les diplômes nécessaires et de briser les monopoles disciplinaires.

Le statut : les droits et obligations des fonctionnaires

Au début de ce chapitre, nous avons indiqué que le statut des fonctionnaires formait, avec le concours, le pilier du système de la fonction publique de la plupart des pays occidentaux. Dans cette section, nous voulons exposer la composition de ce statut, nous arrêtant particulièrement aux droits politiques et syndicaux des employés.

Pour connaître les droits et obligations des employés, il faut consulter plusieurs textes de loi, dont la Charte des droits et libertés de la personne, le Code civil, le Code criminel et le Code du travail. Cependant, deux textes jouent un rôle dominant dans la vie courante du fonctionnaire, la *Loi de la fonction publique* et la convention collective. Ceux-ci énumèrent, dans les grandes lignes, ce qu'un supérieur peut et ne peut pas exiger du fonctionnaire au travail, quels sont ses droits politiques et syndicaux et quels sont ses recours possibles en cas de différend avec son patron. Les obligations sont, règle générale, d'accomplir les fonctions de manière honnête et désintéressée, d'obéir aux ordres légitimes donnés par les supérieurs compétents, de respecter les serments de discrétion professionnelle et d'allégeance au régime constitutionnel (Borgeat *et al.*, 1982, p. 131 ; Dussault et Borgeat, 1986, p. 337).

En ce qui a trait aux droits professionnels, le fonctionnaire a droit à la permanence une fois qu'il a complété une certaine période de probation ; il est protégé contre les tentatives de corruption ou d'ingérence partisane dans son travail ; il a des droits syndicaux et politiques ; et enfin il a un droit de recours contre les décisions injustes, arbitraires ou illégales. Normalement, un différend quant à l'interprétation des droits et des obligations entraînera une mesure disciplinaire, qu'il s'agisse d'une réprimande, d'une perte de salaire, d'une suspension, d'une démotion ou d'une destitution. Dans tous ces cas, aujourd'hui, un employé syndiqué pourra en appeler de la décision suivant la procédure de l'arbitrage des griefs prévue par la loi ou par la convention collective. Dans ce cas, l'arbitre joue le rôle d'un juge administratif et sa décision lie les deux parties. Dans le cas d'employés non syndiqués, c'est la Commission de la fonction publique qui, en tant que tribunal administratif, joue ce rôle. La Commission entend aussi les griefs qui émanent non pas d'une action disciplinaire, mais d'une décision administrative comme la tenue d'un concours ou une démotion pour des motifs d'incompétence. De cette manière, la Commission reste le gardien du régime du mérite, même si la responsabilité de tenir des concours a été largement déléguée aux ministères et organismes.

Les droits politiques et syndicaux des fonctionnaires soulèvent des questions plus délicates du point de vue politique que les droits strictement professionnels. Dans le cas des droits politiques, il s'agit de réconcilier le statut de neutralité partisane de la fonction publique avec celui de citoyen de chaque fonctionnaire. Le premier pas consiste à faire la distinction entre la situation de l'employé au travail et sa situation pendant ses heures de loisir. Au travail, toute activité ou partialité partisane est interdite, alors que dans sa vie privée, tout fonctionnaire a droit à la liberté d'expression, à l'adhérence au parti politique de son choix et à l'élection aux charges politiques municipales et scolaires. Sa liberté d'expression est cependant sujette à l'obligation de la « réserve », ce qui veut dire qu'il doit exercer une certaine prudence dans ses déclarations et éviter d'attaquer le gouvernement de manière trop radicale ou encore à propos de matières qui sont de sa responsabilité. Par exemple, un fonctionnaire qui envisage de donner une conférence publique ou de faire publier un article sur un sujet qui relève de sa compétence doit normalement obtenir une approbation avant de le faire.

L'un des plus grands problèmes touchant les droits politiques des fonctionnaires concerne leur droit d'être candidats aux élections générales. Aujourd'hui, trois positions sont généralement admises pour résoudre ce dilemme : premièrement, dans bon nombre de régimes (États-Unis, République fédérale allemande et Grande-Bretagne, en ce qui concerne ses fonctionnaires supérieurs) il faut démissionner avant de se présenter aux élections ; deuxièmement, on peut obtenir un congé indéfini si on est élu, quitte à revenir à la fonction publique lorsque la vie politique prendra fin. C'est le cas de la France, l'Italie et l'Espagne ; troisièmement, dans certains petits pays, on peut siéger comme député et rester fonctionnaire actif. C'est le cas en Autriche, au Danemark, en Suède et en Finlande, par exemple. Quant au Canada, il a opté pour le première solution avec la variation suivante : si la Commission de la fonction publique donne son accord, on peut obtenir un congé sans solde afin de se présenter comme candidat à une élection fédérale ou provinciale. Si le fonctionnaire en question est élu, il quitte alors son poste de fonctionnaire, mais s'il est défait, il pourra réintégrer son poste. Enfin le Québec, qui avait adopté la même politique de 1965 à 1978, s'est progressivement rapproché de la position française de sorte que depuis 1983, un fonctionnaire élu député (à l'Assemblée nationale seulement ; ces articles de la loi ne s'appliquent pas à la Chambre des communes à Ottawa) conserve tous ses droits de revenir à la fonction publique le jour où il sera défait (Gow, 1984, p. 90-91).

Encore une fois, on se trouve en présence d'un de ces compromis boîteux qui caractérisent si souvent la fonction publique. Ainsi, dans le cours de ses activités, on exige du fonctionnaire une neutralité partisane et dans la vie privée on lui impose la réserve dans l'expression de ses idées. Par contre, on lui permet de s'identifier à un parti politique au point d'en être le candidat lors d'une élection générale. Ceci suppose une maturité politique que nous n'avons pas vraiment mise à l'épreuve au Québec et au Canada, à savoir : nos hommes politiques pourront-ils faire abstraction des allégeances partisanes du fonctionnaire ou ne seront-ils pas plutôt tentés de se venger de ce fonctionnaire, membre trop évident d'un parti d'opposition, par une affectation qui pourrait être un exil ou par une « mise sur les tablettes », c'est-à-dire lui payer son salaire mais ne lui confier aucune tâche à accomplir.

Dans le cas des droits syndicaux, le compromis est différent. Les gouvernements canadien et québécois ont reconnu, à la plupart de leurs employés, la majorité des droits qu'ils ont accordés aux employés du secteur privé, mais ils se réservent un droit de suspension ou même de révocation *ad hoc* quand ils considèrent que les circonstances l'exigent. Ces mesures exceptionnelles prendront la forme soit d'une loi spéciale, soit d'un décret gouvernemental.

Comme c'est le cas avec les droits politiques, la situation touchant les droits syndicaux des fonctionnaires varie beaucoup d'un pays à l'autre. De façon unanime, on reconnaît aux employés le droit à l'association et à une certaine forme de consultation en ce qui a trait aux conditions de travail, mais au-delà de cette base commune, les situations varient beaucoup : certains pays, comme les États-Unis et la République fédérale d'Allemagne, refusent à leurs employés à la fois le droit de grève et celui de l'arbitrage obligatoire des différends ; en Grande-Bretagne, depuis les années 1920, le gouvernement a accepté de soumettre à l'arbitrage obligatoire les différends qui surgissaient lors de ses consultations avec ses employés dans des organismes paritaires appelés Conseils Whitley[6] ; en France, les fonctionnaires ont le droit de grève, mais il est réglementé par une législation imposant un préavis de cinq jours, en outre, les chefs de service peuvent désigner les fonctionnaires dont les services sont essentiels en temps de grève (Lemelin, 1984, p. 343-344).

Au Québec, depuis 1965, et au Canada, depuis 1967, les employés de la fonction publique ont droit à la négociation collective en ce qui concerne les questions monétaires, les congés, les avantages sociaux, les heures de travail, etc. Selon la loi fédérale, avant une ronde de négociation avec le Conseil du Trésor, un syndicat accrédité doit choisir la méthode selon laquelle le différend sera réglé en cas d'impasse dans les négociations ; le choix se fait entre l'arbitrage par un tribunal indépendant ou la conciliation avec droit de grève. Aujourd'hui, environ les deux-tiers des syndicats ont choisi le droit de grève, les autres préférant l'arbitrage obligatoire. Dans le cas où les fonctionnaires ont le droit de grève, une procédure simple et efficace permet de déterminer les services essentiels qui doivent être maintenus. Les deux parties essaient de s'entendre mais, lorsqu'il y a impasse, le problème en est référé à un tribunal administratif autonome, la Commission des relations du travail dans la fonction publique.

Au Québec, le problème des services essentiels se pose davantage dans les secteurs para- et péripublics, où une grève dans les hôpitaux, les écoles ou à l'Hydro-Québec risque de déranger beaucoup plus qu'un débrayage de fonctionnaires des ministères et organismes des gouvernements du Québec ou du Canada. Depuis que le droit de grève a été accordé dans ces secteurs par le Code du travail de 1964, une demi-douzaine de formules de règlements de différends a été essayé, allant d'injonctions de la Cour supérieure jusqu'à l'acceptation intégrale de la liste des services essentiels proposée par le syndicat. La dernière version, qui date de 1985, accorde de vastes pouvoirs de surveillance, d'intervention et de redressement au Conseil des services essentiels, nommé par le gouvernement après consultation auprès des groupes intéressés, et limite sévèrement le droit de grève dans les établissements du réseau des affaires sociales. Les nombreuses lois d'exception pour mettre fin aux grèves dans le secteur public au Québec depuis 1964 témoignent de la difficulté de trouver un terrain d'entente qui convienne à tous les intéressés.

L'expérience des négociations collectives dans la fonction publique et dans les secteurs para- et péripublics nous renseigne sur la nature de l'administration publique. Le modèle des relations de travail emprunté au secteur privé n'est que partiellement applicable au secteur public (Hébert, 1982). En effet, le gouvernement n'est pas un employeur comme un autre. Ainsi, plutôt que de mesurer son succès par la rentabilité de son entreprise, il doit répondre devant l'électorat de sa gestion des deniers publics ainsi que de sa politique économique et sociale. De plus, il a le pouvoir de changer les règles du jeu quand il juge que les circonstances l'exigent, et de faire adopter soit des mesures d'exception, soit un nouveau régime de négociations. La centralisation des négociations à Ottawa ou à Québec, sous la direction du Conseil du Trésor, est une autre raison de la politisation des relations de travail dans tout le secteur public (Rapport Martin-Bouchard, 1978, p. 20).

La politisation des relations de travail dans le secteur public n'est pas toujours à l'avantage du gouvernement. En effet, un gouvernement minoritaire ou à la veille d'élections peut se trouver dans position de faiblesse face aux syndicats du secteur public ; ce fut le cas du gouvernement du Québec lors des négociations qui précédèrent le référendum sur la souveraineté-association en 1980 (Gow, 1984, p. 62-65). Par contre, un gouvernement majoritaire, récemment élu, peut imposer sa volonté aux syndicats sans grand risque électoral. En 1982 par exemple, le gouvernement fédéral a fait adopter une loi limitant les hausses de salaire de ses employés à 6 % pendant l'année en cours et à 5 % l'année suivante. Toujours cette même année, le gouvernement du Québec a pu faire approuver par la législature une série de décrets réduisant les salaires des employés du secteur public de 19 % pendant trois mois. Par la suite, une loi très sévère a imposé le retour au travail aux enseignants récalcitrants. Sur cette même lancée, le gouvernement québécois a fait adopter, en 1985, le projet de loi 37 limitant le droit de grève des employés de tout le secteur public (la fonction publique comprise), loi que le gouvernement libéral suivant a complétée en 1986, par le projet de loi 160 qui décrète des pénalités sévères pour tout syndicat ou individu du secteur public qui ferait une grève illégale. Au début des années 1990, dans des conditions de crise économique et financière, la politisation prend la forme de conditions de travail imposées par législation à la place de conventions collectives négociées, et ce tant à Ottawa qu'à Québec.

La politisation des relations de travail reflète aussi la position des syndicats dans le système politique. Les syndicats québécois sont passés par une période de radicalisation progressive, atteignant son point culminant par la grève de Front commun en 1972. Pour des raisons difficiles à cerner, il s'est installé au Québec une pratique de grèves longues et massives qui touchent même les hôpitaux, tandis qu'en France par exemple, les grèves des regroupements syndicaux durent rarement plus d'une journée et épargnent généralement les hôpitaux. Enfin, la politisation a une autre conséquence : si les employés sont suffisamment motivés, l'interdiction formelle de faire la grève ne suffira pas toujours à les arrêter.

Le statut des employés versus les exigences de rendement et d'imputabilité

Nos fonctions publiques se sont donné des statuts protégeant les fonctionnaires contre les aléas de la vie politique avant qu'on accorde les droits syndicaux aux employés. Le chevauchement des régimes statutaire et de la négociation collective crée une situation très complexe.

Prenons le cas de la sécurité d'emploi. Dans la fonction publique, cette expression peut avoir trois sens : premièrement, et c'est ce que les fonctionnaires ont cherché longtemps à obtenir, ils ne peuvent être licenciés lors d'un changement de gouvernement pour la simple raison que le nouveau gouvernement veut les remplacer par des militants et amis de son parti ; deuxièmement, une certaine forme de sécurité d'emploi prévaut, en ce sens que le fonctionnaire ne peut être destitué que par une décision motivée, avec droit de recours à l'arbitrage ou à un tribunal indépendant. Cette deuxième acception englobe la première, car c'est l'obligation de justifier la destitution qui protège le fonctionnaire contre une action motivée par la partisannerie seulement ; le fonctionnaire est protégé contre l'arbitraire et l'injustice, qu'ils émanent des responsables politiques ou administratifs. Ainsi, un chef de service qui chercherait à se débarrasser d'un employé avec qui il ne s'entend pas ne pourrait aujourd'hui le renvoyer sans un dossier solide réunissant des preuves de fautes ou d'incompétences graves. Il devrait probablement se contenter de le faire muter dans un autre service ; troisièmement, tant que la fonction publique était en pleine croissance, cette protection contre la destitution arbitraire ou immotivée offrait toute la sécurité dont les fonctionnaires avaient besoin. Cependant, avec les compressions budgétaires introduites à Ottawa et à Québec, comme ailleurs, depuis la fin des années 1970, ils ressentent le besoin de se protéger en cas de suppression de poste ou de manque de travail. C'est ainsi qu'ils ont cherché à introduire, dans leurs conventions collectives, des clauses leur accordant des périodes de grâce en pareille situation, avec priorité de combler toute autre vacance comparable dans la fonction publique[7]. Il s'agit de la plus actuelle des acceptions de la « sécurité d'emploi ».

Dans ce nouveau contexte, bon nombre de politiciens et de cadres supérieurs s'inquiètent au sujet d'une sécurité d'emploi qu'ils jugent exagérée. Les effets combinés du statut et des conventions collectives peuvent, disent-ils, surprotéger l'employé médiocre, paresseux ou nonchalant. C'est pourquoi la Commission Bisaillon à Québec, à l'instar du Comité d'Avignon à Ottawa, propose d'étendre la notion de mérite au-delà du recrutement et de la sélection, soit jusqu'à l'évaluation du rendement des employés et de leur imputabilité ou leur devoir de répondre de leurs actes (Rapport Bisaillon, 1982). Jusqu'à présent, les innovations les plus importantes ont été apportées au niveau des cadres supérieurs. D'une part, les gouvernements essaient de planifier le développement de ces cadres en tenant un inventaire de leurs titres de compétence et de leurs profils de carrière et en leur assurant des affectations diversifiées afin de compléter leur préparation aux emplois supérieurs. D'autre part, la recherche d'un dynamisme accru a incité plusieurs gouvernements à introduire des mécanismes qui lient les hausses de traitement à l'évaluation du rendement. Dans sa forme québécoise, cette méthode consiste en une signification à chaque cadre des attentes de son supérieur pour l'année à venir, puis de l'attribution d'une cote selon ses réalisations une fois l'année écoulée. Seuls ceux ayant obtenu les meilleures évaluations devraient bénéficier de la hausse de traitement prévue. De tels systèmes connaissent plusieurs problèmes. Par exemple, il existe une tendance générale à grossir les notes attribuées aux cadres, peu de supérieurs voulant utiliser les cotes inférieures lorsqu'arrive le moment de qualifier le travail de leurs collaborateurs. Si le gouvernement limite le nombre d'employés qui peuvent obtenir les meilleures notes, un sentiment de frustration et d'injustice naîtra chez les cadres, qui y verront une limite arbitraire (Proulx et Roy, 1983a, p. 615). Ce sentiment sera évidemment exacerbé si le gouvernement décide de suspendre toute hause de traitement pour des raisons d'économie.

Si l'évaluation au rendement connaît des difficultés en tant que base d'un système de rémunération, elle semble néanmoins réussir à titre de système de gestion du travail. Au Québec, un effort considérable a été accompli pour que les évaluations portent sur des réalisations et non sur des qualités personnelles. Une telle clarification des buts et objectifs peut être un important facteur de motivation des cadres (Gaertner et Gaertner, 1985). Elle peut aussi favoriser une approche de la gestion publique axée sur un meilleur service à la « clientèle » des ministères et organismes, à condition que ce soit là la vraie priorité du gouvernement et des organismes centraux. Si, par contre, ceux-ci persistent à contrôler dans le menu détail le travail des cadres supérieurs, alors les attentes qu'on signifiera aux fonctionnaires refléteront davantage cette préoccupation (Proulx et Roy, 1983b, p. 51).

Au terme de ce tour des grands problèmes qui se posent à la gestion du personnel dans la fonction publique, on comprend pourquoi il existe beaucoup d'incertitude quant au rôle et au statut désirables pour les fonctionnaires. Le compromis traditionnel qui leur accordait une permanence et une sécurité contre une situation effacée et apolitique est attaqué de toutes parts. Les effets combinés du syndicalisme des employés, des mouvements d'accès à l'égalité, de la volonté du changement politique et du désir de limiter, sinon de diminuer, les budgets publics ont été de remettre en question ce statut si longtemps cherché par les fonctionnaires. Nous passons maintenant à leur position au sein du système politique.

6.3
LES FONCTIONNAIRES AU SEIN
DU SYSTÈME POLITIQUE

Puisque plusieurs problèmes touchant la gestion du personnel dans la fonction publique ne peuvent être résolus que par une décision politique, il convient de s'interroger sur la place qu'occupent les fonctionnaires au sein du système politique. Sans empiéter sur les développements à venir au sujet de la bureaucratie et de la technocratie, nous voulons examiner ici trois aspects de cette question, le poids des fonctionnaires et employés en ce qui a trait à leur nombre, leurs objectifs et leurs préoccupations, et enfin leurs rôles.

Les effectifs du secteur public

S'il y a un domaine où il faut procéder avec soin dans le maniement des chiffres, c'est bien dans celui des effectifs de la fonction publique. Il y a plusieurs raisons à cette difficulté. La première provient de la nature instable de toute fonction publique ; variations saisonnières, différences entre permanents et temporaires, différences entre temps plein et temps partiel obligent le chercheur à utiliser seulement des chiffres de séries comparables lorsqu'il veut tracer l'évolution d'un service ou d'une fonction publique. Les problèmes deviennent beaucoup plus complexes lorsqu'on veut faire des comparaisons inter-étatiques. Afin de comparer les effectifs d'États ayant des populations très différentes, on choisit d'habitude un standard ou une mesure comme le nombre d'employés publics par mille habitants ou le pourcentage des employés publics parmi la main-d'œuvre (c'est-à-dire la population âgée de 15 à 65 ans). Cette dernière est la plus souvent utilisée parce qu'elle permet de comparer l'emploi dans les secteurs publics et privés.

Pourtant, même avec cet indicateur en tête, on éprouve beaucoup de difficultés à obtenir des chiffres comparables. Comme on pouvait s'y attendre, on trouve un État non interventionniste comme le Japon avec un faible pourcentage de sa main-d'œuvre affecté au secteur public (environ 9 % en 1980), tandis que la Suède, pays interventionniste, y consacre, à la même époque, environ le tiers de sa main-d'œuvre (McGregor, 1982 ; Lemelin, 1984). Mais souvent, pour un même pays, on trouve des chiffres bruts et des pourcentages très variables. Les différences tiennent à plusieurs facteurs, dont trois nous semblent les plus importants : premièrement, chaque pays définit de manière différente la fonction publique. Par exemple, en France, les enseignants des écoles publiques y sont inclus tandis qu'au Québec ils ne le sont pas ; deuxièmement, dans un pays fédéral ou ayant des institutions locales bien développées, la fonction publique nationale risque de paraître sous-développée par rapport à celle d'un pays unitaire et centralisé ; troisièmement, parfois on inclut les ouvriers des entreprises commerciales et industrielles publiques, parfois on les exclut.

À notre avis, la seule façon de surmonter ces difficultés est de donner un aperçu le plus général possible des effectifs de tout le secteur public, ce que nous faisons au tableau 6.4. Il montre la croissance des effectifs globaux du secteur public au Canada, laquelle se poursuit jusqu'en 1980 avant de plafonner. En pourcentage de la main-d'œuvre cependant, on voit que cette croissance a atteint sa limite vers 1970 et qu'en 1982 le secteur public canadien est revenu à une proportion équivalente à celle de 1960 (17,9 %). À l'intérieur des chiffres globaux, différentes tendances sont révélées : l'administration fédérale a progressivement perdu du terrain aux dépens des provinces, le gouvernement local est demeuré proportionnellement stable, tandis que les secteurs de l'éducation et des hôpitaux, après avoir connu des hausses importantes au cours des années 1960, ont perdu du terrain (toujours relativement) depuis 1970.

Au Québec, on estime que le nombre d'employés de tous les gouvernements et institutions publiques se situe entre 350 000 et 400 000 employés, qui relèvent directement ou indirectement du gouvernement du Québec, et à près de 486 000 si on tient compte des employés fédéraux au Québec ; ce qui signifie de 18 à 20 % de la main-d'œuvre, selon le système de calcul utilisé (Sutherland et Doern, 1984 ; Lemelin, 1984 ; Sales, 1983).

Cette estimation fait ressortir deux conséquences politiques majeures. D'une part, les employés du secteur public constituent, avec leurs familles, un bloc d'électeurs considérable. Il s'agit non seulement des employés qui peuvent être favorables ou non à leur propre employeur, mais il s'agit en plus de ceux des autres gouvernements résidant sur le territoire. Cette situation était très visible au cours des années 1970 lorsque le Parti Québécois a tenté de s'attirer la sympathie des employés du gouvernement fédéral au Québec, leur promettant qu'ils ne perdraient ni emploi ni échelle de traitement advenant la souveraineté du Québec. Évidemment, avant de faire une campagne électorale sur le dos des fonctionnaires et employés du secteur public, un parti politique doit évaluer la composition de son effectif et son bloc d'électeurs pour savoir s'il peut se le permettre sans trop de risques.

La seconde conséquence d'un effectif aussi nombreux dans le secteur public est d'ordre budgétaire. Environ la moitié du budget des dépenses du gouvernement du Québec est consacrée aux traitements et autres frais occasionnés par le personnel de tout le secteur public. Ainsi, lorsqu'un gouvernement négocie les conditions de travail d'une telle masse d'employés, il établit en même temps ses priorités pour un proche avenir car, une fois payés le service de la dette et les prestations sociales établies par législation, il ne lui reste qu'une faible marge de manœuvre.

TABLEAU 6.4
L'emploi dans les administrations publiques au Canada

	1960	%	1965	%	1970	%	1975	%	1980	%	1982	%
Population active (PA) (en milliers)	6 430	—	7 185	—	8 329	—	9 923	—	11 522	—	11 743	—
Fédéral												
Administration générale	203 013	3,2	211 913	3,0	251 237	3,0	323 902	3,3	335 375	2,9	351 295	3,0
Entreprises publiques	131 118	2,0	129 916	1,8	123 906	1,5	132 046	1,3	157 988	1,4	138 281	1,2
Total	334 131	5,2	341 829	4,8	375 143	4,5	455 948	4,6	493 363	4,3	489 576	4,2
Provincial												
Administration générale	139 434	2,2	168 536	2,3	216 475	2,6	288 937	2,9	311 634	2,7	317 407	2,7
Entreprises publiques	63 444	1,0	70 281	1,0	95 520	1,1	134 513	1,4	148 105	1,3	159 260	1,4
Total	202 878	3,2	238 817	3,3	311 995	3,7	423 450	4,3	459 739	4,0	476 667	4,1
Local*												
Administration générale	149 403	2,3	162 901	2,3	201 425	2,4	247 199	2,5	274 126	2,4	287 103	2,4
Entreprises publiques	23 187	0,4	25 860	0,4	31 976	0,4	39 242	0,4	43 517	0,4	45 577	0,4
Total	173 121	2,7	188 761	2,7	233 401	2,8	286 441	2,9	317 643	2,8	332 680	2,8
TOTAL : GOUVERNEMENTS												
Administration générale	491 850	7,6	543 350	7,6	669 137	8,0	860 038	8,7	921 135	8,0	955 805	8,1
Entreprises publiques	218 280	3,4	226 057	3,2	251 402	3,0	305 801	3,1	349 610	3,0	343 118	2,9
Total	710 130	11,0	769 407	10,8	920 539	11,0	1 165 839	11,8	1 270 745	11,0	1 298 923	11,0
Secteur : Éducation												
Enseignants	160 800	2,5	211 463	2,9	291 624	3,5	313 341	3,1	328 975	2,9	314 201	2,7
Non-enseignants**	99 696	1,6	131 107	1,8	180 807	2,2	194 271	2,0	203 965	1,8	194 805	1,7
Total	260 496	4,1	342 570	4,7	472 431	5,7	507 612	5,1	532 940	4,7	509 006	4,4
Secteur hospitalier	183 189	2,8	251 511	3,5	319 826	3,8	339 517	3,4	299 388	2,6	297 195	2,5
Grand total	1 153 815	17,9	1 363 488	19,0	1 712 796	20,5	2 012 968	20,3	2 103 073	18,3	2 105 124	17,9

Source : SUTHERLAND et DOERN (1986) À partir de chiffres publiés par Statistique Canada.
Nous remercions les auteurs et le ministre des Approvisionnements et Services Canada pour leur permission de reproduire ce tableau.

* Les chiffres sont estimés pour 1965 pour le gouvernement local, et pour toute la période pour les entreprises locales.
** Le nombre des employés non enseignants est estimé pour les années 1960 à 1982.

Les objectifs des fonctionnaires

Quand on se demande ce que recherchent les fonctionnaires au sein du système politique, on peut formuler une réponse générale tout en admettant l'existence de variations importantes. La typologie générale s'est dégagée d'études aussi différentes que celle de S.N. Eisenstadt (1963) sur les empires bureaucratiques historiques et celle de Bernard Gournay (1978) sur l'administration française des années 1960. Les fonctionnaires, disent-ils, veulent assurer leur sécurité d'emploi ; ils cherchent à améliorer leur niveau de vie et leur prestige ; ils essaient d'accroître leur pouvoir par une participation plus active à la prise de décision concernant les grandes politiques. Cette typologie n'épuise pas le sujet des attitudes et objectifs des fonctionnaires, mais elle met en relief deux facettes importantes pour le système politique. D'abord, les fonctionnaires accordent une grande signification à tout ce qui touche leurs carrières. Ainsi, ils auront tendance à évaluer une nouvelle constitution ou un nouveau gouvernement, un projet de réforme politique ou un projet de loi selon les perspectives de carrière qu'ils ouvrent ou, dans le cas contraire, qu'ils éliminent. La seconde conséquence est liée à la première. Dans les bureaucraties, on observe un phénomène de déplacement des buts, c'est-à-dire que le respect des règles devient plus important, aux yeux du fonctionnaire, que les raisons d'être de ces mêmes règles (voir le chapitre 7). Ainsi, il y a danger que, pour les fonctionnaires, l'intérêt du service passe avant l'intérêt public et que le respect des règles bureaucratiques devienne une fin en soi. En sa version économique, cette théorie propose que les bureaucrates cherchent à maximiser leurs budgets (Niskanen, 1971 ; Blais et Dion, 1990, 1991).

Cependant, il serait tout aussi naïf d'imaginer un fonctionnaire toujours égoïste, qu'il l'a été pour les économistes d'inventer l'homme économique qui cherche invariablement à maximiser ses gains avec un minimum d'effort ou de dépense. Les fonctionnaires, comme tous les citoyens, ont des idéaux aussi bien que des intérêts ; ils peuvent désirer le pouvoir pour réaliser des projets d'intérêt public ou pour assurer le bonheur de leurs concitoyens. Nous traiterons de cette question plus à fond au chapitre 8, qui porte sur la technocratie. Mais il est utile de rappeler ici certains traits caractéristiques de la pensée de la majorité des hauts fonctionnaires dans les pays occidentaux. Cette majorité est conformiste ; elle a dû l'être pour monter dans le système bureaucratique (Leblanc et Poirier, 1982, p. 5). Elle tend à se situer au centre en politique, plus conservatrice que les députés de gauche mais plus modérée que les élus de la droite (Aberbach *et al.*, 1981 ; Sigelman et Vander Bok, 1977). Les personnes composant cette majorité de hauts fonctionnaires tendent à être plus favorables aux interventions étatiques pour régler des problèmes économiques et sociaux que les cadres du secteur privé (Sales, 1983). Elles sont prudentes, préférant la stabilité aux changements radicaux. D'habitude, elles n'apprécient pas le combat politique et affichent un certain mépris des politiciens qui, à leurs yeux, représentent ce qui divise la société en factions ou groupes opposés, privilégiant les intérêts privés aux dépens de l'intérêt public (Chevallier, 1975 ; Suleiman, 1976).

Donc, la fonction publique n'est pas une carrière pour des radicaux ou des extrémistes. Elle ne tolère l'esprit d'entreprise que dans le cadre assez étroit des règlements juridiques et administratifs établis par la législature, le gouvernement et les tribunaux. Néanmoins, les fonctionnaires ne forment pas un bloc monolithique, car les clivages ne font pas défaut.

Les rôles des fonctionnaires au sein de la société

Le rappel des facteurs qui divisent les fonctionnaires nous conduit à terminer cette section par une référence aux rôles qu'ils peuvent jouer dans toute la société. Il ne s'agit pas ici des rôles que jouent les fonctionnaires au sein de l'administration, par exemple conseiller, gestionnaire ou contrôleur, mais plutôt des effets sociaux et politiques de leur action. D'abord, les fonctionnaires peuvent constituer une force qui favorise la conservation de valeurs traditionnelles, ou bien l'innovation. Une fois établies, comme nous l'avons vu, les bureaucraties tendent à être des forces conservatrices comme ce fut le cas pour le mandarinat chinois pendant si longtemps. De nos jours, l'analyse marxiste souligne le rôle des administrations publiques des pays capitalistes dans le maintien du système capitaliste par des interventions qui corrigent ses pires abus et par l'illusion, qu'elles offrent, d'un État au-dessus de la lutte des classes (voir le chapitre 11).

Néanmoins, il faut convenir que les fonctionnaires peuvent jouer des rôles d'innovateurs et ce, au moins dans deux types de situation. Premièrement, le fonctionnaire professionnel apportera souvent, avec sa discipline, des velléités de réforme dans le secteur qui est l'objet de son autorité. Maints exemples de cette tendance peuvent être trouvés dans l'hisoire de l'administration québécoise, comme les inspecteurs sanitaires du Conseil d'hygiène publique créé en 1887, ou les premiers agronomes nommés lors de la création du service agronomique du département de l'Agriculture en 1913 (Gow, 1986). Ces effets innovateurs, aussi important soient-ils, sont forcément sectoriels. Il y a néanmoins des cas où les fonctionnaires dans l'ensemble jouent un rôle d'innovation. C'est un rôle qui est souvent dévolu aux fonctionnaires dans un pays en voie de développement ; le développement politique, social et économique planifié doit nécessairement passer par l'administration publique, qu'elle soit nationale, régionale ou locale (ONU, 1960 et 1962). Dans les pays industrialisés, des situations de réforme peuvent placer les fonctionnaires au cœur des actions de renouveau, comme ce fut le cas pendant la Révolution tranquille au Québec entre 1960 et 1966. Dans ce cas, la plupart des innovations faisait appel à des interventions étatiques et une nouvelle élite techno-bureaucratique fut créée pour les concevoir et les réaliser. Dans d'autres cas bien sûr, un gouvernement réformiste peut être frustré dans son élan par les attitudes et les pratiques des fonctionnaires en place au moment de son élection, comme ce fut le cas pour le premier gouvernement social-démocrate élu au Canada, soit le *Cooperative Commonwealth Federation* (CCF) élu en Saskatchewan en 1944 (Lipset, 1969, p. 307-331).

Les fonctionnaires peuvent aussi jouer des rôles d'intégration ou de désintégration nationale. Dans un pays nouveau par exemple, il sera souvent nécessaire d'utiliser les emplois de la fonction publique pour assurer la loyauté des différentes communautés tribales, ethniques ou raciales qui la composent (Timsit, 1972). Dans tout pays cependant, ces facteurs peuvent être présents. Au Canada, la nature unilingue anglophone de la fonction publique et la sous-représentation chronique des Canadiens français ont été pendant longtemps une source d'insatisfaction et de frustration, au Québec notamment, et un facteur de division politique (Rapport Laurendeau-Dunton, 1969, p. 99-115).

On pourrait évoquer d'autres rôles sociaux-politiques joués par les fonctionnaires, mais ces exemples suffisent pour montrer que ceux-ci ne vivent pas en vase clos ; qu'ils peuvent favoriser ou freiner l'innovation, comme ils peuvent consolider ou nuire à l'unité nationale. Ils constituent une catégorie ou un groupe social qui a des intérêts à défendre mais qui participe aussi aux grands courants d'opinion présents à chaque époque. Ils subissent les mêmes effets que les autres groupes, provenant des changements politiques, économiques, technologiques, sociaux et ainsi de suite.

CONCLUSION

Au début de ce chapitre, nous avons souligné que dans la gestion du personnel, le rapport entre technique et politique était particulièrement étroit et visible. De plus, une fois que les choix de techniques sont faits, ils sont contraignants pour la direction politique et administrative. Au terme de ce développement, on comprend aisément que les statuts de fonction publique et les régimes de négociation collective des conditions de travail soient tous les deux sources de règles bureaucratiques, car ils débouchent sur des textes qui sont, par la suite, contraignants pour les deux parties.

Le statut de la fonction publique, invention du XIXe siècle, a longtemps été l'objectif recherché par les fonctionnaires fédéraux et provinciaux du Canada. C'était même l'un des principaux objets des associations de fonctionnaires, et ce n'est pas par hasard que les provinces qui se sont dotées les premières de commissions autonomes pour assurer le respect d'un régime du mérite furent les provinces où le mouvement syndical des fonctionnaires était le plus fort (Scarrow, 1957). Cependant, le mouvement syndical recherchait plus qu'un statut établi unilatéralement par le gouvernement-employeur et, au cours des années 1960, des régimes de négociation collective des conditions de travail furent instaurés un peu partout au Canada.

Ainsi, la fonction publique, tout en paraissant résister au changement, est constamment en évolution, grâce notamment à des pressions politiques qui proviennent parfois des fonctionnaires eux-mêmes, mais le plus souvent de forces politiques, partis ou groupes qui revendiquent des changements. Récemment, le régime du mérite a subi des assauts au nom de l'égalité, de l'efficacité et de l'imputabilité. Pour sa part, le mouvement syndical a dû effectuer un repli stratégique pendant la crise financière du début des années 1980 et la montée d'un conservatisme politique nouveau.

La recherche d'égalité pour les femmes et pour différents groupes minoritaires, le désir de rendre les fonctionnaires plus sensibles à la fois aux politiques d'un nouveau gouvernement et aux besoins des citoyens-clients se heurtent à la version classique du mérite. De cet affrontement commencent à émerger de nouvelles formules qui cherchent à protéger la qualité de la fonction publique, tout en répondant à ces nouvelles demandes. Dans tout ce processus, les fonctionnaires restent un groupe important dans le système politique, avec leurs intérêts propres ; quant aux emplois et au pouvoir de la fonction publique, ils demeurent des enjeux importants.

NOTES

(1) Notons deux exceptions aux règles décrites ici. Au Québec, les sous-ministres adjoints ou associés entrent dans la catégorie des nominations au choix des autorités politiques, tandis qu'au fédéral ces postes sont comblés par concours. Les membres d'un cabinet ministériel peuvent aussi être des fonctionnaires de carrière, mais ils sont choisis librement par le ministre et sont en quelque sorte en détachement tant qu'ils restent membres du cabinet. Parmi les nominations politiques, notons encore celles des ambassadeurs et des membres dirigeants des organismes autonomes.

(2) Balasz écrit, dans la *Bureaucratie céleste*, p. 36, que les mandarins chinois « ne connaissent qu'un seul métier, celui de *gouverner* ».

(3) Il y a toujours eu des postes exemptés par la loi ou le règlement et d'autres cas où la Commission pouvait faire exception pour des raisons d'urgence, de rareté de candidats compétents, etc. Par ailleurs, depuis plusieurs années la Commission délègue la plupart de ses pouvoirs, en matière de recrutement et de sélection, aux ministères et organismes.

(4) Dans l'ensemble, cette situation historique est aussi celle de la minorité linguistique au Québec, mais avec cette différence importante qu'elle avait accès aux postes supérieurs du Département du Trésor (le ministère des Finances) et que le Département de l'instruction publique avait une structure bicéphale, le secteur protestant étant réservé aux anglophones.

(5)   Simard, 1983. Voir aussi la position du Conseil du statut de la femme du Québec, résumée dans : Gow, 1984, p. 80-81.

(6)   Depuis 1981, le gouvernement de Margaret Thatcher refuse d'entériner toutes les recommandations des *Whitley Councils*, avec pour résultat un nombre accru de grèves (Ridley, 1983, p. 156-157).

(7)   Le gouvernement du Québec a reconnu cette même priorité aux employés des secteurs de l'Éducation et des Affaires sociales.

BIBLIOGRAPHIE

ABERBACH, J. *et al.* (1981) *Bureaucrats and Politicians in Western Countries*, Cambridge Mass., Cambridge University Press.

BALASZ, E. (1959) *La bureaucratie céleste*, Paris, Gallimard.

BLAIS, A. et DION, S. (dir.) (1991) *The Budget-Maximizing Bureaucrat, Appraisals and Evidence*, Pittsburgh, University of Pittsburgh Press.

BOLDUC, R. (1978) « Les cadres supérieurs quinze ans après », *Administration publique du Canada*, Vol. XXI, p. 618-639.

BORGEAT, L., DUSSAULT, R. et OUELLET, L. (1982) *L'administration québécoise : organisation et fonctionnement*, PUQ.

BOURGAULT, J. (1989) « Évolution de la haute fonction publique des ministères du gouvernement du Québec », *in* Y. Bélanger et L. Lepage (dir.) *L'administration publique québécoise, évolutions sectorielles*, Sillery, Les Presses de l'Université du Québec, p. 13-14.

BOURGAULT, J. et DION, S. (1990) « La satisfaction des ministres envers leurs hauts fonctionnaires : le cas du gouvernement du Québec 1976-1985 », *Administration publique du Canada*, Vol. 33(3), p. 414-437.

CARROLL, B.W. (1991) « The Structure of the Canadian Bureaucratic Elite : Some Evidence of Change », *Administration publique du Canada*, Vol. 34(2), p. 359-372.

CHAPMAN, B. (1959) *The Profession of Government*, Londres, G. Allen and Unwin.

CHAPMAN, R. (1979) « L'élitisme dans le recrutement des hauts fonctionnaires en Grande-Bretagne », *Revue française d'administration publique*, N° 12, p. 687-701.

CHEVALLIER, J. (1975) « L'intérêt général dans l'Administration française », *Revue internationale des sciences administratives*, Vol. XLI, p. 325-350.

CHEVALLIER, J. et LOSCHAK, D. (1978) *Science administrative. Théorie générale de l'institution administrative*, Paris, CGDJ.

COMMISSION DE LA FONCTION PUBLIQUE DU CANADA (1985) *Rapport*, Ottawa.

CONSEIL DU TRÉSOR DU QUÉBEC (1985) *Présence des hommes et des femmes dans la fonction publique du Québec*, Vol. 7.

DUSSAULT, R. et BORGEAT, L. (1986) *Traité de droit administratif canadien et québécois*, 2ᵉ éd., Tome II, Québec, PUL.

EISENSTADT, S.N. (1963) *The political Systems of Empires. The Rise and Fall of the Historical Bureaucratic Societies*, New York, Free Press.

FESLER, J.W. et KETTL, D.F. (1991) *The Politics of the Administrative Process*, Chatham N.J., Chatham House.

GAERTNER, K.N. et GAERTNER, G.H. (1985) « Performance-Contingent Pay for Federal Managers », *Administration and Society*, Vol. XVII, p. 7-20.

GARANT, P. (1974) *La fonction publique canadienne et québécoise*, Québec, PUL.

GOW, J.I. (1986) *Histoire de l'administration publique québécoise, 1867-1970*, Montréal, PUM.

GOW, J.I. (1984) «La réforme institutionnelle de la fonction publique de 1983: contexte, contenu et enjeux», *Politique*, N° 6, p. 51-101.

GREGOIRE, R. (1954) *La fonction publique*, Paris, Armand Colin.

KERNAGHAN, K. (dir.) (1983) *Canadian Public Administration. Discipline and Profession*, Toronto, Butterworths.

KESLER, J.-F. (1967) «La société administrative», *in* B. Gournay, J.-F. Kesler et J. Siwek-Pouydesseau, *Administration publique*, Paris, PUF.

KESLER, J.-F. (1980) *Sociologie des fonctionnaires*, Paris, Presses universitaires de France, Coll. Que sais-je ? n° 1802.

LAPOINTE, G. (1971) *Essais sur la fonction publique québécoise*, Documents de la Commission royale d'enquête sur le bilinguisme et le biculturalisme, Ottawa.

LEBLANC, A. et POIRIER, L. (1982) *Les cadres de la fonction publique québécoise : styles de leadership, besoins et satisfaction*, Québec, Ministère de la Fonction publique.

LEMELIN, M. (1984) *Les négociations collectives dans les secteurs public et parapublic*, Montréal, Agence d'Arc.

LEMIEUX, V. et HUDON, R. (1975) *Patronage et politique au Québec : 1944-1972*, Québec, Boréal Express.

LIPSET, S.M. (1968) *Agrarian Socialism : The Cooperative Commonwealth Federation in Saskatchewan*, Garden City, Doubleday.

McGREGOR, E.B. (1982) « The Public Service as Institution », *Public Administration Review*, Vol. 42, p. 316-320.

MICHELS, R. (1971) *Les partis politiques*, Paris, Flammarion.

MINISTÈRE DE LA FONCTION PUBLIQUE DU QUÉBEC (1983) *Rapport de l'année 1982-1983*, Québec.

NISKANEN, W. (1971) *Bureaucracy and Representative Government*, Chicago, Aldine Atherton.

ONU (1962) *Décentralisation en vue du développement national et local*, New York, Organisation des Nations-Unies.

ONU (1960) *Public Administration Handbook*, New York, Organisation des Nations-Unies.

PETERS, G. (1988) *Comparing Bureaucracies Problems of Theory and Method*, Tuscaloosa Alabama, University of Alabama Press.

PROULX, M. et ROY, M. (1983a) *L'évaluation du rendement des cadres supérieurs dans la fonction publique québécoise*, Québec, ENAP.

PROULX, M. et ROY, M. (1983b) « L'évaluation du rendement des cadres supérieurs dans la fonction publique québécoise », *Administration publique du Canada*, Vol. XXVI, p. 610-628.

PUGET, H. (1969) *Les institutions administratives étrangères*, Paris, Dalloz.

RAPPORT D'AVIGNON (1979) *Rapport du Comité spécial sur la gestion du personnel et le principe du mérite*, Ottawa.

RAPPORT BIRD (1973) *Rapport de la Commission royale d'enquête sur la situation de la femme au Canada*, Ottawa.

RAPPORT BISAILLON (1982) *Pour une fonction publique sensible aux besoins des citoyens, moderne, efficace et responsable*, Rapport de la Commission spéciale de l'Assemblée nationale sur la fonction publique, Québec.

RAPPORT BLAIR (1991) *Rapport du comité consultatif sur la participation des anglophones dans la fonction publique*, Québec, Conseil du Trésor, polycopié.

RAPPORT FULTON (1968) *Le « Civil Service ». Rapport Fulton sur la réforme de la Fonction publique en Grande-Bretagne*, Paris, La Documentation française, Traduction française.

RAPPORT GLASSCO (1962) *Rapport de la Commission royale d'enquête sur l'organisation du Gouvernement*, Vol. 1, *La gestion de la fonction publique*, Ottawa.

RAPPORT LAURENDEAU-DUNTON (1969) *Rapport de la Commission royale d'enquête sur le bilinguisme et le biculturalisme*, Livre III, *Le monde du travail*, Ottawa.

RAPPORT MARTIN-BOUCHARD (1978) *Rapport de la Commission d'étude et de consultation sur la révision du régime des négociations collectives dans les secteurs public et parapublic*, Québec.

RIDLEY, F.F. (1983) « La Grande-Bretagne », *in* Debbasch, C. (dir.) *Administration et politique en Europe*, Paris, CNRS, p. 139-160.

SADRAN, P. (1977) « Le recrutement et la sélection par concours dans l'administration française », *Revue française d'administration publique*, Vol. 1, p. 53-107.

SALES, A. (1983) « Intervention de l'État et les positions idéologiques des dirigeants des bureaucraties publiques et privées », *Sociologie et sociétés*, Vol. XV, p. 13-42.

SCARROW, H. (1957) « Civil Service Commissions in the Canadian Provinces », *Journal of Politics*, Vol. XIX, p. 241-249.

SHERIFF, P. (1976) « Sociology of Public Bureaucracies, 1965-1975 », *Current Sociology*, Vol. 24(2).

SIGELMAN, L. et VAN DER BOK, L. (1977) « Legislators, Bureaucrats and Canadian Democracy : The Long and the Short of It », *Revue canadienne de science politique*, Vol. X, p. 615-623.

SIMARD, C. (1983) *L'administration contre les femmes*, Montréal, Boréal Express.

SULEIMAN, E. (1976) *Les hauts fonctionnaires et la politique*, Paris, Seuil.

SUTHERLAND, S. et DOERN, G.B. (1986) *La bureaucratie au Canada : son contrôle et sa réforme*, Étude préparée pour la Commission royale d'enquête sur l'union économique et les perspectives de développement économique au Canada (Commission MacDonald), Ottawa, Approvisionnements et Services Canada.

TIMSIT, G. (1972) « Fonction publique et développement politique : le cas des États africains francophones », *Revue internationale des sciences administratives*, Vol. 38, p. 1-12.

TROISIÈME PARTIE

L'administration dans le système politique

Plus directement que les deux précédentes, cette partie s'intéresse au rôle de l'administration dans le système politique. Elle débute par le chapitre 7, qui traite du phénomène bureaucratique, c'est-à-dire les contraintes propres de l'administration, ses capacités d'obstruction, ses rigidités, qui en font un instrument peu malléable et pourtant nécessaire à la mise en œuvre des politiques. Le chapitre 8 s'interroge sur la réalité de la technocratie définie comme le pouvoir des hauts fonctionnaires, leur capacité de déterminer le cours des décisions en lieu et place des élus. Le chapitre 9 a pour sujet les contrôles politiques et juridiques qui s'exercent sur l'administration et assurent en théorie le suivi de ses activités. Le chapitre 10 porte sur les relations entre l'administration, les citoyens et les groupes ; il montre combien l'administration est soumise à la pression variée des forces dans la société : les opinions publiques, les clientèles, les groupes d'intérêt et les milieux d'affaires. Enfin, le dernier chapitre confronte les grandes idéologies et les principales théories politiques sous l'angle du rôle qu'elles assignent à l'administration dans la société.

Chapitre 7
La bureaucratie

Stéphane Dion

PLAN

Le mot bureaucratie fait partie du langage courant et nous avons tous une certaine idée de ce à quoi il réfère. Par exemple, pensons à l'accueil froid que le personnel des guichets nous réserve trop souvent à la poste, à la banque, au métro, dans les services de réclamations, etc. Quoi de plus bureaucratique comme comportement ? Mais si nous interrogeons ce même personnel exposé directement aux demandes du public, il dira probablement que, pour lui, la bureaucratie c'est l'attitude autoritaire et distante de la direction. Posons la question aux directeurs et il y a fort à parier que, parmi les causes de la bureaucratie, ils mettront en évidence les syndicats du personnel qui, bien entendu, imposent des conventions collectives rigides et ne pensent qu'au bon plaisir des syndiqués et à la défense étroite de leurs intérêts de carrière. Enfin, si nous poussons notre enquête jusqu'aux syndicats, ils attribueront sans doute la bureaucratie aux réglementations oppressantes qui démoralisent le personnel et suscitent l'apathie.

Donc, à première vue, la bureaucratie c'est l'indifférence des autres, leur réticence à considérer les problèmes quotidiens que chacun d'entre nous rencontre dans son travail ou en tant que client, usager, patient, consommateur, citoyen ou contribuable ; indifférence, mais aussi lenteur, passivité, rigidité, inhumanité, autoritarisme.

L'administration publique, davantage que le secteur privé considéré comme plus dynamique, est mise au pilori dès qu'il est question de bureaucratie. Elle est accusée d'avoir atteint les sommets de l'inefficacité, de l'absurde et de la contrainte. Routinière, fermée à la nouveauté, enfant naturelle de la réglementation énorme et oppressive, les termes péjoratifs ne manquent pas pour dénoncer l'administration bureaucratisée. L'accusation ne date pas d'hier. Depuis longtemps, la « tyrannie des bureaux » fait la cible de la satire littéraire (Balzac ; Courteline ; Kafka ; Orwell) et de la critique humoristique (Parkinson, 1958 ; Peter, 1969).

Au fonctionnaire réfugié derrière son statut on attribue un esprit tatillon, timoré et empreint de paresse et de bêtise, tandis que l'administration comme entité devient un *big brother* malfaisant.

Le vocable « bureaucratie » évoque ainsi, au sens commun, plusieurs représentations sociales imprécises et diffuses mais qui correspondent toujours à quelque chose de déplorable ou de néfaste. On pourrait s'attendre à trouver, du côté des spécialistes de la science administrative, une définition précise et claire dissipant les brumes du langage courant. Or, il n'en est rien. Et même les spécialistes ont ajouté à la confusion en proposant de nouvelles significations.

Le pouvoir des bureaux.   Cette définition est conforme à l'étymologie du mot bureaucratie. On désigne par là l'extension des services horizontaux qui, en théorie, n'existent que pour fournir un encadrement et une assistance juridique, comptable ou gestionnaire aux services opérationnels effectivement chargés de réaliser les objectifs des organisations publiques ou privées.

Les organisations de grande dimension.   Firmes transnationales, grosses entreprises industrielles, commerciales, bancaires ou de service, grandes administrations ou sociétés d'État. Les bureaucraties désignent alors les grandes organisations complexes modernes.

Une organisation basée sur des règles de rationalité.   Impersonnalité, hiérarchie, division du travail, avec des postes liés au mérite et à la carrière. C'est le modèle classique de bureaucratie tel que formulé par le grand sociologue Max Weber (nous y reviendrons).

La réglementation.   C'est là un sens proche du précédent. Dans les manuels de gestion, on utilise parfois le mot bureaucratie pour désigner les règles officielles et écrites qui régissent les organisations. Bureaucratie devient alors un terme générique qui englobe tout ce qui fixe le cadre formel des organisations : chartes, organigrammes, règlements, statuts, etc.

L'administration publique.   Chez de nombreux spécialistes, bureaucratie est tout simplement synonyme d'administration publique, sans que cette assimilation soit connotée de façon péjorative. On dira par exemple que la mission de la bureaucratie est d'appliquer la politique du gouvernement.

Le pouvoir des fonctionnaires.   Collectivement, les fonctionnaires occupent une position d'autorité considérable. On parle couramment de bureaucratie pour caractériser ce pouvoir. Lorsqu'il est question de qualifier le pouvoir des hauts fonctionnaires, des grands administrateurs ou des experts, le concept de technocratie est souvent préféré à celui de bureaucratie (nous y reviendrons au chapitre 8).

La croissance de l'État.   La bureaucratie est parfois identifiée à la croissance de l'État, de ses budgets, de ses effectifs et de son champ d'intervention. Elle devient alors synonyme d'interventionnisme étatique.

La déshumanisation du monde.   Dans un sens large et philosophique, la bureaucratie en réfère à la complexité effarante de la société moderne (Beneviste, 1977), à l'individu dérouté, broyé sous le poids des appareils et brimé dans son désir d'épanouissement et de participation (Hummel, 1982 ; Illich, 1973 ; Jacoby, 1973 ; Lapassade, 1967 ; Thompson, 1976).

L'oligarchie. On parlera d'oligarchie lorsque, dans une société ou une organisation, le pouvoir est concentré aux mains de quelques dirigeants inamovibles. Au début du siècle, dans un ouvrage devenu célèbre depuis, Roberto Michels (1914) a étudié le processus selon lequel l'oligarchie se développe, même dans les organisations démocratiques. Selon lui, les dirigeants élus parviennent à se soustraire au contrôle de la masse et à former une oligarchie. Dans la tradition ouverte par Michels, la bureaucratie désigne la tendance oligarchique des organisations de toutes sortes ; dans les organisations démocratiques, elle en réfère à « la domination des élus sur les électeurs, des mandataires sur les mandants, des délégués sur ceux qui délèguent » (1971, p. 296).

Le régime communiste. À la suite de Trotsky (1963), des auteurs utilisent la bureaucratie en tant que concept de base pour analyser le régime communiste et le stalinisme (Castoriadis, 1973 ; Djilas, 1957 ; Lefort, 1973 ; Revue *Arguments*, 1976, p. 155-264 ; Rizzi, 1939). L'espace bureaucratique correspond à une autorité fermée et totalitaire, statufiant les élites dans leurs privilèges.

Voilà, en résumé, les différents sens attachés à la bureaucratie. Elle évoque à la fois le contrôle envahissant, abusif et policier, ainsi que l'hypertrophie, la mauvaise gestion, la paresse et le gaspillage. Ce concept est tellement flou que certains auteurs nous dissuadent presque de l'utiliser (Albrow, 1970 ; Kamenka, 1979 ; Riggs, 1979 ; Warwick, 1974).

Il existe pourtant un dénominateur commun à la plupart de ces significations. À quoi fait-on ordinairement référence lorsqu'on se plaint de la bureaucratie ? À l'indifférence des autres, avons-nous dit, mais cette indifférence n'est-elle pas toujours liée à la même justification (ou au même prétexte), soit l'observance stricte d'une règle impersonnelle censée être la même pour tous ?

Supposons par exemple qu'un citoyen se présente à un guichet de la poste et qu'il soit 5 heures ; le règlement dit que l'on doit fermer. Le citoyen, qui a un colis urgent, insiste, implore, se fâche. Rien n'y fait, l'employé ferme tranquillement son guichet. On devine quelle serait la réponse du citoyen si on lui demandait à cet instant précis le sens du mot bureaucratie ! Quant à l'employé, il pourra plaider qu'il n'a fait que respecter le règlement.

Avec cet exemple, choisi parmi les contrariétés les plus banales de la vie quotidienne, nous tenons notre dénominateur commun. *La bureaucratie, comme principe, est l'observation stricte des réglementations formelles, c'est-à-dire écrites, pré-établies, à appliquer telles que prescrites ; comme problème, elle est liée à la rigidité induite par ces règles établies.* On dira qu'une organisation est trop bureaucratisée lorsqu'elle est rigidifiée par les réglementations au point d'en devenir inefficace et incapable d'adaptation. Elle ne peut plus atteindre ses objectifs et vit repliée sur elle-même.

Ce chapitre porte sur la bureaucratie dans les organisations et en particulier celles du secteur public. Autrement dit, notre objet sera de déterminer en quoi les organisations humaines sont exposées aux effets pervers d'une réglementation trop rigide. Nous partirons des grands traits du modèle classique d'organisation bureaucratique, tel qu'on peut le dégager des travaux du sociologue allemand Max Weber (1922) et d'autres auteurs importants tels Fayol (1916), Gulick et Urwick (1937) et Wilson (1887). Weber avait prévu que les organisations bureaucratiques allaient se révéler supérieurement efficaces, justement en raison de leurs réglementations formelles rigides. Weber valorisait l'idée de bureaucratie alors qu'elle est aujourd'hui perçue négativement. Comment expliquer qu'un concept en soit venu à exprimer le contraire de son sens original ? Cette question constitue un bon angle de saisie pour mieux comprendre la réalité à laquelle la bureaucratie renvoie.

7.1
LA BUREAUCRATIE COMME PRINCIPE

Le plus simple pour comprendre l'idée classique de bureaucratie est de partir de la réflexion de Max Weber sur les rapports d'autorité. Ainsi, Weber commence par se demander pourquoi, à tous les niveaux de la vie sociale, dans une société globale, une organisation particulière ou un groupe primaire, les individus obéissent aux ordres sans qu'il soit toujours besoin de les y contraindre par la force ou la menace. La réponse est que les individus acceptent les ordres parce qu'ils les croient légitimes. L'idée d'autorité consentie renvoie à celle de légitimité.

Les trois types d'autorité selon Weber

Weber observe trois types distincts d'autorité en fonction de la légitimité qui les fonde : les types charismatique, traditionnel et rationnel-légal. Il s'agit de types purs d'autorité, ce que Weber appelle des idéaux types, reconstructions théoriques des éléments essentiels d'une réalité donnée, mais qu'on ne retrouve jamais à l'état pur dans cette réalité. Selon Weber, c'est l'autorité rationnelle-légale qui va prévaloir dans l'organisation moderne, celle qu'il appelle la bureaucratie.

L'autorité charismatique. C'est l'acceptation par tous de la supériorité d'une personnalité, d'un leader providentiel. Personne ne conteste la clairvoyance et les qualités transcendantes du leader. À la limite, c'est un prophète, un dieu. Pensons à des sectes religieuses ou à certains partis politiques soumis à l'ascendant de leur « guide suprême ». Ce type d'organisation est dépendant des préférences personnelles du leader, de sa capacité d'entretenir, chez ses fidèles, foi et ferveur militante. La question de la succession pose toujours un problème avec ce type d'autorité. Le risque de scission est grand puisque différents disciples prétendent être les véritables héritiers du leader.

L'autorité traditionnelle. Elle se fonde sur les coutumes fortement ancrées dans les mentalités. Cette légitimité dépend de la conformité aux usages anciens ou de l'idée que l'on se fait de l'ordre qui prévalait autrefois. L'autorité n'est plus dans la personnalité du leader, mais dans le rôle que lui reconnaît la tradition. L'autorité traditionnelle permet un fonctionnement plus stable que l'autorité charismatique et moins dépendant des caprices du leader. Mais, elle établit une norme de conformité au passé qui interdit l'innovation et l'adaptation au changement.

L'autorité rationnelle-légale. Elle est régie par des règles qui définissent de façon impersonnelle les droits et les devoirs de chacun. Retenons bien les principaux termes de cette définition essentielle pour comprendre l'idée classique de bureaucratie. Par « rationnelle », il faut entendre l'adéquation des moyens aux fins ; par « légale », l'accent est mis sur le respect des règles comme seule source d'autorité. Une autorité légale est l'inverse d'une autorité arbitraire qui ne serait soumise à aucune règle. Et par « impersonnelle », on veut dire que les règles édictées s'appliquent à tous et n'appartiennent à personne en propre.

L'organisation qui correspond le plus parfaitement à l'autorité rationnelle-légale, c'est la bureaucratie. L'idéal type de la bureaucratie serait une organisation où ni la tradition ni le charisme n'entreraient en ligne de compte, et qui serait uniquement régie par des règles d'autorité rationnelles-légales. Pour reprendre les termes de Michel Crozier (1963), l'un des principaux observateurs contemporains de la bureaucratie, « l'idéal de la bureaucratie, c'est un monde où tous les participants sont liés par des règles impersonnelles et non plus par des ordres arbitraires ou des influences personnelles ». Selon Weber, la bureaucratie est l'organisation qui permet d'obtenir la plus grande efficacité en introduisant une démarche aussi rationnelle que possible.

Pour être du type rationnel-légal, une organisation doit répondre à certains critères qui sont la condition même de son efficacité. Weber a décrit ces critères ou principes systématiquement agencés. Selon lui, ils sont appelés à se développer dans les organisations, tant du secteur public que du secteur privé.

Les principaux traits de la bureaucratie

La description de Weber est proche de celle d'autres auteurs classiques tels Fayol, Gulick et Urwick et, sur certains aspects, du modèle de Taylor

(1947). Si l'on retient l'essentiel du message de ces auteurs, l'organisation rationnelle idéale — la bureaucratie dans les termes de Weber — présente les traits suivants : la formalisation des règles est le premier critère ou principe auquel s'ajoutent les principes de spécialisation et de hiérarchie. Weber a insisté sur trois principes supplémentaires, la carrière, la codification des rapports avec l'extérieur et, dans le cas des organisations du secteur public, la distinction stricte entre administration et politique.

La formalisation des règles. L'organisation bureaucratique suppose une armature de règles écrites, impersonnelles et clairement définies qui vont porter sur tous les aspects : définition des tâches, rapports d'autorité, plans de carrière, modalités de sanctions, tout cela doit être codifié dans le règlement ou la loi, selon le principe de la suprématie du droit (que nous avons vu au chapitre 4). Ces règles doivent être *formelles*, établies à l'avance, et non pas informelles ou improvisées selon les circonstances et l'humeur des exécutants. Des instructions spécifiques existent pour chaque événement susceptible de se produire. Une bonne bureaucratie est supposée avoir tout prévu, ce qui implique la classification des problèmes et des cas individuels selon des critères définis.

Il est important de noter l'accent mis sur les procédures écrites ; les actes administratifs, les décisions, les avis, tout est enregistré par écrit. L'écrit laisse des traces qui, en cas de contestation, offrent les meilleures protections. Il est surtout la mémoire de l'organisation bureaucratique. Sans lui, elle ne saurait fonctionner.

La spécialisation. Une définition stricte et minutieuse des tâches précise ce qui doit être fait, quand, comment, par quelle catégorie d'employés, et enfin ce qui ne doit pas être fait. Dans son principe, la spécialisation offre deux avantages. Le premier est la complémentarité des emplois : il faut que les attributions de chacun soient claires et couvrent l'ensemble des domaines d'action, de sorte qu'il n'y ait pas de domaines laissés à l'abandon, ni de doublements inutiles. Le deuxième avantage est de permettre une utilisation optimale de l'expertise des spécialistes : plus une organisation met l'accent sur la spécialisation des tâches, plus elle peut faire appel aux qualifications poussées des experts qui connaissent bien leur travail, et plus elle augmente son efficacité.

La hiérarchie. L'organisation bureaucratique suppose une stricte dépendance de chaque niveau inférieur par rapport au niveau supérieur, selon une hiérarchie claire et bien définie. L'information et les directives générales descendent les échelons de la hiérarchie de sorte que chaque employé exerce sa compétence parcellaire sans interférer avec celle des autres exécutants. Plus une règle est de portée générale, plus elle est élaborée à un niveau élevé, car seul le niveau supérieur peut dégager une vue d'ensemble de l'organisation et tenir compte des différents éléments qui interviennent dans toute décision.

La hiérarchie entière est soumise à la légalité. Le supérieur, pas plus que le subordonné, ne peut outrepasser les droits qui lui sont reconnus dans le règlement. Le titulaire d'un poste est préservé contre l'arbitraire de son supérieur par une relation d'autorité pré-établie, de type légal, et il est tenu aux mêmes limites dans ses relations avec ses subordonnés. Chacun peut ainsi apporter sa contribution en toute confiance dans les limites de ses attributions. L'hypothèse ici est que le principe de la hiérarchie, appliqué de façon stricte, comprend deux avantages majeurs :

a) il permet de placer sous contrôle l'ensemble des activités de sorte que les consignes restent claires à tous les échelons de l'organisation, chacun s'en tenant à son champ de compétence reconnu ;

b) il évite l'arbitraire dans les relations de commandement et crée ainsi le climat de confiance nécessaire au travail en commun.

La carrière. La bureaucratie est une organisation où le recrutement, le traitement, la promotion et la sanction dépendent uniquement de critères méritocratiques et impersonnels. Tout mode de gestion du personnel (voir le chapitre 6) qui s'appuie principalement sur ces critères peut être qualifié de bureaucratique.

À l'embauchage, le critère du mérite suppose que le candidat choisi sera celui dont la qualification et la compétence correspondront le mieux aux exigences du poste. Cette qualification est déterminée par des aptitudes publiquement constatées et selon une procédure impersonnelle (concours, examens, diplômes).

Dans une bureaucratie, la rémunération se fait sous forme de salaire. Connu à l'avance, le montant du traitement varie selon l'échelon hiérarchique : plus on monte dans la hiérarchie, plus on exerce de responsabilités, et mieux on est rétribué.

La carrière se déroule selon des règles impersonnelles. À l'intérieur de chaque catégorie d'emploi, la progression dépend de l'ancienneté. En passant les concours, il est possible d'accélérer la progression d'une catégorie à l'autre. Ces règles de promotion sont garanties à chacun dès l'entrée dans l'organisation. Elles forment le plan de carrière.

En contrepartie des garanties accordées, la bureaucratie exige de ses salariés des devoirs qui sont inhérents aux postes qu'ils occupent. Si un participant ne remplit pas les tâches qui lui sont assignées clairement, il sera sanctionné ou même privé de son poste. Mais, ici encore la sanction ne s'applique pas n'importe comment. Elle sera conforme aux règles pré-établies, aux procédures exceptionnelles fixées par le règlement ou la loi. Chacun sait à l'avance à quoi il s'expose et quels sont ses recours.

Selon le principe de carrière, le salarié de la bureaucratie, c'est-à-dire le bureaucrate, n'est pas propriétaire du poste qu'il occupe ni des outils nécessaires à son travail (locaux, fournitures de bureau, etc.). Ce poste est sa seule occupation professionnelle et il le remplit de façon permanente. En contrepartie, le bureaucrate est personnellement libre et n'est soumis à l'autorité de l'organisation que pour l'accomplissement de ses fonctions professionnelles.

La carrière offre des garanties qui ont pour effet de maximiser la sécurité professionnelle : sécurité d'emploi, de promotion et de salaire. Les avantages à attendre de ce principe sont de quatre ordres :

a) en théorie, il élimine tout arbitraire, tout favoritisme dans l'évaluation du travail de chacun ;

b) comme il est intéressant de faire carrière dans l'organisation, cela attire les meilleurs candidats, soit les mieux formés et les plus qualifiés ;

c) l'esprit libéré de toute inquiétude quant à leur avenir professionnel, les participants peuvent se concentrer sur leur travail de tous les jours ;

d) le principe de carrière stabilise le personnel et le lie pour longtemps à l'organisation, permettant ainsi la continuité dans l'action et le développement d'un « esprit maison ». Le participant s'identifie plus facilement à l'organisation et intériorise les normes et les valeurs liées à son poste.

La codification des relations avec l'extérieur. Quoi qu'elle produise, biens, services ou réglementations, l'organisation bureaucratique agit, face à l'extérieur, selon la même norme d'impersonnalité qui prévaut en son sein. Le bureaucrate s'interdit tout parti pris, il traite ses clients ni comme des amis ou des ennemis, ni comme des alliés ou des adversaires, mais d'une manière tout à fait neutre. Il agit « sans haine ni passion ». Dans sa relation avec le public, il n'introduit d'autres critères que ceux pré-établis dans le règlement. Quand se présentent des cas particuliers, il cherche la norme qui lui permettra de les traiter. Dans son principe, cette codification des rapports avec l'extérieur présente quatre avantages :

a) *L'équité dans le traitement des personnes.* Les demandes de chacun sont examinées au seul regard des règles publiquement reconnues. Personne ne jouit de traitements de faveur ni ne subit de discriminations illégales ;

b) *L'honnêteté.* Régi par le règlement dans sa relation au public, le bureaucrate est mieux protégé contre les tractations et les pressions extérieures qui pourraient le corrompre ou l'exposer à des pratiques vénales ;

c) *La continuité.* La règle est dissociée des bureaucrates chargés de l'appliquer et n'est pas tributaire des changements de personnel ;

d) *L'efficacité.* La classification selon des critères abstraits autorise la prise en considération d'un grand nombre de situations différentes et permet d'éviter que les situations qui se répètent soient traitées comme autant de cas particuliers.

La distinction entre administration et politique

Il nous reste à décrire un dernier principe de la bureaucratie, principe qui nous intéresse particulièrement puisqu'il s'applique aux relations entre le pouvoir politique et l'administration publique.

Ce principe veut que l'administration soit subordonnée au décideur ultime, le politique, dont elle est l'instrument. Le pouvoir politique prend sur lui la responsabilité des décisions et, en retour, l'administration veille à une exécution fidèle tout en donnant des avis objectifs, privés et confidentiels. L'arrangement sert les intérêts de tous : l'élu obtient assistance et le fonctionnaire protection, à la condition expresse toutefois que le pouvoir politique respecte les principes et les contraintes de la rationalité bureaucratique et que l'administration, de son côté, s'abstienne de déterminer les décisions fondamentales qui orientent son action. Selon le modèle bureaucratique, l'administration ne peut être objective et efficace que si elle n'est qu'un outil pour l'élaboration et l'exécution d'objectifs qui lui sont extérieurs ; et réciproquement, le politique n'exerce convenablement son rôle de décideur que s'il ne perturbe pas les tâches administratives.

Les garanties de carrière ainsi que le principe de la hiérarchie sont préservés de toute ingérence politique. Les élus évitent de politiser l'administration, c'est-à-dire de recruter le personnel selon des critères d'allégeance partisane plutôt que de mérite et de compétence. L'élu porte une attention particulière aux besoins du personnel administratif sans court-circuiter la hiérarchie ou intervenir directement dans le travail des services. En retour, le fonctionnaire se montre un administrateur loyal et discret, quel que soit le parti au pouvoir, pourvu qu'il soit protégé contre la politisation de sa fonction et que sa carrière dépende uniquement de sa compétence technique. Pour le fonctionnaire, ce qui doit importer c'est le zèle, la performance et la loyauté et non pas les idéologies et les programmes des partis au pouvoir comparativement à ses opinions personnelles. Il accepte d'exécuter des décisions dont la définition lui échappe puisqu'elle relève de la compétence exclusive des parlementaires et des gouvernants.

Selon Weber, la distinction entre administration et politique est devenue un élément essentiel au bon fonctionnement des États. La bureaucratie est le complément nécessaire à l'autorité du pouvoir politique. Celui-ci serait incapable d'agir s'il ne pouvait compter sur une administration publique régie selon les principes bureaucratiques. Les décisions arrêtées sur le plan politique sont appliquées par un corps d'exécutants compétents, efficaces et obéissants, organisés selon un système précis et hiérarchisé de fonctions. Le pouvoir politique se dote ainsi d'un instrument supérieurement efficace qui lui assure une exécution fidèle et diligente tout en le débarrassant des tâches qui peuvent gêner la recherche des choix à faire et des décisions à prendre. Mais, il faut le répéter, le pouvoir politique doit respecter les principes de fonctionnement de cet instrument d'action incomparable s'il veut en préserver l'efficacité.

Tel est le modèle classique d'organisation bureaucratique, appelé « wébérien » en raison de l'influence prépondérante du sociologue allemand. On peut résumer ce modèle en soulignant qu'il est pensé en entier comme un équilibrage entre les droits et les devoirs du bureaucrate (Boudon et Bourricaud, 1982). Le salaire du bureaucrate, en accord avec les exigences de son rang, la sécurité d'emploi et les garanties de carrière lui sont octroyés pour qu'il intériorise davantage son rôle. Ces garanties et avantages le placent à l'abri des sollicitations du public et de l'arbitraire des autorités supérieures. Simultanément, ils l'astreignent à ne pas dépasser sa compétence juridictionnelle, d'ailleurs strictement délimitée.

Weber a cru à l'incontestable supériorité technique de la bureaucratie sur toute autre forme d'organisation, tant du point de vue de la précision, de la rapidité et du contrôle que de la continuité dans l'action. Il a prédit que les principes bureaucratiques allaient toucher toutes les organisations (entreprises, Églises, armées, administrations publiques, syndicats, partis) et qu'ils deviendraient indispensables au fonctionnement du monde moderne, quel que soit le mode de production (capitaliste ou socialiste) du système économique. Cette prédiction s'est en partie révélée juste : les principes d'organisation bureaucratiques se sont largement répandus tout au long du XXᵉ siècle, sous des formes et à des degrés divers. En revanche, l'unanimité ne s'est pas faite quant à leur supériorité technique.

7.2
LA BUREAUCRATIE COMME PROBLÈME

La réglementation impersonnelle et formalisée, le recours aux experts, le contrôle de la hiérarchie, les garanties qui réduisent l'arbitraire et le favoritisme ... l'agencement de ces différents principes permet un fonctionnement efficace et objectif, selon des règles indépendantes des individus effectivement chargés de les appliquer. Voilà ce que nous dit la théorie. Or, nous savons bien que l'efficacité des organisations modernes, publiques ou privées, demeure fort éloignée de l'idéal type de Weber, même quand les principes en sont appliqués. La bureaucratie, au sens péjoratif qui lui est maintenant accolé, apparaît plutôt comme une perversion de type wébérien.

On en retrouve bien tous les traits, mais sous une forme excessive et redondante : la formalisation trop rigide, la spécialisation poussée à l'extrême, la hiérarchie démesurée, la multiplication des garanties données aux diverses strates et aux agents titulaires, l'incapacité de s'adapter aux changements extérieurs.

Pour expliquer ce phénomène, un premier niveau d'analyse consiste à attribuer les imperfections de la bureaucratie à des facteurs purement techniques. On suppose alors que la bureaucratie est un mode d'organisation parfait en théorie mais qui, dans la réalité, pose de sérieux problèmes d'application.

De fait, le modèle bureaucratique est très exigeant sur le plan technique. Il suppose une armature réglementaire suffisante pour rationaliser la gestion du travail quotidien, c'est-à-dire assez précise pour prescrire à l'avance toutes les situations de travail : affectation des tâches, contrôle de la comptabilité, ajustement des horaires, roulement du personnel, contrôle de qualité et de quantité, règles de sécurité, règles hiérarchiques, circuits de communication, etc. L'agencement de tous ces facteurs selon une rationalité parfaite devient quasi impossible dans le cadre des grandes organisations complexes. Les mini-distorsions qui se cumulent perturbent l'organisation et peuvent nuire considérablement à son efficacité.

Sur le plan technique donc, la complexité même du modèle explique ses imperfections pratiques. Mais ce serait une erreur que d'en rester à ce premier niveau d'analyse, car au-delà d'un principe technique d'organisation, la bureaucratie est un phénomène social lié à l'importance des sentiments et des facteurs affectifs sur le comportement des individus au travail. L'organisation du travail n'est pas qu'affaire de technique, elle touche profondément les gens dans leur existence. Sur le plan social et humain, il est loin d'être acquis que l'organisation la plus efficace sera obtenue par une simple combinaison d'impersonnalité, de spécialisation et d'encadrement hiérarchique contraignant.

Après des enquêtes menées auprès de certaines organisations publiques et privées, des sociologues en sont venus à la conclusion que le modèle wébérien entraînait chez les individus des dysfonctions ou des effets pervers, c'est-à-dire des réponses inattendues, contraires aux objectifs de départ. Ces réponses inattendues marquent en quelque sorte l'impact du facteur humain sur la logique bureaucratique. En ce sens, ce n'est pas parce que le modèle bureaucratique est mal appliqué qu'il ne fonctionne pas comme prévu ; il est dysfonctionnel dans ses résultats en raison même de ses implications sociales. Ceci mérite explication. Nous allons voir maintenant comment les répercussions sociales de la bureaucratie rendent ses traits excessifs.

Dysfonctions liées à la formalisation et à la spécialisation

Nous le savons, l'organisation bureaucratique repose sur le principe de la règle formelle et abstraite qui exprime cet effort de mise en ordre nécessaire à l'action rationnelle. Pour qu'une bureaucratie soit, comme le veut la théorie, précise, fidèle et efficace, il faut que le comportement de tous ses membres soit conforme aux modes d'action prescrits. C'est pourquoi l'organisation bureaucratique exerce une pression constante dans le sens de la méthode, de la prudence et de la discipline.

Le sociologue américain Robert Merton (1949, 1961) a montré comment cette recherche d'un comportement standardisé entraîne d'importantes conséquences non prévues qui sont contraires aux objectifs mêmes du modèle bureaucratique. Le bureaucrate, dans l'expérimentation quotidienne de son vécu professionnel, finit par développer une véritable « personnalité bureaucratique ». Comme son travail n'est évalué que selon le critère unique de la conformité aux règlements officiels, son objectif n'est plus d'innover ou de mieux servir la clientèle, mais plutôt de se conformer en tout à la discipline et aux règles qui deviennent une valeur en soi pour lui. On appelle ce phénomène *le déplacement des buts* : les règles, conçues d'abord comme un moyen technique pour solutionner des problèmes d'administration, deviennent une fin en soi. La procédure établie est valorisée indépendamment des résultats obtenus. Un formalisme rigide et routinier est la conséquence de cet attachement excessif à la lettre des règlements.

La spécialisation aussi risque d'entraîner des effets inattendus. Les dysfonctions prendront ici la forme de cloisonnements et de blocages. Pourquoi ? Parce que la fragmentation des tâches démoralise le personnel d'exécution en l'astreignant à des tâches routinières et répétitives, et en le coupant du produit fini de leur travail. Aussi, parce que la spécialisation favorise le regroupements des spécialistes qui ont leurs méthodes, vocabulaires et intérêts propres. Une unité de l'organisation sera dominée par le sous-groupe des ingénieurs, une autre par le sous-groupe des comptables, une autre par celui des juristes, etc.

Ce phénomène a été étudié par Philippe Selznick (1949). Plus les spécialistes ont de responsabilités dans leur domaine, plus ils sont formés en fonction de ce domaine et plus ils se retranchent sur ce domaine propre. Chaque sous-groupe de spécialistes vit replié sur lui-même, avec ses méthodes et ses procédés, et cherche à se soustraire à la contrainte que représente pour lui l'ajustement aux autres sous-groupes. Les objectifs des sous-groupes prennent une importance toujours plus grande dans les décisions quotidiennes et divergent sinon entrent en contradiction avec ceux de l'organisation dans son ensemble.

Les sous-groupes privilégient leurs propres objectifs par rapport au programme total de l'organisation. Ce processus peut facilement dégénérer en cercle vicieux. La direction se rend compte que l'organisation n'atteint pas ses objectifs et elle veut corriger la situation. Comment va-t-elle s'y prendre ? Tout naturellement, par une nouvelle fragmentation et spécialisation des rôles, ce qui à long terme repose les mêmes problèmes. Un cercle vicieux bureaucratique se produit ainsi dans une logique de délégation de l'autorité par fonctions spécialisées. Il peut conduire à un cloisonnement des activités qui empêchera toute coordination rationnelle. La multiplication des blocages paralyse l'organisation dans son ensemble.

Une hiérarchie trop lourde

On se souvient que le principe de hiérarchie répond à deux objectifs : 1er un contrôle total de l'ensemble des activités, et 2e la suppression de l'arbitraire dans les relations de commandement. La quête de ces deux objectifs implique un risque de cercle vicieux bureaucratique.

Alvin Gouldner (1954) et Michel Crozier (1963) sont les deux classiques à mentionner ici. Crozier surtout s'est attaché à montrer pourquoi la direction, l'encadrement intermédiaire et le personnel d'exécution étaient portés à réagir de la même façon, par un accroissement des règles formelles dans les rapports de commandement, même s'ils sont en désaccord sur le contenu spécifique des solutions à trouver. Ces règles deviennent alors de plus en plus nombreuses et proliférantes.

La direction d'abord. Pourquoi attache-t-elle une telle importance aux règles formelles de commandement ? Parce qu'elles permettent le contrôle à distance en spécifiant à l'avance et de façon impersonnelle ce qui doit être fait à chaque échelon de la hiérarchie. La recherche du contrôle répond à l'objectif obsessionnel dans une bureaucratie : tout prévoir. Cela suppose qu'à tous les niveaux de la hiérarchie, les bureaucrates travaillent selon les règles établies et ne résistent pas aux ordres. En principe, l'obéissance est obtenue parce que chacun a la garantie que l'autorité s'exercera selon ces règles établies et non pas de façon arbitraire. La direction aussi est soumise à cette contrainte stricte. Elle est tenue de respecter le cadre légal de l'organisation. Mais il faut bien voir que c'est elle qui fixe ce cadre, en vertu même du principe de la hiérarchie. Le pouvoir de déterminer les règles est inégalement réparti puisque plus une mesure est de portée générale, plus elle doit être prise à un degré élevé de la hiérarchie. La direction détient ainsi des atouts considérables. Elle détermine les règles d'organisation, la gestion du personnel, le contrôle de l'embauchage, les modalités de congédiement et de promotion, etc. Elle peut s'octroyer d'énormes privilèges et les introduire dans les statuts : meilleurs salaires, avantages sociaux, comptes de dépenses généreux, etc. Sous prétexte de spécialiser le travail, elle peut le découper en tâches élémentaires de façon à déqualifier le personnel et le rendre plus vulnérable et facile à remplacer. Elle peut assigner des responsabilités sans accorder les moyens d'action correspondants, ou encore, fractionner artificiellement les champs d'attribution de façon à rester la seule compétente dans tous les domaines. Et pour accroître son prestige, quoi de plus simple que de multiplier le personnel d'encadrement supérieur quitte à comprimer les effectifs ailleurs.

Au niveau de l'encadrement intermédiaire maintenant, le principe de la hiérarchie remplit une fonction d'écran et de protection. Évoquer la hiérarchie est commode pour un petit chef qui veut éviter les responsabilités et ne pas se compromettre. Il n'a qu'à retourner plus haut tout dossier dont le traitement comporte un risque quelconque. On ne peut rien lui reprocher s'il applique la règle. De plus, le principe de la hiérarchie facilite la tâche de commandement du supérieur immédiat face à ses subordonnés : en imposant une sanction, il ne fait qu'appliquer le règlement qui précise à l'avance les manquements susceptibles d'être punis. La règle peut aussi servir de marchandage : le supérieur cherche alors à susciter de bonnes dispositions chez ses subordonnés en jouant sur l'application plus ou moins stricte des règles. Il se montrera indulgent sur certains aspects pour mieux s'assurer la coopération de ses subordonnés sur d'autres. Au besoin, il tolérera un rendement faible afin d'éviter les conflits et les « histoires » qui pourraient nuire à son autorité et attirer fâcheusement l'attention de ses propres supérieurs. Il se gardera bien sûr d'informer ses supérieurs de tous ces marchandages informels, et c'est ainsi que l'information, plutôt que de remonter fidèlement jusqu'au sommet, bloque aux différents niveaux de la hiérarchie. Au bout du compte, plus personne ne porte la responsabilité de ses choix, puisque les conséquences n'en sont pas connues précisément, la chaîne étant tellement longue entre le centre de décision et les échelons d'exécution. Si une décision se révèle mauvaise, qui l'a prise ? Plusieurs secteurs seront concernés et le processus de décision se perdra dans les dédales administratifs sans qu'on puisse vraiment identifier le responsable.

Les règles formelles de commandement n'apportent pas seulement un soutien aux chefs et à la direction, elles constituent aussi une protection pour les employés, et ce de trois façons. D'abord, elles permettent l'apathie : en spécifiant le minimum acceptable, elles protègent l'employé et l'autorise à ne pas vraiment participer. Il n'a qu'à faire ce que la règle lui commande. Son attitude est en cela parfaitement symétrique à celle de son supérieur. Tant que les employés fournissent cet effort minimum, aucune sanction ne peut être prise contre eux. La règle, comme norme minimale de travail, devient même une norme de groupe : celui qui chercherait à se singulariser en travaillant plus que les autres sera considéré avec hostilité par ses collègues, peut-être même sera-t-il frappé d'ostracisme ou traité en paria au service des patrons. En second lieu, pour l'employé aussi les règles sont un instrument de négociation : il négocie d'autant mieux avec son chef, que les règles deviennent surabondantes et ne peuvent pas être appliquées toutes également. En troisième lieu, le formel réduit le pouvoir arbitraire des chefs et de la direction : les employés et leurs syndicats exercent une pression constante pour une codification toujours plus précise de l'autorité. Il faut que la réglementation formelle traduise un rapport de force qui leur soit favorable au lieu d'être tout à l'avantage de la direction.

En résumé, les règles formelles de commandement prolifèrent, et pour répondre à une obsession de contrôle, et pour permettre de réduire les tensions entre les différentes parties en présence. Elles répondent au besoin de protection des individus ; reste à comprendre comment se créent ces cercles vicieux autour des effets inattendus de ce principe de hiérarchie.

La direction, par une réglementation précise, entend obtenir du personnel un rendement conforme et efficace. Ces règles ont toutefois pour effet de renforcer le comportement apathique du personnel ; nous avons vu pourquoi. Devant la faible motivation, la direction a recours à des contrôles encore plus contraignants. La conséquence naturelle en sera le maintien de l'apathie, suivi d'un nouveau renforcement des contrôles, et ainsi de suite.

Le formel, la procédure et la hiérarchie ont, en principe, pour fonction d'instituer une plus forte rationalité technique. Dans les faits, ces traits bureaucratiques se développent au gré des rapports de force supérieur-subordonné, direction-syndicat, contrôleur-opérateur, etc. L'enjeu, pour chaque partie en présence, est d'obtenir toujours plus de règles qui viendront limiter la marge de manœuvre de l'autre partie. Les nouveaux avantages consentis aux uns poussent les autres à exiger des garanties supplémentaires, et ainsi de suite.

Un autre cercle vicieux, observé par Crozier (1963), conduit la direction à édicter des règles centrales de plus en plus abstraites et inopérantes. Dans une grande organisation bureaucratique, le sommet, qui décide, est éloigné de la base, qui applique ; loin en termes géographiques souvent, mais loin surtout parce qu'il y a blocage de la communication. L'information remonte mal. Comme le sommet n'est pas au courant de ce qui se passe concrètement, il prend des décisions à partir de considérations abstraites ou en s'autorisant de précédents. Les décisions sont forcément très rigides et mal adaptées aux problèmes concrets qui existent sur le terrain. La nécessité pratique de procéder à des adaptations permet aux exécutants de s'arroger une marge de manœuvre, des « zones d'incertitude » au sein desquelles ils se donnent le droit d'agir plus librement. Ainsi, des déviances se développent à la base, qui ne sauraient être tolérées par le sommet. Comment va-t-il tenter d'éliminer ces zones d'incertitude ? Bien entendu, en renforçant ce sur quoi il peut le mieux agir : les contrôles centraux formels. C'est ainsi que ces contrôles deviennent d'autant plus nombreux qu'ils sont moins efficaces.

Une bureaucratie sur-protégée et repliée sur elle-même

Le principe de carrière est destiné à encourager l'action disciplinée et la conformité aux règlements officiels. C'est dans la mesure où il se conforme aux règlements que le bureaucrate jouit pleinement de ses protections de carrière : promotion basée sur l'ancienneté, fond de retraite, sécurité d'emploi, augmentations de salaires, etc. Le principe de la codification des relations avec l'extérieur répond aux impératifs d'efficacité et d'équité dans le traitement des personnes. Dans la pratique toutefois, ces deux principes peuvent sur-protéger l'organisation à un point tel qu'elle peut se replier sur elle-même et ne plus réagir à l'évolution extérieure. Les garanties de carrière, tout comme les règles de commandement, constituent un enjeu central du rapport de force entre la direction et les syndicats. La volonté du personnel et des syndicats est de traduire, en règles écrites, un souci de plus de justice formelle et d'égalitarisme, sous formes d'uniformisation des conditions de travail, de meilleures chances de carrière, d'accès à la formation professionnelle, d'indices de rémunération, d'avancement basé sur l'ancienneté, de sécurité d'emploi absolu, etc. Au bout du compte, les conditions de travail sont davantage à la convenance du personnel, de son rythme de travail et de sa vie familiale qu'un souci de productivité ou d'adaptation à la clientèle. Les objectifs même du travail passent en second dans l'ordre des priorités. L'innovation cesse d'être une préoccupation. Le bureaucrate sait bien que ses initiatives ont peu de chances d'être récompensées et que son avancement dépend, en dernier ressort, de son ancienneté. (Il est fréquent d'ailleurs, qu'avec le temps, les effectifs deviennent surabondants dans les catégories supérieures d'emploi.)

Il y a plus. La multiplication des garanties de carrière a pour effet de développer un esprit de corps parmi les différentes catégories de personnel. Chaque catégorie défend ses intérêts acquis qui, finalement, tiennent dans les règles établies ; la règle qui garantit la carrière, la règle que l'on connaît bien et qui assure la quiétude. Les intérêts acquis s'opposent à tout ordre nouveau qui, soit supprimerait, soit remettrait en cause les avantages relatifs à la routine établie.

Le principe de la codification exige que toutes les possibilités d'échange entre l'organisation et l'extérieur aient été prévues à l'avance. Cette obsession de tout prévoir va ralentir considérablement le processus d'adaptation aux circonstances particulières non prévues (il y en a toujours). De plus, la codification favorise une dépersonnalisation extrême des relations avec le client. Quant à ce dernier, il n'aime pas être rangé dans une catégorie, car il est naturellement convaincu que son cas à lui revêt un caractère spécial et doit être considéré comme tel. Mais, comme la norme du bureaucrate est l'égalité de tous devant la règle, il ne peut distribuer exceptions et privilèges, en théorie du moins. La façon impersonnelle de traiter des questions qui, parfois, revêtent une signification personnelle très importante, crée une tension entre le client et le bureaucrate (pensons à notre exemple du citoyen au colis urgent). Cette tension est aggravée par les contraintes de la hiérarchie. Dans le cadre de sa fonction, l'autorité du bureaucrate est limitée, alors qu'aux yeux du public il représente l'organisation tout entière, avec le pouvoir et le prestige qui y sont attachés.

Face au mécontentement de la clientèle, deux attitudes s'offrent au bureaucrate : soit qu'il se réfugie derrière la règle et adopte une attitude formaliste « dénuée de sympathie et d'enthousiasme » (Thompson, 1975) ; soit qu'il profite de la multiplicité des règles contradictoires pour se ménager une marge de manœuvre et devenir un « arrangeur » aux yeux de ses clients (Dupuy et Thoenig, 1983, p. 39-63). Dans ce dernier cas, des « zones d'incertitude », ou écarts par rapport aux normes officielles, se développent à la frontière de l'organisation et de son environnement, ce qui incite la direction à établir de nouveaux contrôles centraux formels et contraignants.

Bureaucratie et administration publique

Nous comprenons mieux maintenant pourquoi les organisations dont les structures ressemblent au modèle de Weber développent des dysfonctions telles que complications inutiles, standardisations contraignantes, etc. Les dysfonctions de la bureaucratie ne sont pas seulement liées à des imperfections techniques, elles sont aussi le produit de stratégies que mènent les bureaucrates et qui visent à éliminer toute forme d'arbitraire et d'incertitude dans les relations de travail. Les cercles vicieux bureaucratiques naissent de la recherche de deux idéaux, hors d'atteinte : 1er la volonté de tout prévoir et contrôler, et 2e la recherche de la sécurité absolue. Ces idéaux sont hors d'atteinte car il y a toujours une part d'incertitude dans l'action collective.

Bien entendu, le degré d'incertitude peut varier énormément. Une organisation risque davantage de se bureaucratiser lorsqu'elle est à l'abri de toute incertitude, en particulier de l'instabilité qui émane de l'extérieur. Inversement, si une organisation doit constamment se réajuster aux changements extérieurs sous peine de disparaître, il lui sera difficile de se replier confortablement sur ses procédures et ses routines. Le degré d'incertitude auquel est soumise une organisation varie en raison de plusieurs facteurs : les mouvements de personnel, les innovations technologiques, les contraintes naturelles, les flux d'approvisionnement, la formation de la main-d'œuvre, l'instabilité politique, ... Une source d'incertitude importante vient de la concurrence sur le marché économique. Ainsi, une organisation sera dans une situation instable si elle doit faire mieux que ses concurrents pour survivre.

Les administrations publiques évoluent généralement dans des conditions de plus forte stabilité que les entreprises privées, davantage exposées à la loi du marché concurrentiel. La plupart des organisations du secteur public se financent à même les fonds publics et non grâce à leur capacité de vendre leurs biens et services plus cher qu'il ne leur en coûte pour les produire. Leur financement est garanti ; elles ne peuvent être mises en faillite car on estime qu'elles remplissent un service communautaire qui ne doit pas dépendre du seul critère de rentabilité. Plusieurs organismes publics jouissent même d'une situation de monopole dans leur secteur : seuls à délivrer un service ou un bien, ils ne rencontrent aucune concurrence. Ce monopole peut être institutionnel, c'est-à-dire garanti par la loi. Une école de pensée importante, dominée par des économistes, l'école du *public choice*, a beaucoup étudié cette question du monopole comme facteur qui autorise une organisation à se réfugier derrière ses propres règles sans se préoccuper davantage d'un public qui ne peut se réfugier ailleurs s'il est insatisfait de la façon dont on le traite (Bélanger, 1981 ; Breton, 1974 ; Greffe, 1981 ; Migué, 1979 ; Niskanen, 1971, 1973 ; Tullock, 1965). Selon ces auteurs, le secteur public est moins performant que le secteur privé parce qu'il se soustrait à la sanction du marché, d'où les dépenses toujours croissantes nécessitées par son fonctionnement (pour une discussion : Blais, 1982 ; Blais et Dion, 1987, 1990, 1991).

Le monopole institutionnel est un premier facteur qui expose particulièrement l'administration publique aux dysfonctions bureaucratiques. Deux autres facteurs jouent dans le même sens : l'un est lié à l'exercice du pouvoir politique, l'autre à la nature particulière du rapport patronal-syndical dans le secteur public.

L'exercice du pouvoir politique exige, dans une large mesure, une structure qui doit rester hiérarchisée puisque les décisions importantes doivent être arrêtées par les élus de la nation. Dans le même temps, le principe de la distinction entre administration et politique interdit aux élus de court-circuiter la hiérarchie administrative. Les élus veulent garder le contrôle de l'administration à mesure que croissent ses budgets, ses effectifs, son intrusion dans la vie quotidienne des citoyens. Pour cela, les élus auront tendance à privilégier l'échelon administratif supérieur puisque c'est le seul avec lequel ils peuvent entrer en relation régulièrement, sans problème, et en toute légitimité. Ce faisant, ils sont conduits à accentuer les traits bureaucratiques d'une administration dont les responsabilités formelles se concentrent au sommet. De plus, les élus se soucient beaucoup de leur popularité auprès de l'électorat, car elle est la condition même de leur survie politique. Conserver le pouvoir exige de la prudence dans la mise en œuvre des politiques. Cet impératif de prudence peut devenir un facteur supplémentaire de démobilisation de la fonction publique (Givaudan, 1982). En effet, un fonctionnaire dont le dossier a été bloqué, ou le travail remis en cause pour des considérations politiques ou électorales, sera susceptible, on le comprend, de faire preuve de moins d'initiative dans l'avenir.

Les relations patronales-syndicales se présentent de façon particulière dans le secteur public. L'homme politique est un patron différent de celui du secteur privé, car il a tendance à se préoccuper davantage de popularité électorale que de rentabilité économique. Du moins l'échéance électorale est-elle pour lui une contrainte plus concrète que l'économie. Des grèves légales ou « sauvages », des conflits de travail qui s'éternisent, des interruptions répétées dans la prestation des services publics risqueraient de mécontenter les électeurs et d'éveiller des inquiétudes quant à la capacité du pouvoir politique de dominer la situation. Les fonctionnaires eux-mêmes forment une catégorie d'électeurs dont il est important de gagner les faveurs. Les syndicats de fonctionnaires jouent sur le fait que la mission publique dont l'État est investi ne saurait se résumer au seul critère de rentabilité ou de productivité (Bolduc *et al.*, 1982). Plutôt que de prolonger l'affrontement, l'État-patron se réserve la possibilité de financer les revendications syndicales en recourant à l'impôt, ou mieux, en augmentant le déficit de façon à repousser le vrai fardeau fiscal dans l'avenir. Tous ces facteurs aident les syndicats à obtenir davantage de concessions, tant sur le plan des conditions de travail que des rétributions. Par la suite, il devient impossible de revenir sur ces « droits acquis » ou « conquêtes sociales » sans perturber gravement les relations de travail et le climat politique.

Les dysfonctions bureaucratiques ne sont évidemment pas l'apanage du secteur public. On les retrouve aussi dans le secteur privé et toute comparaison en la matière exige beaucoup de prudence (Breton, 1982 ; Parenteau, 1992 ; Sales et Bélanger, 1985). Il faut cependant garder à l'esprit que la situation de monopole institutionnel, l'enjeu politique et les contraintes de l'État-patron sont autant de facteurs particuliers qui peuvent accentuer les traits bureaucratiques de l'administration publique.

7.3
LA BUREAUCRATIE COMME DILEMME

Bien sûr, des solutions existent pour lutter contre les traits excessifs de la bureaucratie. Aucune d'elles cependant ne peut être considérée comme une panacée. Les trois solutions le plus souvent proposées sont l'autorité renforcée, le marché et la participation. Une quatrième, en ce qui concerne précisément l'administration publique, est parfois suggérée : la politisation des effectifs.

La solution autoritaire

L'autorité est affaiblie dans une bureaucratie où se multiplient les garanties de toutes sortes telles que sécurité d'emploi, règle de l'ancienneté, grilles salariales, etc. Une solution pour rendre l'organisation plus dynamique consisterait à conserver le principe hiérarchique tout en vidant de son contenu le principe de carrière, c'est-à-dire renforcer les lignes verticales de commandement et supprimer les garanties statutaires qui protègent la paresse et l'incompétence. La direction retrouve la latitude voulue pour pénaliser l'inefficacité et récompenser le rendement. L'effort individuel et le zèle sont encouragés par le lien concret établi entre la gratification et la performance des individus. L'évaluation des performances est opérée de façon systématique et variée, dans un objectif d'imputabilité, avec systèmes de sanctions-récompenses à l'appui. L'espace de manœuvre syndical est réduit considérablement, voire éliminé, et la réduction des charges de personnel devient la priorité budgétaire.

Cette solution autoritaire, qui prévaut dans de nombreuses entreprises, est souvent préconisée pour élever le rendement du secteur public. Elle restaurerait une certaine souplesse mais détériorerait le climat de travail en plus d'augmenter considérablement l'arbitraire dans l'évaluation du rendement des fonctionnaires. L'ambiguïté et la multiplicité des critères d'évaluation du service public rendent malaisée son appréciation (Simard et Otis, 1992), de sorte qu'il est difficile de départager les responsabilités de chacun (Lemay, 1988 ; Patry, 1992a et b). Pour y parvenir, on déploie à grands frais des services d'évaluation internes ou on fait appel à des consultants privés dont l'efficacité est mise en doute (Gow, 1991 ; Quermonne, 1991, p. 270-299 ; Savoie, 1990, p. 126-147). Les gratifications individuelles plutôt que collectives développeraient l'individualisme et les comparaisons jalouses de statut et de salaire. Le principe de carrière comporte certes de nombreux désavantages mais, comme le signalait déjà Weber, il est souvent le prix à payer pour attirer un personnel qualifié vers l'administration publique. Enfin, la solution autoritaire risque d'aggraver les cercles vicieux liés à la multiplication des règles de commandement.

Le marché contre la bureaucratie

Préconisée en particulier par plusieurs auteurs de l'école du *public choice*, la solution du marché vise aussi à revenir à la logique de l'efficacité, mais par d'autres voies que la seule restauration de l'autorité hiérarchique. Pour plus d'économie et de transparence dans l'utilisation des deniers publics, il faut briser le monopole et le soumettre à la concurrence ; modeler l'administration selon les principes de l'entreprise concurrentielle ; supprimer la gratuité des services qui fait que la collectivité nationale en supporte le coût. S'il y a déficit, il faut réduire les dépenses et sabrer dans les postes administratifs plutôt que dans le service à la clientèle. Les administrations seront bien obligées de déployer plus d'efforts pour satisfaire la clientèle, qui cessera d'être prisonnière de leurs prestations.

L'hypothèse ici est que la concurrence offre plus d'avantages que d'inconvénients. Mais peut-être faut-il distinguer les différents champs d'action du service public. On voit bien comment cette solution peut s'appliquer aux entreprises publiques déjà soumises à la concurrence ou qui pourraient facilement s'ouvrir au marché. Face à la pression concurrentielle, certaines entreprises deviendraient des firmes performantes à condition que l'on renonce à s'en servir à la fois comme locomotives sociales et comme vaches à lait de l'État. En revanche, il est difficile de concevoir comment la loi du marché pourrait s'étendre aux activités traditionnelles de l'administration, là où dominent l'application et l'interprétation des normes juridiques et des règlements impersonnels comme la justice, une bonne partie du domaine financier, la perception des impôts, l'inspection du travail, la police. Enfin, il est permis d'entretenir des doutes sur la capacité du marché de protéger les personnes, les minorités, la culture, l'environnement, ou d'assurer une équité dans la distribution des biens et services sur tout le territoire et pour toutes les catégories de population.

La participation contre la bureaucratie

Comme remède aux dysfonctions bureaucratiques, de nombreux écrits proposent un modèle d'organisation plus participatif, collégial et démocratique. Il s'agit d'atténuer les relations d'autorité, de briser le carcan hiérarchique, d'ouvrir l'organisation sur son environnement et de déplacer les responsabilités à la base, tout cela dans le but d'accélérer la prise de décision, alléger les circuits de communication, rapprocher les services des usagers et obtenir la participation de tous les membres de l'organisation. L'objectif fondamental est de libérer l'énergie et la créativité qui existent à l'état latent dans le personnel en misant sur la *qualité de vie au travail* (QVT).

Plusieurs techniques sont proposées dans le but de remplacer le système de valeur dépersonnalisé de la bureaucratie par les idéaux de démocratie et d'humanisme (Bélanger, 1983). Les études en *développement organisationnel* (DO), dont l'un des chefs de file est W.J. Bennis (1966, 1976), ont mis au point une technique d'intervention dont l'objectif est de changer la « culture » des organisations en tablant davantage sur les relations informelles pour accroître la créativité (pour une synthèse en français voir : Morin, 1976). D'autres techniques plus précises visent à améliorer la qualité de vie au travail. Par *l'enrichissement des tâches*, proposé au départ par F. Herzberg (1966), on augmente les responsabilités de planification, d'organisation et de contrôle du travail chez les exécutants. Par l'implantation des *groupes semi-autonomes*, on donne à des équipes de travail la possibilité de planifier elles-mêmes les tâches et de les répartir librement entre les membres. Importés du Japon, les *cercles de qualité* élargissent le droit d'expression et les capacités d'initiative des employés. La *direction participative par objectifs* (DPPO), dont deux promoteurs importants sont P. Drucker (1954) et D. MacGregor (1966), fait en sorte que l'ensemble des personnes assurant la vie de l'organisation participe, selon les modalités appropriées, à la définition des objectifs, à leur exécution et à leur contrôle, dans un souci de développement personnel et collectif (pour une présentation en français voir : J.-L. Langevin *et al.*, 1979). Des modèles coopératifs, démocratiques ou autogestionnaires proposent l'institution des collèges élus et/ou l'appropriation collective de l'organisation par ses membres.

En ce qui concerne spécifiquement le secteur public, l'école américaine dite de la « nouvelle administration publique » (Frederickson, 1980 ; Marini, 1971 ; Waldo, 1971, 1980) cherche à remplacer le cloisonnement par la vue d'ensemble, la rigidité par la souplesse des tâches, la centralisation par la répartition des responsabilités, le primat de la hiérarchie par celui de la communication latérale et la tendance à la fermeture par l'ouverture active sur l'extérieur. Plus récemment, un auteur d'orientation humaniste (Golembiewski, 1985) a soutenu que l'administration publique pourrait être significativement améliorée au moyen d'une gestion participative. Les courants de gestion les plus récents en ce domaine visent le développement de la culture organisationnelle (Symons, 1992) et de la qualité totale (Éthier, 1992).

Les propositions de tous ces auteurs renvoient finalement à la même idée, celle de participation. La priorité va à la confiance et non à la coercition, à l'informel plutôt qu'à la dépersonnalisation des rapports. Dans la mesure du possible, les objectifs ne sont pas imposés par la direction, mais fixés d'une manière participative de sorte que chacun soit concerné par leur réussite (Jacques, 1976).

Comme moyen de combattre la bureaucratie, la participation présente un intérêt évident dès l'instant, encore une fois, où on la considère autrement que comme une panacée. Il ne suffit pas d'instaurer des ouvertures plus grandes de participation pour que, du jour au lendemain, les comportements soient changés (Bennis, 1969 ; Crozier et Friedberg, 1977 ; Rothschild-Whitt, 1979). Il faut se souvenir que la tendance irrépressible de l'organisation bureaucratique à évoluer vers un fonctionnement dépersonnalisé et introverti répond au besoin d'indépendance et de sécurité des individus. La bureaucratie est sans doute difficile à supporter, mais elle apporte des protections. La possibilité, pour l'individu, de négocier son zèle diminue lorsque la participation devient obligatoire ; en ce sens, une organisation démocratique à forte participation est plus contraignante qu'une organisation bureaucratique à faible participation.

L'organisation démocratique et participative est en effet très exigeante ; elle requiert beaucoup d'implication de ses membres. En premier lieu, elle suppose la négociation constante d'un fort consensus, lequel est loin d'être acquis à l'avance. L'offre de participation, lorsque « octroyée » par la direction, peut être assimilée à une forme de manipulation, à un accroissement de la charge de travail, à l'introduction sournoise d'un contrôle réciproque entre les individus. Les syndicats en particulier, qui se sentent court-circuités, menacés dans leur pouvoir en tant que représentants des syndiqués, peuvent favoriser un climat de méfiance face à cette « inhabituelle sollicitude humaniste » de la direction.

En second lieu, la démocratie participative nécessite beaucoup de temps et d'énergies à consacrer en réunions. Elle aussi risque de se rigidifier et de mettre davantage l'accent sur la procédure que sur le contenu de l'action. Exaltante au début, elle peut lasser à la longue. Les individus qui cherchent à diminuer leur implication vont découvrir de nouveaux attraits dans les principes bureaucratiques. Les raisons qu'ils peuvent évoquer sont nombreuses et semblent toutes défendables lorsqu'on les considère une à une : mieux suivre l'application des décisions, contrôler les dépenses, normaliser, protéger de l'arbitraire et garantir une certaine équité. On allègue que les règlements, directives, conventions, normes et procédures permettent de se référer à un dispositif stable et uniforme qui évite de toujours repartir à zéro. On explique qu'il est utopique de croire en une action concertée et complexe qui se passe de tout principe de hiérarchie, un pouvoir également partagé par tous. On dira que la hiérarchie est nécessaire et notamment dans le secteur public où il faut bien que les décisions soient prises en dernier ressort par les dirigeants politiques élus. On préférera s'en remettre à une autorité centrale lointaine, diffuse et impersonnelle, plutôt que de prendre des responsabilités risquées et de se soumettre au contrôle quotidien des pairs. La sujétion s'accepte mieux lorsqu'elle est lointaine.

Les tendances évoquées ici n'ont rien de fatal ; elles indiquent simplement que les individus sont plus attachés à la bureaucratie qu'ils ne le croient d'habitude et que la participation est moins une solution toute faite qu'un problème à résoudre.

La politisation contre la bureaucratie*

Ces dernières années, les changements de gouvernement ont porté à l'avant-scène de l'actualité un discours favorable à la politisation active de l'administration publique. Des changements de personnel plus ou moins brusques et massifs sont préconisés partout où le politique et le technique sont considérés comme étroitement liés, non seulement aux plus hauts postes de l'État, comme il est devenu de tradition, mais aussi aux échelons intermédiaires et dans les entreprises publiques dont le nombre s'est multiplié. Le gouvernement devrait rester libre de remplacer ce personnel s'il estime que cela est nécessaire au succès de sa politique. Parmi les résultats à

---

* Nous résumons ici quelques éléments d'un article de DION (1986) paru sur ce thème.

attendre d'une telle politisation, mentionnons la possibilité de secouer la bureaucratie. On fait valoir que les élus sont en droit de se choisir un entourage à leur mesure, déterminé à servir avec enthousiasme le parti qui a recueilli la faveur populaire. Au lieu de se draper du manteau de l'apolitisme, les fonctionnaires seront concernés, au même titre que les élus, par les objectifs politiques à atteindre. La crainte de perdre leur situation en même temps que le pouvoir leur inspirera une motivation supplémentaire à effectuer leur travail avec zèle.

Ce plaidoyer est loin de faire l'unanimité. Les raisons qui militent en faveur d'une administration permanente, professionnelle et non partisane sont suffisamment fortes pour que la politisation active soit considérée avec une extrême circonspection. En effet, par le favoritisme politique, on s'expose au risque que les partis vainqueurs, à peine installés dans les ministères, sacrifient la compétence à la docilité et aux sympathies partisanes. Jusqu'où s'étendra la nouvelle ligne de démarcation entre politique et administration ? Pourquoi le pouvoir s'arrêterait-il en route dès lors que le succès ne dépend pas uniquement de quelques dizaines de hauts fonctionnaires et que le soutien actif des agents moyens et subalternes n'en est pas moins indispensable ? La politisation active risque d'échapper à tout contrôle. Le gouvernement du jour se méfiera des responsables administratifs qui se sont engagés avec l'ancien parti et aura tendance lui aussi à vouloir placer ses hommes. Chez le militant orphelin de pouvoir et chez le fonctionnaire frustré de son avancement, la politisation multiplie les brimades et entretient le goût de la revanche. Chaque processus de politisation s'autorise ainsi du précédent.

Il est probable d'ailleurs que la politisation soit un moyen d'action aléatoire contre la bureaucratie. Les hommes de confiance que le pouvoir met en place afin de secouer l'administration se heurtent à la résistance des fonctionnaires, dont ils veulent bousculer les pratiques, et des cadres statutaires, auxquels ils viennent ravir les meilleures possibilités d'avancement. Relais du pouvoir politique, ils se laisseront peu à peu récupérer par le système bureaucratique et deviendront les défenseurs des services qu'ils devaient réformer.

Une administration de carrière est protégée des caprices du pouvoir et assure une continuité dans le traitement des affaires publiques. Elle facilite l'alternance des gouvernements et permet d'éviter la décapitation répétée des institutions (administrations, entreprises d'État, tribunaux, banques, universités, ambassades, etc.).

Enfin, et surtout, une administration politisée risquerait d'être régie par des considérations partisanes dans la façon dont elle assure le service rendu au public. À la limite, l'égalité devant le service disparaît, l'administré étant traité en ami ou ennemi du « boss » partisan. L'administration gagne en confiance auprès du citoyen lorsqu'elle offre des garanties solides de son indépendance à l'égard de l'arbitraire politique. Cette confiance se verrait sapée par un retour en force du *spoils-system*, du favoritisme partisan.

CONCLUSION

Alors, la bureaucratie, perversion ou moindre mal ? Tout ce qui se dit sur le modèle d'organisation bureaucratique est rarement faux en soi, mais relève le plus souvent d'une vision en noir et blanc d'un phénomène beaucoup plus complexe. La bureaucratie n'est ni le *one best way* ni le *one worst way* de l'action organisée, elle renvoie plutôt à des dilemmes, à des choix comportant leurs côtés positifs, mais aussi leurs inconvénients.

Prenons le principe d'impersonnalité. Il est froid, rigide et parfois absurde, mais en même temps il purge le particularisme, l'aléatoire et l'arbitraire. Ne serait-ce pas ouvrir la voie aux discriminations les plus odieuses que de l'abandonner complètement ? Pensons à ce que serait par exemple une justice purement personnalisée : nous ne supporterions pas que le juge, le policier, le collecteur d'impôt ou encore l'employé des postes, pour reprendre l'exemple du début, soient libres d'exercer leur métier selon la sympathie ou la répulsion que leur inspirent les gens. Une dose d'impersonnalité est donc le prix à payer pour combattre le favoritisme, la pression et le chantage (Crozier, 1979, p. 100-104).

Un autre dilemme : la réglementation formelle et écrite. Le sociologue américain Charles Perrow (1972, p. 44) a déjà fait remarquer que la bureaucratie s'offrait comme un bouc émissaire tout trouvé, car il était facile de voir en elle la cause de tous les embêtements. Quand les choses vont bien, nous parlons de coopération, quand elles vont mal, nous attribuons la faute à la « satanée bureaucratie ». Mais, paradoxalement, nous nous résignons facilement à ce que l'établissement de règles toujours plus nombreuses soit présenté comme la seule solution rationnelle aux problèmes. En fait, il faut se souvenir que la bureaucratie se développe non pas tant en raison de son efficacité, comme le croyait Weber, qu'au gré des rapports de force et des stratégies individuelles ou collectives. Elle n'est pas l'émanation d'une logique propre et autonome (l'efficacité) mais le produit des relations humaines.

À quelles stratégies correspond la bureaucratie ? Certains voient en elle un délire d'autorité, d'autres un repli égoïste sur des privilèges réservés. En fait, elle répond à deux aspirations humaines : la prévision et la sécurité. Réponse imparfaite bien sûr, avec son cortège d'effets pervers non voulus. Mais attribuer ces effets pervers à une mauvaise volonté du personnel, à l'autoritarisme des dirigeants ou à la paresse des employés, c'est se limiter à une vision superficielle des choses qui interdit toute compréhension profonde du phénomène bureaucratique.

Décidément, la bureaucratie se comprend mieux comme un dilemme. Comment prévoir une cohérence sans tuer l'initiative ? Purger l'arbitraire sans interdire le libre arbitre ? Aux organisations de toute nature, du secteur public comme du secteur privé, elle pose ces deux questions fondamentales.

BIBLIOGRAPHIE

ALBROW, M. (1970) *Bureaucracy*, Londres, Pall Mall.

BÉLANGER, G. (1981) *L'économique du secteur public*, Chicoutimi, Gaëtan Morin.

BÉLANGER, L. (1983) « Développement des organisations et qualité de vie au travail, un tour d'horizon », *in* J.-L. Bergeron *et al. Les aspects humains de l'organisation*, Chicoutimi, Gaëtan Morin, p. 313-337.

BENEVISTE, G. (1977) *Bureaucracy*, San Francisco, Boyd and Frazer.

BENNIS, W.J. (1966) *Essays on the Development and Evolution of Human Organization*, New York, MacGraw Hill Books.

BENNIS, W.J. (1969) « A Funny Thing Happened on the Way to the Future », *American Psychologist*, N° 25, p. 595-608.

BENNIS, W.J. (1976) « The Coming Death of Bureaucracy », *in* W.R. Nord (dir.) *Concepts and Controversy in Organizational Behavior*, Pacific Palisades, Californie, Goodyear Pub.

BLAIS, A. (1982) « Le public choice et la croissance de l'État », *Revue canadienne de science politique*, Vol. 15(4), p. 783-807.

BLAIS, A. et DION, S. (1987) « Les salariés du secteur public sont-ils différents ? » *Revue française de science politique*, Vol. 37(1).

BLAIS, A. et DION, S. (1990) « Are Bureaucrats Budget Maximizers ? The Niskanen Model and its Critics », *Polity*, Vol. 22(4), p. 655-674.

BLAIS, A. et DION, S. (1991) *The Budget Maximizing Bureaucrat : Appraisals and Evidence, Polity*, Pittsburgh, University of Pittsburgh Press.

BOLDUC, R. *et al.* (1982) « Le régime québécois de négociations des secteurs public et para-public », *Relations industrielles*, Vol. 37(2), p. 403-430.

BOUDON, R. et BOURRICAUD, F. (1982) *Dictionnaire critique de sociologie*, Paris, PUF, p. 38-64.

BRETON, A. (1974) *The Economic Theory of Representative Government*, London, Macmillan Press Ltd.

BRETON, A. (1982) *The Logic of Bureaucratic Conduct : An Economic Analysis of Competition, Exchange and Efficiency in Private and Public Organizations*, Cambridge, Cambridge University Press.

CASTORIADIS, C. (1973) *La société bureaucratique. 1 : les rapports de production en Russie*, Paris, Union générale d'éditions.

CROZIER, M. (1963) *Le phénomène Bureaucratique*, Paris, Seuil.

CROZIER, M. (1979) *On ne change pas la société par décret*, Paris, Grasset.

CROZIER, M. et FRIEDBERG, E. (1977) *L'acteur et le système*, Paris, Seuil.

DION, S. (1986) « La politisation des administrations publiques : éléments d'analyse stratégique », *Administration publique du Canada*, Vol. 29(1), p. 95-117.

DJILAS, M. (1957) *La nouvelle classe dirigeante*, Paris, Plon.

DRUCKER, P. (1954) *The Practice of Management*, New York, Harper and Row. (Traduction : *La pratique de la direction des entreprises*, Paris, Éditions d'Organisation, 1957.)

DUPUY, F. et THOENIG, J.C. (1983) *Sociologie de l'administration française*, Paris, Armand Colin.

ÉTHIER, G. (1992) « La qualité des services publics », *in* R. Parenteau (dir.) *Management public : comprendre et gérer les institutions de l'État*, Sillery, Les Presses de l'Université du Québec, p. 553-578.

FAYOL, H. (1916) *Administration industrielle et générale*, Paris, Dunod (réédition en 1979).

FREDERICKSON, H.G. (1980) *New Public Administration*, Birghmingham, University of Alabama Press.

GIVAUDAN, A. (1982) « Démocratie et bureaucratie », *Revue politique et parlementaire*, Vol. 1, p. 65-82.

GOLEMBIEWSKI, R. (1985) *Humanying Public Administration*, Mt Airy, Maryland, Conrad Publications.

GOULDNER, A. (1954) *Patterns of Industrial Bureaucracy*, Glencoe, Ill., Free Press.

GOW, J.I. (1991) « Les conseillers en gestion et l'administration publique : l'effet Rashomon », *Administration publique du Canada*, Vol. 34(3), p. 512-526.

GREFFE, X. (1981) *Analyse économique de la bureaucratie*, Paris, Économica.

GULICK, L. et URWICK, L. (dir.) (1937) *Papers on the Science of Administration*, New York, Institute of Public Administration.

HERZBERG, F. (1966) *Work and the Nature of Man*, New York, World Pub. (Traduction : *Le travail et la nature de l'homme*, Paris, Entreprise moderne d'éditions, 1971.)

HUMMEL, R.P. (1982) *The Bureaucratic Experience*, New York, St-Martin Press.

ILLICH, I. (1973) *Tools for Conviviality*, New York, Harper and Row. (Traduction : *La convivialité*, Paris, Seuil, 1973.)

JACOBY, H. (1973) *The Bureaucratization of the World*, Berkeley, University of California Press.

JACQUES, E. (1976) *A General Theory of Bureaucracy*, New York, Holsteed Press.

KAMENKA, E. (dir.) (1979) *Bureaucracy, the Career of a Concept*, London, E. Arnold.

LANGEVIN, J.-L. *et al.* (1979) *La direction participative par objectifs*, Québec, PUL.

LAPASSADE, G. (1967) *Groupes, organisations et institutions*, Paris, Gauthier-Villars.

LEFORT, C. (1983) *Éléments d'une critique de la bureaucratie*, Paris, Union générale d'éditions.

LEMAY, M. (1988) *L'imputabilité des hauts fonctionnaires fédéraux canadiens depuis le rapport Lambert*, Mémoire de maîtrise, Département de science politique, Université de Montréal.

MAcGREGOR, D. (1966) *Leadership and Motivation*, Boston, M.I.T. (Traduction : *Leadership et motivation*, Paris, Entreprises modernes d'éditions, 1975.)

MARINI, F. (1971) *Toward a New Public Administration*, Scranton, Chandler.

MERTON, R. (1949) *Social Theory and Social Structure*, Glencoe, Ill., Free Press.

MERTON, R. (1961) « The Bureaucratic Personnality » *in* A. Etzioni (dir.) *Complex Organization : a Sociological Reader*, New York, Holt.

MICHELS, R. (1914) *Les partis politiques. Essai sur les tendances oligarchiques des démocraties*, Paris, Flammarion. (La dernière édition française est de 1971.)

MIGUE, J.-L. (1979) *L'économiste et la chose publique*, Québec, PUQ.

MORIN, P. (1976) *Le développement des organisations*, Paris, Dunod.

NISKANEN, W.A. (1971) *Bureaucracy and Représentative Government*, Chicago, Aldine Atherton.

NISKANEN, W.A. (1973) *Bureaucracy : Servant or Masters ? Lessons from America*, Londres, Institute of Economic Affairs.

PARENTEAU, R. (1992) « Le management public n'est pas le management privé », *in* R. Parenteau (dir.) *Management public : comprendre et gérer les institutions de l'État*, Sillery, Les Presses de l'Université du Québec, p. 49-74.

PARKINSON, C.N. (1957) *Parkinson's Law and other Studies in Administration*, Boston, Mifflin. (Traduction : *1 = 2 ou les règles de M. Parkinson*, Paris, Laffont, 1957.)

PATRY, M. (1992a) « L'expérience des gouvernements en matière d'imputabilité », *in* R. Parenteau (dir.) *Management public : comprendre et gérer les institutions de l'État*, Sillery, Les Presses de l'Université du Québec, p. 327-348.

PATRY, M. (1992b) « L'imputabilité des administrateurs publics », *in* R. Parenteau (dir.) *Management public : comprendre et gérer les institutions de l'État*, Sillery, Les Presses de l'Université du Québec, p. 301-326.

PERROW, C. (1972) *Complex Organization : A Critical Essay*, Glenview, Ill., Scott, Foresman and Company.

PETER, L.J. (1969) *Peter Principle : Why Things Always Go Wrong*, New York, William Morrow and Company. (Traduction : *Le principe de Peter ou pourquoi tout va toujours mal*, Paris, Stock, 1970.)

QUERMONNE, J.-L. (1991) *L'appareil administratif de l'État*, Paris, Seuil.

RIGGS, F. (1979) « Schifting Meaning of the Term « Bureaucracy »», *International Social Science Journal*, Vol. 4, p. 563-584.

RIZZI, B. (1939) *La bureaucratisation du monde. 1 : l'URSS, collectivisme bureaucratique.* (Réédité aux éditions Champ libre, 1976.)

ROTHSCHILD-WHITT, J. (1979) « The Collectivist Organization : An Alternative to Rationale-Bureaucratic Models », *American Sociological Review*, Vol. 44(3), p. 509-527.

SALES, A. et BÉLANGER, N. (1985) *Décideurs et gestionnaires. Étude sur la direction et l'encadrement des secteurs privé et public*, Éditeur officiel du Québec.

SAVOIE, D. (1990) *The Politics of Public Spending in Canada*, Toronto, University of Toronto Press.

SELZNICK, P. (1949) *TVA and the Grass Roots*, Berkeley, University of California Press.

SIMARD, P. et OTIS, D. (1992) « La gestion de l'évaluation de programme au gouvernement du Québec », *in* R. Parenteau (dir.) *Management public : comprendre et gérer les institutions de l'État*, Sillery, Les Presses de l'Université du Québec, p. 481-502.

SYMONS, G.L. (1992) « Déconstruction de la culture organisationnelle », *in* R. Parenteau (dir.) *Management public : comprendre et gérer les institutions de l'État*, Sillery, Les Presses de l'Université du Québec, p. 97-114.

TAYLOR, F.W. (1947) *Scientific Management*, New York, Harper and Row. (Traduction : *La direction scientifique des entreprises*, Paris, Dunod, 1971.)

THOMPSON, V.A. (1975) *Whithout Sympathy or Enthusiasm : The Problem of Administrative Compassion*, Birmingham, University of Alabama Press.

THOMPSON, V.A. (1976) *Bureaucracy and the Modern World*, Morristown, N.J., General Learning Press.

TROTSKY, L. (1963) *La révolution trahie*, Paris, Minuit.

TULLOCK, G. (1965) *The Politics of Bureaucracy*, Wash. D.C., Public Affairs Press.

WALDO, D. (dir.) (1971) *Public Administration in a Time of Turbulence*, Scranton, Chandler.

WALDO, D. (1980) *The Enterprise of Public Administration : a Summary View*, Novato, Chandler.

WARWICK, D. (1974) *Bureaucracy*, Londres, Langman.

WEBER, M. (1922) *Économie et société*. (Édité en français aux éditions Plon, 1971.)

WILSON, T.W. (1887) « The Study of Public Administration », *Political Science Quarterly*.

Chapitre 8
La technocratie

Stéphane Dion

PLAN

FORCE DE LA TECHNOCRATIE

Permanence du haut fonctionnaire
Compétence du haut fonctionnaire
Les réseaux d'influence du haut fonctionnaire
Des élus incompétents ?
Des élus indécis ?
Des élus surmenés ?
Des élus divisés ?

À QUOI SERT LA TECHNOCRATIE ?

La technocratie scientiste
La technostructure
La technocratie capitaliste
La technobureaucratie
La technocratie démocratique

LIMITES DE LA TECHNOCRATIE

Les nombreux atouts des élus
Les stratégies de lutte possibles contre la technocratie
Les points faibles des hauts fonctionnaires

CONCLUSION

BIBLIOGRAPHIE

En théorie, le processus est simple en matière de décision publique : les consultations faites, le pouvoir politique décide seul. Les fonctionnaires aident les élus à prendre les décisions en conseillant, en préparant des dossiers et en fournissant des informations, mais en aucune façon ils ne décident à leur place. Bien sûr, les fonctionnaires exercent une influence sur les décisions de portée moyenne, ce qui est inévitable, mais les orientations essentielles demeurent la chasse gardée du politique. La raison pour laquelle l'administration doit se soumettre au pouvoir politique et non l'inverse est évidente. Qui a obtenu la faveur des électeurs à partir de son programme, de ses propositions, de son « projet de société » ? La réponse : le parti vainqueur à la dernière élection. Il ne s'agit certainement pas de la fonction publique qui, elle, est nommée et non pas élue, et qui n'a donc reçu aucun mandat démocratique.

Dans le régime parlementaire canadien, c'est le parti majoritaire au Parlement qui est invité à former le gouvernement.[1] Le chef du gouvernement[2] s'entoure de ministres qui seront placés à la tête de ministères tels finance, éducation, justice, etc.[3] Chaque ministre exige une pleine collaboration de la part de tous les fonctionnaires de son ministère, en particulier du personnel de direction supérieure. La hiérarchie administrative tout entière doit assister le ministre et exécuter ses politiques, lequel ministre rend compte de son action au Cabinet des ministres.

Voilà pour la théorie. Dans la pratique, on ne peut écarter la possibilité que tout soit inversé, c'est-à-dire que les fonctionnaires les plus puissants en viennent à rendre les ministres, le premier ministre, le gouvernement tout entier, prisonniers de leurs décisions. La haute administration, fidèle exécutante qui devrait s'en tenir à une fonction d'assistance et de conseil, usurpe en ce cas le pouvoir. L'élu se voit réduit au rôle d'interprète des décisions déjà prises, d'avocat du secteur public et de consultant sans capacité d'action autonome. Il n'est plus assisté ou secondé, mais il est dessaisi de la puissance réelle par les hauts fonctionnaires. Cette possibilité qu'une haute administration anonyme, soustraite à tout contrôle démocratique, en vienne à prendre les décisions publiques en lieu et place des élus du suffrage universel, voilà justement ce que les spécialistes de l'administration publique appellent la technocratie.

À la vérité, il est souvent accordé à la technocratie un sens plus large, où est évoqué le gouvernement de la société fondé sur une autorité froide et distante qui croit détenir le monopole de la connaissance objective. Cette autorité serait celle des grands experts, l'élite des juristes, ingénieurs, gestionnaires, médecins et spécialistes des sciences naturelles et sociales. Nous reviendrons plus loin sur cet aspect de la question. Pour le moment, partons d'une définition plus précise qui circonscrit une relation de pouvoir où, dans les faits, le haut fonctionnaire a ravi à l'élu la position de décideur. Au sens strict, la technocratie d'État n'est pas seulement le gouvernement par la technique, elle est le gouvernement par les techniciens non élus installés au sommet du secteur public. *La technocratie est une relation de pouvoir entre le Parlement, le gouvernement et la haute administration publique qui se joue à l'avantage de cette dernière au point qu'elle se trouve en mesure d'investir le domaine de la décision publique et d'y marginaliser les élus.*

On aura compris que les écrits sur la technocratie présentent la relation entre le ministre et le haut fonctionnaire comme un rapport de force davantage que comme une complémentarité ou une collaboration. La thèse soutenue est que ce sont les hauts fonctionnaires qui l'emportent dans ce rapport de force.

Qui sont ces administrateurs ? On peut en donner une définition restrictive ou élargie. Une définition restrictive comprend essentiellement — comme on les désigne au Québec — les secrétaires des principaux comités supraministériels (secrétariats du Conseil exécutif et du Conseil du Trésor), les sous-ministres en titre des ministères importants et les présidents des plus grands organismes publics. Une définition élargie s'étend à tous les sous-ministres adjoints et associés ainsi qu'aux dirigeants de l'ensemble des organismes publics. [4] En tout, plus de deux cents responsables auxquels peuvent s'ajouter des cadres d'échelon intermédiaire qui acquièrent parfois un pouvoir excédant largement les limites de leur fonction. Bien sûr, l'influence est inégalement répartie dans ce personnel de direction et dépend beaucoup de l'importance du ministère ou de l'organisme public.

Le pouvoir technocratique est l'objet d'un vaste débat au Québec, au Canada et dans tous les pays occidentaux. Existe-t-il vraiment ou n'est-il qu'une illusion ? Aucune réponse ne fait l'unanimité, tant s'en faut. Certains voient dans la technocratie la puissance politique de l'ère moderne, d'autres au contraire contestent son existence et la qualifient de lubie, de mythe et de faux problème.[5]

Dans ce chapitre, nous donnerons des éléments d'analyse du phénomène technocratique. Le problème sera examiné sous trois angles différents :

1. Comment cela se pourrait-il ? Quels seraient les facteurs qui permettraient à des « grands mandarins » de ravir des mains des élus le pouvoir décisionnel véritable ?
2. Dans quelle direction ce pouvoir technocratique s'exercerait-il ? Au bénéfice de qui et selon quel projet de société ? quelle philosophie ?
3. Existe-t-il des facteurs qui pourraient limiter le pouvoir technocratique, voire le contrer complètement ?

8.1
FORCE DE LA TECHNOCRATIE

Pour que le haut fonctionnaire devienne le véritable décideur, il faut qu'il jouisse d'une situation de pouvoir face à l'élu. Une situation de pouvoir suppose que A détient des atouts dont est démuni B, tandis que sur B pèsent des handicaps qui n'affectent pas A. Les atouts du haut fonctionnaire tiennent à sa permanence, sa compétence et ses réseaux de relation. Quant aux handicaps de l'élu, ils sont potentiellement très nombreux.

Permanence du haut fonctionnaire

L'atout de la permanence est bien connu. Les gouvernements passent, l'administration demeure. La fonction publique a pour elle la durée alors que l'espérance de vie d'un gouvernement est régie par le résultat de l'élection. On imagine sans mal l'ascendant dont jouit le fonctionnaire expérimenté face au ministre récemment élu. La mémoire façonne les décisions d'aujourd'hui et structure le champ des possibles. Le siège de cette mémoire, c'est-à-dire là où est stocké un nombre incalculable de données et d'informations, est l'administration. Bien sûr, avec le temps, les élus emmagasinent cette connaissance, mais il faut songer qu'un terme électoral ne dure que trois, quatre, peut-être cinq ans, ce qui leur laisse peu de temps pour se familiariser avec les problèmes complexes de gouvernement. En outre, lorsqu'approche la fin du mandat, pour peu que le gouvernement soit impopulaire et menacé d'être renversé aux prochaines élections, son autorité véritable s'en trouvera affectée. Les fonctionnaires pourront alors recourir à la stratégie de la « non-administration » qui consiste à attendre les résultats du prochain scrutin plutôt que d'obtempérer à des directives qu'ils désapprouvent.

Compétence du haut fonctionnaire

L'atout de la compétence devient déterminant face à l'amateurisme de bien des élus. Le haut fonctionnaire exerce sa compétence, tant lors de la préparation que de l'exécution des décisions ; il enserre de son expertise le décideur politique.

En amont de la décision, le haut fonctionnaire n'intervient, en théorie, que comme conseiller, expert ou personne-ressource. Il présente les dossiers, dégage les possibilités et aide ainsi les élus à gouverner dans les meilleures conditions. Il analyse systématiquement les données, apprécie les informations et traduit les langages techniques que les élus connaissent mal. Il évolue dans son élément parmi les problèmes hautement techniques, comme la planification et la préparation des choix budgétaires. Grand commis de l'État, ses diplômes, sa compétence et son expérience reconnue lui valent un prestige énorme, souvent déterminant, lorsqu'il s'agit d'influencer le cours des décisions publiques. Les élus sont fortement incités à se conformer aux choix qu'il indique comme étant les seuls valables d'un point de vue rationnel et technique.

En aval de la décision, le haut fonctionnaire voit ses responsabilités augmenter à mesure que l'application des politiques devient plus complexe et met en branle des administrations gigantesques et codifiées. Il est rare que le ministre connaisse bien tous les méandres de son ministère et, pour s'y retrouver, il a besoin d'être guidé par ses hauts fonctionnaires. Ils l'informent donc, à leur façon, des problèmes des services et de la manière dont les directives sont appliquées. Le ministre voudrait-il court-circuiter ses hauts fonctionnaires et s'adresser directement aux services, il contreviendrait alors aux règles rigides de l'autorité hiérarchique au sein de l'administration et provoquerait du même coup une levée de bouclier dans les bureaux.

C'est ainsi qu'une administration fortement développée et structurée, dont le maniement paraît requérir un degré élevé d'expertise en gestion, apporte au grand mandarin un atout essentiel. Du haut de sa pyramide bureaucratique, il en impose à l'homme politique au point parfois de le contraindre à adopter ses vues et ses conceptions, ses vocabulaires et ses procédés, ou, plus simplement, d'agir à son insu.

Qu'elle s'exerce en amont ou en aval de la décision, la compétence du haut fonctionnaire n'est pas que technique. Il construit son pouvoir au moins autant par ses qualités humaines de leader que par ses connaissances techniques. Le monde de la politique lui est mieux connu depuis que sa formation s'ouvre aux sciences sociales et ne se limite plus à un enseignement traditionnel du droit et de l'économie. L'expérience aidant, il devient fin politique plus facilement que l'élu fin technicien. Le haut fonctionnaire d'aujourd'hui sait déchiffrer un programme électoral, réagir face à un conflit social et dégager des stratégies qui tiennent compte des partis d'opposition, des groupes de pression, des opinions publiques, de la presse, bref, des réalités politiques de toutes natures (Atkinson et Coleman, 1985 ; Bolduc, 1981 ; Gournay, 1981 ; Putnam, 1977). Il tient compte des rapports de force et raisonne parfois en véritable politicien professionnel.

Les réseaux d'influence du haut fonctionnaire

Les hauts fonctionnaires entretiennent des relations entre eux et avec l'armée des agents publics placés sous leur autorité. De plus, ils développent leurs propres contacts avec les hauts fonctionnaires et diplomates étrangers, ainsi qu'avec les groupes et les individus influents de la société, soit les groupes patronaux et syndicaux, les associations d'usagers ou de consommateurs, les maires, les universitaires, etc. Nombreux sont les individus et les groupes qui préfèrent s'adresser à un mandarin prestigieux plutôt qu'à un ministre de passage qui paraît dépourvu d'influence.

Comparativement à la permanence du haut fonctionnaire, à son expertise et à ses réseaux de relation, quelles peuvent être les faiblesses de l'élu ? On peut en recenser quatre : l'incompétence technique, l'indécision, le manque de temps et les rivalités politiques.

Des élus incompétents ?

Si tous les ministres étaient des spécialistes, ils pourraient rivaliser avec les hauts fonctionnaires sur le terrain de la compétence technique. Pour cela, il faudrait que le premier ministre puisse nommer, à la tête de tous les ministères, un personnel politique compétent et bien formé sur les plans technique et gestionnaire.

La sélection des ministres doit s'effectuer parmi les parlementaires. En effet, il est mal vu, au Canada, qu'une personne accède au gouvernement sans avoir été élue par la population. Supposons qu'à la prochaine élection provinciale au Québec, le parti majoritaire obtienne 70 sièges. Il faudra alors que le chef du gouvernement place près d'un député sur trois à la tête d'un ministère, ce qui lui laisse une marge de manœuvre très mince. Il est évident qu'il aura du mal, dans ces conditions, à identifier, pour chaque ministère, le député compétent et préparé aux responsabilités qui l'attendent.

Les députés qui accèdent aux postes ministériels ne le doivent pas forcément à leur compétence. D'autres critères de sélection jouent. La composition du Cabinet en soi est un acte politique qui témoigne de la considération que le gouvernement accorde aux différents secteurs de la société. Il faut équilibrer la représentation des catégories professionnelles et des cultures nationales et linguistiques. Chaque région veut « son » ministre. Les rapports de force au sein du parti exercent aussi leur effet : les députés les plus populaires revendiquent le crédit de la victoire électorale et exigent un ministère en récompense, alors que les plus anciens font valoir leurs nombreux états de service. L'unité du parti commande de tenir compte des différentes tendances idéologiques. Quant au premier ministre, il ne souhaite s'entourer que de collaborateurs qui lui garantiront une entière loyauté. Toutes ces considérations politiques font en sorte que l'aptitude à diriger un ministère n'est qu'un critère parmi d'autres — et peut-être pas le plus important — qui donne accès au gouvernement.

Des élus indécis ?

Que bien des élus entrent au gouvernement sans connaissances techniques poussées n'est pas si grave, pourvu qu'ils possèdent une idée précise de leurs objectifs. L'art de gouverner est moins une question de compétence technique que de détermination.

Un parti parvient au gouvernement après avoir soumis un programme à la population. C'est ce texte fondamental qui contient les grandes lignes d'action, le « mandat clair de changement » donné par l'électorat. Mais ce mandat est-il si clair justement ?

Habituellement, le programme du parti est imprécis sur bien des points : beaucoup de préparation dans les domaines électoralement rentables du social, mais peu sur le plan économique ; manque de réflexion sur l'ensemble des coûts des opérations proposées ; lacunes en ce qui a trait à la coordination entre les projets, confusion dans l'ordre des priorités et défaut de précisions pratiques quant aux moyens requis. Au contact du pouvoir, les élus se heurtent soudainement aux responsabilités quotidiennes du gouvernement et découvrent toute la complexité des problèmes, la rigidité des moyens d'action et le poids des décisions passées. Désemparé, l'élu néophyte trouve bien rassurante la présence du haut fonctionnaire expérimenté et prête une oreille attentive à ses conseils avisés.

Incapables de produire des lignes d'action cohérentes et opérationnelles, les gouvernements semblent manquer de fermeté et de caractère. Et lorsque le leadership politique fait défaut, le pouvoir administratif risque de s'accroître. Toutefois, l'indécision des gouvernements ne reflète peut-être que celle des électeurs eux-mêmes. L'électorat que convoitent les partis est hétérogène, traversé par des intérêts contradictoires. À titre d'usager, l'électeur demande davantage de services, alors que comme contribuable, il exige une réduction des impôts (Blais et Dion, 1987). Pour accéder au pouvoir, le parti a dû séduire les catégories de population les plus diverses. Maintenant, comment contenter les propriétaires et les locataires ? les entreprises et les syndicats ? les francophones et les anglophones ? les pacifistes et les militaires ? Le parti a dû multiplier ses promesses au point de ne plus pouvoir traduire en un seul projet politique les aspirations des différents groupes dont il a sollicité l'appui. Un gouvernement sans projet précis, découragé par l'impossible conciliation des intérêts les plus divers, paralysé par la crainte de déplaire et d'éveiller les oppositions, est susceptible d'abandonner à l'administration la conduite véritable des affaires de l'État.

Des élus surmenés ?

Gouverner c'est décider. Mais c'est aussi vendre une image et des politiques, mener un intense travail de représentation et entretenir le contact avec l'électeur. Un ministre ne peut consacrer tout son temps à son ministère ; en tant que parlementaire, il participe aux travaux de la chambre et au caucus des députés, et en tant que membre du parti, il prend part aux assemblées militantes. Il doit en outre se montrer proche de la population, livrer des discours, partir en tournée, s'occuper de sa circonscription et soigner ses rapports avec la presse.

Les gouvernements attachent beaucoup d'importance à la vente de leur image, surtout à l'approche d'une élection. Or, ce travail de représentation incombe avant tout aux vedettes du gouvernement, c'est-à-dire les ministres les plus en vue, ceux justement qui assument les responsabilités gouvernementales les plus lourdes. Le combat politique les oblige à prendre part à des débats ou des polémiques et à se tenir prêt à parer à toute attaque possible. Ainsi, énormément de temps et d'énergie sont consacrés à la représentation, la stratégie et l'argumentation, toutes des activités politiques nécessaires en démocratie mais qui distraient l'homme d'État de son rôle de décideur. Débordés, certains ministres n'ont plus la possibilité pratique d'approfondir leurs dossiers et de suivre l'évolution des politiques. Ils deviennent des « ministres absents » laissant le champ libre à leurs hauts fonctionnaires qui, eux, dégagés de tout souci de réélection, demeurent présents en permanence dans les ministères.

Des élus divisés ?

L'union fait la force. Si ce dicton correspond à une part de vérité, le personnel politique dans son ensemble, sans distinction de parti, a intérêt à présenter un front uni face au pouvoir des hauts fonctionnaires. Cependant, les sources de divisions ne font pas défaut ; divisions entre les partis d'opposition et le parti au pouvoir bien sûr, mais aussi divisions au sein du gouvernement entre ministres, députés et militants.

Ce n'est pas vers l'administration, mais vers le parti au pouvoir que les forces d'opposition dirigent leurs critiques. En effet, il est beaucoup plus intéressant de placer un ministre sur la sellette qu'un fonctionnaire anonyme et considéré comme non partisan. Ce comportement est d'ailleurs conforme au principe de la responsabilité ministérielle qui veut que le ministre soit le responsable ultime des faits, actes et décisions de son ministère. Bien sûr, il est illusoire de penser qu'un ministre puisse être au courant de tout ce qui se passe dans son ministère, mais les partis d'opposition font comme si c'était le cas, car ils y trouvent leur intérêt politique (Forget, 1978). Résultat : le contrôle du Parlement sur l'administration est des plus discrets puisque les partis passent la majeure partie de leur temps à se critiquer les uns les autres. Ce contrôle s'exerce mal en assemblée générale et à peine davantage lors des commissions parlementaires.[6] Le rôle de plusieurs commissions est de scruter la gestion des ministères et des sociétés d'État. Elles deviennent en fait un lieu d'affirmation pour les partis de l'opposition qui cherchent à mettre les ministres en difficulté. Les administrateurs qui, en théorie, sont ceux qu'il s'agit de contrôler, profitent souvent des rivalités partisanes au sein de ces commissions pour inverser la situation, justifier leurs demandes et faire entériner leurs projets.

Le parti ministériel ne peut compter sur la solidarité de l'opposition lorsqu'il s'agit d'obtenir l'obéissance des hauts fonctionnaires. A-t-il au moins l'assurance de sa propre unité ? Rien n'est moins sûr tellement les mauvaises relations entre un gouvernement, son aile parlementaire et ses militants sont fréquentes.

Ce sont les ministres qui doivent superviser la concrétisation du programme du parti par l'administration publique. Mais souvent, comme ils n'ont même pas participé activement à l'élaboration de ce programme, d'abord conçu pour servir à la prise du pouvoir, ils se sentent moins liés à lui quand vient le moment de l'appliquer. Cependant, bien des militants et de simples députés, confinés aux antichambres du pouvoir, ont à cœur la réalisation du programme qui demeure pour eux l'expression même de leur combat politique. Ils intensifient leurs pressions sur les ministres à mesure que l'action gouvernementale leur semble s'éloigner du conformisme militant. Il s'ensuit que les ministres préfèrent la compagnie des hauts fonctionnaires qui leur semble bien paisible et accommodante comparée à l'intransigeance des députés et des militants les plus critiques. C'est ainsi que les liens entre le gouvernement et le parti se distendent au contact du pouvoir.[7]

Une autre source de division qui peut affaiblir un gouvernement en faveur de la haute administration provient des relations parfois difficiles entre le premier ministre et certains de ses ministres. Ainsi, lorsque le premier ministre met en doute la loyauté et la compétence de certains membres de son Cabinet, il noue des liens directs avec certains hauts fonctionnaires placés dans les ministères ou affectés au Conseil exécutif. Le chef du gouvernement craint toujours que les ministres les plus importants transforment leurs ministères en autant d'empires personnels qui échapperont à son contrôle. Il s'appuiera donc sur de hauts fonctionnaires de préférence aux ministres qui le concurrencent de trop près sur la scène politique. Forts du soutien du chef du gouvernement, ces hauts fonctionnaires développent une influence parfois supérieure à celle de la plupart des ministres.

Le premier ministre nomme les ministres et les sous-ministres. Il s'agit là d'un atout essentiel pour lui. S'il juge qu'un ministre et son sous-ministre menacent son autorité et conduisent leur ministère en marge du gouvernement, il peut briser ce couple trop puissant. S'il remplace le sous-ministre, ce sera pour nommer un haut fonctionnaire qui aura toute sa confiance et qui saura faire face à un ministre trop indépendant. S'il change le ministre, le remplaçant ne saura peut-être pas s'imposer devant un haut fonctionnaire qui connaît bien le ministère.[8] Tous ces remaniements et permutations risquent d'affecter le pouvoir collectif des élus au bénéfice de la haute administration.

Tous les facteurs énumérés jusqu'ici, qu'il s'agisse de la compétence ou de la permanence des hauts fonctionnaires, de leurs réseaux de relation, ou encore de l'amateurisme de bien des élus, leur indécision, leur manque de temps et leur désunion, tous ces facteurs ne prouvent pas en eux-mêmes l'existence du pouvoir technocratique. Ils indiquent simplement que, dans le rapport de force entre les élus et les hauts fonctionnaires, ces derniers détiennent plusieurs atouts importants. Nous verrons plus loin quels sont les contre-facteurs qui viennent limiter ce pouvoir de la haute administration. Auparavant, interrogeons-nous sur les implications de ce pouvoir pour la société.

8.2
À QUOI SERT LA TECHNOCRATIE ?

Plusieurs auteurs tiennent pour acquis que la technocratie existe. Pour eux, la question n'est pas de savoir comment les technocrates acquièrent leur puissance, mais plutôt dans quel but ils l'exercent. Ici encore, il n'existe pas de réponse unanime. Nous allons passer en revue cinq théories de la technocratie d'État.

La technocratie scientiste

Cette théorie suppose que la haute administration oriente la décision publique selon la conception qu'elle se fait de la scientificité et de l'objectivité. La technocratie serait animée d'un idéal, celui d'une société gouvernée uniquement par la science, la compétence et la rationalité objective. L'idéal technocratique se définit par la confiance dans la capacité de la haute administration publique de déterminer scientifiquement l'intérêt général. Toute solution à un problème social devient alors réductible à son caractère technique ; elle se puise à même l'accumulation des connaissances scientifiques.

L'idéal technocratique exige la dépolitisation des problèmes au profit de la raison. Il se caractérise par la méfiance vis-à-vis des institutions représentatives tels les partis politiques et les groupes de pression. D'un point de vue technocratique, ces corps intermédiaires de la société sont perçus comme des entraves à la décision réfléchie fondée sur la connaissance objective et l'analyse rationnelle. Les partis et les groupes ne sauraient servir l'intérêt général puisqu'ils sont incompétents et porteurs d'intérêts particuliers. Sur ces bases, la technocratie s'attribue le monopole du sens de l'État. Elle se donne le droit et même le devoir d'imposer, à une société réticente, pour son bien, ses schèmes de pensée et d'action. Elle s'estime au-dessus des élus, de leur partisanerie, de leurs querelles stériles et de leurs joutes parlementaires dérisoires. Elle se considère non pas seulement comme un garant de l'intérêt général, mais bien comme la seule autorité véritablement concernée par le Bien Commun[9].

Ceux qui partagent l'idéal technocratique font bon accueil au pouvoir des hauts fonctionnaires. Ils y voient une dépolitisation salutaire des décisions publiques, une forme plus moderne de gouvernement adaptée à « la fin des idéologies » (Bell, 1960). Pour eux, le technocrate est le décideur-technicien qui, la tête froide, s'élève au-dessus des pressions égoïstes et des manigances électorales et envisage les problèmes en fonction de l'intérêt général.

Plusieurs auteurs au contraire considèrent que le gouvernement scientifique et objectif est une prétention usurpée par la technocratie (Ellul, 1965 ; Etzioni-Halevy, 1979 ; Meynaud, 1964 ; Paillet, 1983 ; Simard, 1979). La puissance des hauts fonctionnaires est dénoncée comme une corruption des processus normaux de décision, une dégénérescence de la démocratie, un principe actif de domination et d'assujettissement des citoyens. La référence à l'intérêt général ne serait qu'une idéologie dont la fonction est de camoufler une conception élitiste et autoritaire du pouvoir. On imagine que le technocrate est arrogant et borné, sûr de ses méthodes et de son savoir, et qu'il régit la société suivant des modèles *a priori* et des schèmes abstraits ; loin des personnes et de leurs problèmes, il n'accorde aucun poids aux paroles de ces personnes, comme si les opinions, les désaccords ou les conflits dans la société n'avaient pour origine que l'ignorance et la mauvaise foi. Suivant cette théorie, l'édifice social pourrait se décrire ainsi : à son sommet, une autorité impersonnelle, anonyme, soustraite à tout contrôle ; en son centre, des groupes et des partis sans pouvoir réel, c'est-à-dire un jeu politique vidé de son sens ; à sa base, des citoyens laissés sans protection, soumis à des règles d'action inhumaines. Pour les auteurs qui partagent cette perspective sombre, la technocratie représente un péril grave ; elle menace la démocratie, si elle ne l'a pas déjà tuée. Elle annonce l'homme-robot, l'homme de l'organisation de W.H. Whyte (1956) asservi à tous les conformismes bureaucratiques.

La technostructure

L'expression « technostructure » a surtout été popularisée par l'économiste américain John Kenneth Galbraith. Toutefois, l'idée est aussi présente chez d'autres auteurs tels James Burnham, C. Wright Mills et John Porter. La technostructure désigne le pouvoir des gestionnaires de tous horizons, publics ou privés. Les théoriciens de la technostructure pensent que le pouvoir réel appartient aux gestionnaires des grandes organisations complexes modernes : les administrations publiques, bien sûr, mais aussi les grandes firmes privées, les banques et les états-majors militaires. Les hauts fonctionnaires renforcent leur pouvoir en s'alliant aux grands gestionnaires du secteur privé, avec lesquels ils partagent des affinités de classe, des intérêts communs et une formation similaire. Les véritables lieux de décision échapperaient au contrôle démocratique au profit de cette classe dirigeante, vaste cooptation de managers. L'avenir de la société serait élaboré à l'abri du regard des citoyens, dans le secret et l'anonymat des cercles de la technostructure.

Le personnel politique qui domine les grands partis n'a pas le choix : s'il veut être inclus dans cette catégorie unique de dirigeants, il doit se fondre avec elle au lieu de chercher vainement à la supplanter. C'est alors l'émergence du ministre-technicien qui se prétend lui-même expert et spécialiste mais qui, en même temps, perd son profil de politicien traditionnel représentant de son milieu social ou de sa localité. Les théoriciens de la technostructure soutiennent que l'homme politique, étant donné son origine sociale, sa formation et son plan de carrière, est appelé de plus en plus à s'identifier au haut fonctionnaire et aux autres grands gestionnaires de la société moderne. La distinction entre l'administration et la politique disparaît, l'homme d'État étant un gestionnaire comme les autres, quand il n'est pas lui-même un ancien haut fonctionnaire qui s'est laissé tenter par la politique. Au Québec, que l'on pense à Claude Morin et à Jacques Parizeau, ces grands fonctionnaires de la Révolution tranquille, qui ont figuré parmi les ministres les plus puissants du gouvernement du Parti québécois.

Dans sa version la plus radicale (tel Sfez, 1981), cette théorie ne voit, dans l'élection des dirigeants politiques, qu'une illusion maintenue parce qu'elle est utile comme stratégie inavouée de contrôle sur la société. Il y aurait osmose complète entre le pouvoir politique et le pouvoir administratif. La question de l'ascendant des hauts fonctionnaires sur les ministres n'a plus d'intérêt puisque, de toute façon, il s'agit de la même catégorie dirigeante. La démocratie n'est qu'un paravent derrière lequel l'élite des techniciens supérieurs s'est emparée du pouvoir d'État.

La technocratie capitaliste

Par cette expression qui nous est propre, nous caractérisons la théorie soutenue par des auteurs d'orientation marxiste tels Miliband, O'Connor et Poulantzas. Ces auteurs divergent sur plusieurs points, mais, pour l'essentiel, ils perçoivent la haute administration comme une élite étatique fondamentalement tournée vers la perpétuation de la classe dominante capitaliste. Placée à la tête de l'appareil d'État, elle n'est pas le pur instrument des capitalistes, comme dans le marxisme orthodoxe. Elle jouit en fait d'une autonomie relative.

Les technocrates sont surtout recrutés parmi les couches privilégiées ou classes-appui de la classe économiquement dominante. Leur rôle est de maintenir la cohésion du bloc au pouvoir, de l'aider à dépasser ses divisions. Ce bloc n'est pas homogène mais divisé en fractions concurrentes aux objectifs souvent contradictoires : bourgeoisie autochtone ou internationale, patron de PME ou de grandes firmes, capital bancaire ou industriel, etc. L'appareil d'État condense les contradictions de la classe dominante ; il est l'enjeu des fractions de classe en même temps qu'il tente de les transcender pour dégager les stratégies les plus conformes aux intérêts fondamentaux du capitalisme ; il doit aussi maintenir les conditions de la domination et, pour cela, il arrache à la classe dominante des concessions d'ordres matériel et symbolique destinées à apaiser la classe dominée.

Les technocrates de l'appareil d'État deviennent ainsi les grands planificateurs du capitalisme, ceux qui en défendent les intérêts fondamentaux, au besoin contre les capitalistes eux-mêmes.

La technobureaucratie

Cette théorie suppose que le haut fonctionnaire oriente la décision publique dans le sens de son intérêt personnel, lequel intérêt passe par un accroissement toujours plus grand des moyens alloués à l'unité administrative que dirige ce haut fonctionnaire. Davantage de ressources et d'effectifs consacrés au secteur public signifie, pour les hauts fonctionnaires, plus de pouvoir, de prestige, de revenus et, en définitive, plus de bien-être. On aura reconnu ici la thèse défendue par l'école du *Public Choice* dont les principaux auteurs sont Niskanen et Tullock.

Ce qui anime le technocrate ici n'est ni l'intérêt général, ni la solidarité des élites, ni la domination capitaliste, mais bien son propre intérêt. Le technocrate est vu comme un bureaucrate puissant et, en ce sens, il déploie des stratégies bureaucratiques, c'est-à-dire qu'il utilise son pouvoir pour accroître l'influence de sa corporation professionnelle, favoriser l'embauchage de collaborateurs, créer des structures additionnelles, ouvrir de nouveaux champs d'intervention, bref, il oriente ses stratégies vers une majoration constante du budget qui lui est alloué. Il y gagne en autorité, en prestige et en chances de promotion et de rémunération.

La technobureaucratie place la société et ses ressources au service de l'administration plutôt que de placer l'administration au service de la société. Le haut fonctionnaire n'agit pas de la sorte par perversité, mais simplement parce que son intérêt objectif réside dans un déplacement accru de la richesse nationale vers le secteur public.

La technocratie démocratique

Comme dernière image de la technocratie, évoquons celle du fonctionnaire progressiste soucieux de protéger le citoyen contre les tendances autoritaires de l'élu. Ce point de vue, soutenu aux États-Unis par le courant de la *nouvelle administration publique*, s'est développé dans les années 70 (Frederickson, 1980 ; Marini, 1971 ; Waldo, 1971, 1980).

Le haut fonctionnaire est considéré comme un agent du changement social qui s'estime investi d'une mission démocratique : consulter le public et promouvoir la justice et l'efficacité. Conscient de ses responsabilités envers le public, il cherche à développer une démocratie de participation qui compenserait les carences de la démocratie par les partis. La participation du citoyen pourrait ainsi s'exercer de façon permanente et non pas seulement à tous les quatre ans, la journée du scrutin.

Le fonctionnaire progressiste fait en sorte que les citoyens trouvent dans le contact direct avec une administration ouverte les moyens d'une participation permanente à la chose publique. Il cherche à créer, parmi la population, en marge et, au besoin, à l'encontre des élus, les groupements, les mouvements d'idées et les prises de conscience souhaitables. Il prend l'initiative du dialogue avec les hommes d'affaires, les usagers, les consommateurs, les organisations de défense et il devient ainsi l'agent du changement social et non plus l'agent de la volonté des élus.

Les tenants de cette conception novatrice de l'administration publique souhaitent que les hauts fonctionnaires s'engagent plus avant dans la promotion des idéaux de justice sociale et de participation, sans attendre le feu vert des élus[10]. Il leur semblera un moindre mal que la démocratie parlementaire et le suffrage universel perdent de la signification si cela favorise la concertation directe entre les fonctionnaires et la population. Nous reviendrons sur cette question au chapitre 10 qui traite des rapports administration – société.

Qui est donc le technocrate ? Un rationalisateur abstrait, un membre d'une élite unifiée, un défenseur du capital, un super bureaucrate ou un démocrate avant-gardiste ? Ces nombreuses images, en partie incompatibles, laissent supposer qu'il existe plusieurs technocraties ou, dit plus concrètement, que les hauts fonctionnaires ne pensent pas tous de la même façon. C'est là une première indication des limites du pouvoir collectif des hauts fonctionnaires qui n'est peut-être pas aussi solide et homogène que l'affirment les théoriciens de la technocratie.

8.3
LIMITES DE LA TECHNOCRATIE

Il est évident que les hauts fonctionnaires peuvent acquérir un pouvoir très important. Il convient maintenant d'examiner l'autre versant du problème et de dégager ce qui peut contrôler et limiter ce pouvoir. Dans le chapitre 9, nous verrons de façon approfondie les contrôles institutionnels qui s'exercent sur l'administration dans son ensemble. Pour le moment, nous présenterons les facteurs susceptibles de redresser la balance du pouvoir au profit des élus.

Les nombreux atouts des élus

Lorsqu'on parcourt la littérature sur la technocratie, on en oublie presque que la décision revient de droit au pouvoir politique. Pourtant, la suprématie légale du politique demeure toujours une donnée fondamentale des relations entre élus et fonctionnaires. Elle signifie que l'ascendant que certains hauts fonctionnaires puissants peuvent posséder dans la pratique est un pouvoir qui ne s'avoue pas et qui, forcément, reste illégitime. De fait, comme il ne peut se légitimer, il conserve un caractère de fragilité. Si dépendant que soit un homme d'État de ses hauts fonctionnaires, il peut en tout temps se ressaisir, user de son pouvoir de décideur légal, faire preuve de leadership, exiger obéissance et même, au besoin, démettre de leur fonction les mandarins qui se croyaient invulnérables.

Quelle que soit l'emprise que les hauts fonctionnaires exercent sur lui, l'élu évaluera leurs avis suivant sa rationalité particulière, habituellement teintée d'électoralisme, car sa réélection est condition même de sa survie politique ; il lui serait difficile de l'oublier. Nous avons vu que l'obligation dans laquelle il se trouve de soigner constamment son image le distrait de son rôle de dirigeant, mais, simultanément, lui donne une perspective d'action propre qui le différencie du haut fonctionnaire. C'est là un facteur très important qui explique en bonne partie pourquoi l'homme politique et le haut fonctionnaire envisagent les mêmes questions sous un angle différent, même quand ils partagent une origine sociale, une formation et un passé professionnel comparables. Il a été observé que des fonctionnaires de carrière ont développé un type de réflexion différent une fois devenus élus et ministres, au point de s'opposer à leurs anciens collègues de la fonction publique (Suleiman, 1976 ; Aberbach *et al.*, 1981).

Les hauts fonctionnaires savent impressionner les élus par leur compétence technique. Toutefois, la décision publique ne comporte pas qu'un caractère technique, elle repose avant tout sur des choix de valeurs. La revendication d'une souveraineté nationale, la nationalisation d'un secteur industriel, la décentralisation d'un service public, l'octroi d'une aide humanitaire à un pays en crise, la légalisation de l'avortement, la lutte prioritaire contre le déficit, le libre échange plutôt que le nationalisme économique, toutes ces questions ont une dimension normative évidente et renvoient à des préférences idéologiques. La fin des idéologies ne sera jamais qu'un mythe et lorsque le consensus sur un problème ne se fait pas, lorsque des questions controversées soulèvent les passions, gagner le débat politique devient plus que jamais l'objectif des intérêts en jeux.

La complexité même des problèmes, source traditionnelle du pouvoir des experts, peut fort bien jouer contre ces derniers en de nombreuses circonstances. Ainsi, les décisions sont souvent prises dans un contexte d'urgence ou dans des délais qui ne permettent ni l'examen approfondi ni le classement par ordre de priorité de toutes les hypothèses. Comme il serait trop long et compliqué de considérer l'ensemble des éventualités de façon systématique, et alors même que de nouvelles informations arrivent tous les jours, le processus de décision devient plus inductif et s'appuie davantage sur les calculs de l'élu, ses intuitions, son « sens » politique.

On le voit, le pouvoir politique conserve des atouts qui tiennent à sa situation de décideur légal et à la nature du débat public. Un dernier atout du pouvoir politique provient de l'hétérogénéité de son entourage, lequel est loin de se limiter aux seuls hauts fonctionnaires. Le face à face élu − haut fonctionnaire ne se produit pas en vase clos ; le voudraient-ils, les hauts fonctionnaires seraient incapables d'isoler les élus pour les soumettre à leur seule influence. Les élus peuvent puiser leur information ailleurs auprès de leurs cabinets politiques, d'experts privés, de la presse, des partis, des groupes d'intérêt, etc. Des pressions multiples convergent vers les élus, souvent au grand dam des hauts fonctionnaires. Au Canada, si l'on se fie à certains témoignages, les fonctionnaires éprouvent « un sentiment grandissant d'impuissance ou même de rage » lorsqu'ils voient les considérations politiques ou les pressions des groupes d'intérêt « bloquer si aisément une action raisonnée » (Rodney Dobell, 1984, p. 634). Ces témoignages sont peut-être exagérés, mais ils supposent autre chose qu'une technocratie toute puissante.

On peut donc concevoir que le pouvoir politique, malgré ce qui le handicape, conserve des atouts liés à son autorité légale, à sa position centrale dans le débat public et la multiplicité des canaux qui le relient à la société. En plus de ces avantages structuraux, il peut recourir à certaines stratégies dans le but de limiter le pouvoir des hauts fonctionnaires. Cependant, l'efficacité de ces stratégies n'est pas acquise au départ et elles conservent un caractère aléatoire qui explique que rien ne soit déterminé à l'avance.

Les stratégies de lutte possibles contre la technocratie

Une première stratégie consiste à accélérer la rotation des postes parmi les hauts fonctionnaires à un point tel qu'elle s'effectue à un rythme plus rapide que les rondes électorales elles-mêmes. Au Québec par exemple, entre 1940 et 1960, un sous-ministre demeurait en moyenne au même poste pendant 14 ans alors que maintenant cette moyenne est de 3 ou 4 années (Bolduc, 1978, p 624 ; Bourgault et Dion, 1990a). La même tendance est tout aussi manifeste au gouvernement fédéral : les sous-ministres restent en fonction beaucoup moins longtemps qu'il y a vingt ans (Bourgault et Dion, 1989a). Les hauts fonctionnaires bénéficient de la sécurité d'emploi mais pas de la sécurité de fonction. Une nouvelle tendance s'est même développée avec les années : les gouvernements retiennent les services de hauts fonctionnaires au moyen de contrat à durée limitée (Bourgault et Dion, 1989b). Les hauts fonctionnaires de carrière perdent l'atout de la permanence à la tête d'une même structure administrative. Néanmoins, ce qu'ils perdent en permanence, ils le gagnent en polyvalence et en largeur de vues. Ils en viennent aussi à mieux se connaître et à former un meilleur esprit de corps, à force de s'échanger les postes.

Une autre stratégie réside dans la politisation de la haute fonction publique. En ce cas, les candidats inscrits au parti ou qui partagent la philosophie du gouvernement sont recrutés en priorité et placés aux postes clés. En tenant compte des affinités politiques dans le choix des principaux fonctionnaires, les élus espèrent domestiquer la technocratie et orienter son pouvoir dans un sens qui leur soit favorable. Mais cette stratégie est à double tranchant, car le haut fonctionnaire, membre du parti ou lié de façon particulière au gouvernement, devient en quelque sorte un homme politique, sans cesser pour autant d'être un administrateur. Il va jouer alternativement de ses deux pouvoirs, en tant que politique et administrateur, pour accroître son autonomie face aux élus.

Le réaménagement des structures administratives offre une autre occasion, au pouvoir politique, d'exercer son contrôle sur les hauts fonctionnaires. La création de nouveaux services, les restrictions budgétaires, les fusions de ministères, la réforme du statut de la fonction publique, autant de façons pour le pouvoir politique de s'affirmer comme le réformateur clé et du même coup d'éjecter hors de leurs chasses gardées les hauts fonctionnaires et les spécialistes trop puissants. De nouveaux postes s'ajoutent alors que d'autres deviennent disponibles et les occasions de placer des sympathisants, sinon du parti du moins des objectifs ministériels, à des postes importants se présentent. Si cette stratégie s'avère parfois efficace, elle recèle toutefois un danger : le personnel politique risque d'éprouver plus de difficultés que les hauts fonctionnaires à se familiariser avec les nouvelles structures. Les changements trop brusques provoquent des problèmes de coordination énormes. Pour sortir de l'impasse, les élus seront alors tentés d'accorder aux spécialistes de la gestion des responsabilités et une marge de manœuvre encore plus importantes que celles dont ils jouissaient auparavant.

Une autre stratégie du pouvoir politique consiste à renforcer la cohésion du Conseil des ministres au moyen des comités supra-ministériels, tels le Comité des priorités et le Conseil du Trésor (Bernard, 1987). L'objectif de cette stratégie est de garder les ministres au courant de ce que font leurs collègues, permettant ainsi à chacun d'eux de développer une conception élargie, documentée et étoffée et d'être moins dépendant des avis de ses hauts fonctionnaires. Mais ces structures collégiales augmentent le temps que les ministres consacrent à leurs réunions et diminuent d'autant celui consacré à l'écoute du parti. De surcroît, elles donnent l'occasion aux hauts fonctionnaires d'améliorer leur propre cohésion, eux qui, parallèlement aux ministres, se réunissent en comités officiels de spécialistes (Simard, 1983).

Enfin, une dernière stratégie a trait à l'utilisation des cabinets politiques comme contre-expertise à celle de la haute fonction publique (Baccigalupo, 1978, p. 220-238 ; D'Aquino, 1974 ; Fortin, 1981 ; Johnson et Daigneault, 1988 ; Plasse, 1981 et 1992 ; Suleiman, 1976, p. 86-113). Le ministre compose son Cabinet d'experts qu'il connaît bien et qui partagent avec lui les mêmes impératifs politiques et électoraux ; il peut même utiliser son Cabinet comme un écran protecteur. En ce cas, les hauts fonctionnaires n'ont plus accès directement au ministre et doivent plutôt s'adresser au Cabinet qui, lui, filtre leurs suggestions et en évalue la pertinence selon une rationalité plus politique que bureaucratique. Cependant, comme les Cabinets disposent de ressources limitées en ce qui a trait aux moyens de recherche et au personnel compétent, cela les empêche bien souvent de contrebalancer efficacement l'influence de la haute administration.

Le pouvoir politique dispose ainsi de plusieurs stratégies, mais aucune ne lui assure une pleine efficacité et une collaboration saine avec la haute fonction publique ; aucune ne garantit que les hauts fonctionnaires s'en tiendront à leur rôle statutaire d'assistance et de gestion sans chercher à promouvoir leurs intérêts et à ravir aux élus le véritable pouvoir de décision. Mais, heureusement pour les élus, les hauts fonctionnaires ont aussi leurs points faibles contrairement à ce que laissent croire les théories de la toute puissance technocratique.

Les points faibles des hauts fonctionnaires

La thèse de la suprématie des hauts fonctionnaires repose sur deux postulats : 1) les hauts fonctionnaires se comportent justement comme des technocrates, c'est-à-dire qu'ils veulent ravir aux élus le pouvoir de décision ; 2) les hauts fonctionnaires forment un groupe homogène, un pouvoir unifié. Ces deux points sont contestables.

Par hypothèse, imaginons la situation la plus favorable à la thèse de la technocratie. Ainsi, supposons que tous les handicaps du pouvoir politique jouent pleinement, que les élus soient indécis, mal préparés, surmenés, divisés et qu'il s'agisse là de facteurs permanents, vrais en toute circonstance. Est-on certains que le *vacuum* du pouvoir sera avidement comblé par la haute administration ? Elle peut tout aussi bien se montrer prudente et s'en tenir à une interprétation légaliste de son rôle. Les hauts fonctionnaires ont l'esprit marqué par les normes du milieu professionnel dans lequel ils ont progressé, un monde fondé sur la distinction formelle entre la décision politique et la gestion administrative. Le dévouement au service public y est plus valorisé que les joutes de pouvoir. En outre, il n'est pas sans danger pour les hauts fonctionnaires de s'engager fortement dans l'orientation du gouvernement et du processus législatif. Ils risquent de lier leur sort à celui du parti au pouvoir au point de ne plus être en mesure de se dégager à temps d'une collaboration qui sera jugée trop poussée par le prochain gouvernement, ou même par l'opinion publique (Bourgault et Dion, 1990b). L'absence de gouvernement par les partis ne crée pas nécessairement un gouvernement par les hauts fonctionnaires.

Tout comme les élus sont parfois affaiblis par leurs rivalités, les hauts fonctionnaires sont eux-mêmes divisés par de nombreux clivages. Dans leur expertise et leurs connaissances spécialisées, ils ne trouvent aucune garantie d'unanimité quant aux solutions à apporter aux problèmes sociaux : compétence technique n'est pas synonyme de communauté de vue, ni sur le plan des finalités, ni même pour le choix des méthodes. Deux grands obstétriciens peuvent diverger totalement d'opinion sur les relations entre la morale et l'avortement ; ainsi en va-t-il pour les économistes, les juristes, etc., en ce qui concerne l'exercice de leur discipline.

La haute fonction publique ne forme pas un groupe homogène qui possède ses politiques bien à lui et est animé par une volonté de caste, car trop de facteurs s'y opposent concrètement : les incompatibilités d'humeur, les divergences idéologiques, le cloisonnement des structures, les conflits de juridictions entre ministères sectoriels, les différences de langages et de procédures, les frictions entre les ministères de tutelle et les organismes publics en mal d'autonomie, l'âpreté des négociations budgétaires, l'opposition entre les gestionnaires-généralistes et les spécialistes-techniciens ... En fait, comme l'écrit l'auteur français Bernard Gournay (1981) : « [...] il y a autant de modes de raisonnement qu'il y a de « familles » de hauts fonctionnaires (les ingénieurs, les économistes, les financiers, les juristes, les diplomates) ».[11]

Dans l'administration, comme dans toute organisation fondée sur la hiérarchie, il existe des clivages verticaux en plus des clivages horizontaux. Le haut fonctionnaire est en quelque sorte un patron pour ses subordonnés et, comme tel, il s'expose à l'impopularité. Il n'a aucune garantie que tous ses subordonnés feront bloc derrière lui. Pire : certains de ses collaborateurs immédiats peuvent le court-circuiter et traiter directement avec le ministre.[12] De telles rivalités entre fonctionnaires permettent aux élus de conserver un pouvoir d'arbitrage et de décision.

CONCLUSION

La technocratie, mythe ou réalité ? se demandait le grand politologue français Jean Meynaud (1964). Depuis, la question a été souvent posée, suscitant les réponses les plus contradictoires.

Un aspect doit retenir notre attention de façon toute particulière : les grandes politiques qui marquent à long terme un pays sont généralement identifiées à des équipes politiques et même à des ministres puissants dans leurs gouvernements. Au Québec, la nationalisation de l'électricité est liée à René Lévesque, la création du ministère de l'Éducation à Paul Gérin-Lajoie, la Loi 101 au docteur Laurin ; au Canada, comment évoquer la Loi sur les langues officielles sans penser à Pierre Trudeau lui-même ? On pourrait multiplier les exemples, au Québec, au Canada ou dans d'autres pays.[13] Il semble bien que le leadership politique soit déterminant dans l'impulsion des grandes orientations et que les partis demeurent un véhicule important des intérêts sociaux.

La technocratie relève du mythe si on entend par là une suprématie consciente d'elle-même, capable de penser, d'agir, d'intervenir de façon concertée, selon une vision homogène de la société. Une administration publique n'est jamais un construit unifié derrière les mêmes principes d'action. En raison des clivages qui la divisent, la haute administration n'est pas monolithique. Même si un esprit de corps prévaut à des degrés variables, il est insuffisant pour se traduire en un pouvoir collectif fondé sur des conceptions communes.

En revanche, la technocratie est une réalité potentielle liée aux conditions structurelles qui avantagent le haut fonctionnaire vis-à-vis de l'élu. Mais cet ensemble de conditions suppose des jugements nuancés et n'est pas à l'abri de limitations importantes.

La question est de taille. Qu'on la pose en termes de rapport de force ou de complémentarité nécessaire, la relation qui s'établit entre le ministre et le haut fonctionnaire compte parmi les plus déterminantes pour la marche de nos sociétés.

NOTES

(1) En théorie, le gouvernement peut aussi être formé d'une coalition de partis.

(2) Le premier ministre qui, traditionnellement, est aussi le chef du parti majoritaire.

(3) En fait, les ministres ne possèdent pas tous leur ministère. Il existe aussi des ministres « sans portefeuille » et des ministres chargés de fonctions parlementaires spéciales ; d'autres, responsables de départements d'État, doivent élaborer de nouvelles politiques dans des domaines prioritaires ou assister un ou plusieurs ministres qui ont la responsabilité d'un ministère.

(4) Rappelons que les sous-ministres en titre, adjoints et associés, contrairement à ce que leur nom indique, ne sont pas des ministres de seconde importance, mais bien les plus hauts gradés des fonctionnaires du ministère. Nommés par un décret adopté sur la proposition du premier ministre, ils bénéficient de la sécurité d'emploi et ne peuvent, en théorie, être démis que pour faute grave. Les présidents des organismes publics ne font pas partie de la fonction publique comme telle ; nommés pour un mandat à durée pré-établie, ils sont rattachés à un ministère de tutelle.

(5) Comme lectures complémentaires à ce chapitre, on commencera peut-être par des textes courts et de portée générale : Baccigalupo (1976) ; Bendix (1945) ; Bourgault (1983) ; Debbasch (1977) ; Dion (1980) ; Gournay (1980, p. 87-118) ; Kernaghan (1982, p. 227-288) ; Rocher (1980) ; Tsoutsos (1978) ; Wilson (1983). Il existe un « Que sais-je ? » sur la technocratie, mais qui demeure très centré sur le cas français : Billy (1975). On trouvera des éléments de comparaison internationale dans Aberbach (1981) ; Campbell (1983) ; Debbasch (1981) ; Dogan (1975) ; Heady (1975) ; Peters (1978) ; Suleiman (1984). On tirera profit de la lecture de trois études de cas intéressants : Feldman et Milch (1981) ; Grémion (1979) ; Thoenig (1973). Enfin, sur la technocratie au Québec depuis la Révolution tranquille : O'Neil et Benjamin (1978).

(6) À preuve les difficultés d'application du nouveau principe d'« imputabilité » suivant lequel les hauts fonctionnaires sont appelés à rendre des comptes devant le Parlement. Nous traiterons de cet aspect dans le chapitre 9, consacré aux contrôles administratifs.

(7) Sur les relations entre les composantes gouvernementale, parlementaire et militante des partis, voir Lemieux (1985).

(8) Un haut fonctionnaire québécois de grande expérience, Robert Normand (1984), a livré une description très habile du jeu à trois entre premier ministre, ministre et sous-ministre.

(9) Pour une analyse de l'idéal technocratique ainsi défini voir Putnam (1977).

(10) Point de vue défendu ici par un fonctionnaire albertain :
«Les fonctionnaires ont une autre responsabilité primordiale : parler au nom de la justice et de l'efficacité puisque la nature de leurs fonctions leur permet généralement de connaître ceux qui gagnent et ceux qui perdent à la suite de certaines décisions politiques» (Rawson, 1984, p. 601).

(11) Sur l'émiettement des structures administratives consulter : Dupuy et Thoenig (1985). À noter cependant que l'idée d'un émiettement du pouvoir administratif va à contre-courant de la plupart des auteurs français qui sont plutôt en accord avec la thèse d'une technocratie française unifiée sous l'égide des « Grands Corps » : Birnbaum (1977) ; Bodiguel et Quermonne (1983) ; Ellul (1965) ; Paillet (1983). En anglais, il existe une littérature imposante sur les rivalités entre unités administratives et leurs effets sur les rapports entre politiciens et bureaucrates. Elle est désignée sous le nom de *Bureaucratic Politics Model*. Le grand classique est ici l'ouvrage de Graham T. Allison (1971).

(12) Citons le sous-ministre québécois Robert Normand (1984, p. 530) :
« Certains fonctionnaires en mal d'avancement rapide n'hésiteront pas à courtiser le ministre, par-dessus la tête de leurs supérieurs, ce qui n'est pas sans générer certaines tensions dans l'appareil. Et je ne parle même pas de la déloyauté de certains qui n'hésitent pas, derrière un sourire, à viser les omoplates de leurs supérieurs et à essayer d'utiliser le ministre comme levier ... »

(13) Ainsi, Bernard Gournay (1981), après avoir analysé la France de la cinquième République, dans ce pays où la technocratie est réputée pour être l'une des plus fortes, conclut que, pendant les deux dernières décennies, il n'y a probablement pas eu une orientation essentielle qui ait été le fait de la haute administration.

BIBLIOGRAPHIE

ABERBACH, J. *et al.* (1981) *Bureaucrats and Politicians in Western Democracies*, Cambridge, Harvard University Press.

ALLISON, G.T. (1971) *Essence of Decision. Explaining the Cuban Missile Crisis*, Boston, Little Brown.

ATKINSON, M.M. et COLEMAN, W.D. (1985) « Bureaucrats and Politicians in Canada. An Examination of the Political Administration Model », *Comparative Political Studies*, Vol. 18(1), p. 58-80.

BACCIGALUPO, A. (1976) « Les grands technocrates québécois », *La Revue administrative*, Vol. 29(1), p. 76-86.

BACCIGALUPO, A. (1978) *Les grands rouages de la machine administrative québécoise*, Montréal, Agence d'Arc.

BELL, D. (1960) *The End of Ideology*, Glencoe, Ill., Free Press.

BENDIX, R. (1945) « Bureaucracy and the Problem of Power », *Public Administration Review*, Vol. 5(3), p. 194-209.

BERNARD, L. (1987) *Réflexion sur l'art de gouverner. Essai d'un praticien*, Montréal, Québec-Amérique, p. 57-132.

BILLY, J. (1975) *Les technocrates*, Paris, PUF, Coll. Que sais-je ?

BIRNBAUM, P. (1977) *Les sommets de l'État. Essai sur l'élite du pouvoir en France*, Paris, Seuil.

BLAIS, A., DION, S. (1987) « Trop d'État ? Un baromètre de l'opinion », *Politique*, N° 11, p. 43-72.

BODIGUEL, J.-L. et QUERMONNE, J.-L. (1983) *La haute fonction publique sous la Cinquième République*, Paris, PUF.

BOLDUC, R. (1978) « Les cadres supérieurs, quinze ans après », *Administration publique du Canada*, Vol. 21(4), p. 618-639.

BOLDUC, R. (1981) « La question d'éthique dans les années 80 », *Administration publique du Canada*, Vol. 24(1), p. 200-215.

BOURGAULT, J. (1983) « Les hauts fonctionnaires québécois. Paramètres synergiques de puissance et de servitude », *Revue canadienne de science politique*, Vol. 16(2), p. 227-256.

BOURGAULT, J. et Dion, S. (1989a) « Brian Mulroney a-t-il politisé les sous-ministres ? », *Administration publique du Canada*, Vol. 32(1), p. 63-83.

BOURGAULT, J. et DION, S. (1989b) « Les gouvernements antibureaucratiques face à la haute administration : une comparaison Québec-Ottawa », *Politiques et management public*, Vol. 7(2), p. 97-118.

BOURGAULT, J. et DION, S. (1990a) « La satisfaction des ministres envers leurs hauts fonctionnaires : le cas du gouvernement du Québec, 1976-1985 », *Administration publique du Canada*, Vol. 33(3), p. 414-437.

BOURGAULT, J. et DION, S. (1990b) « Les hauts fonctionnaires canadiens et l'alternance politique : le modèle de Whitehall vu d'Ottawa », *Revue internationale des sciences administratives*, Vol. 56(1), p. 173-196.

BURNHAM, J. (1941) *The Managerial Revolutions. What is Happening in the World*, New York, Day. (Traduction : *L'ère des organisateurs*, Paris, Calman-Levy, 1947.)

CAMPBELL, C. (1983) *Government Under Stress*, Toronto, Toronto University Press.

D'AQUINO, T. (1974) « The Prime Minister's Office : Catalyst or Cabal ? Aspects of the Deve-lopment of the Office in Canada and Some Thoughts about its Future », *Administration pu-blique du Canada*, Vol. 17(1), p. 55-99.

DEBBASCH, C. (1977) « Administration et pouvoir politique. Sur un couple uni », *Mélanges offerts à Georges Burdeau : le pouvoir*, Paris, LGDJ, p. 149-158.

DEBBASCH, C. (dir.) (1981) *La fonction publique en Europe : la politique de choix des fonction-naires*, Paris, CNRS.

DION, S. (1980) « Les partis de gouvernement et les administrations publiques : un champ d'interactions mal connu », *Administration publique du Canada*, Vol. 24(3), p. 400-426.

DOGAN, M. (dir.) (1975) *The Mandarins of Western Europe : The Political Role of Top Civil Ser-vants*, New York, Sage Publications, John Wiley and Sons.

DUPUY, F. et THOENIG, J.C. (1985) *L'administration en miettes*, Paris, Fayard.

ELLUL, J. (1965) *L'illusion politique*, Paris, Lafont.

ETZIONI-HALEVY, E. (1979) *Political Manipulation and Administrative Power*, London, Routledge and Kegan.

FELDMAN, E.J. et MILCH, J. (1981) *Technocracy versus Democracy : The Comparative Politics of International Airports*, Boston, Auburn House.

FORGET, C.-E. (1978) « L'administration publique, sujet ou objet du pouvoir politique ? », *Administration publique du Canada*, Vol. 22(2), p. 234-242.

FORTIN, Y. (1981) « Un aspect de l'évolution des superstructures du gouvernement central en Grande-Bretagne (1970-1980) », *Revue internationale des sciences administratives*, Vol. 47(4), p. 332-348.

FREDERICKSON, H.G. (1980) *New Public Administration*, Birmingham, University of Alabama Press.

GALBRAITH, J.K. (1967) *The New Industrial State*, Boston, Houghton Mifflin. (Traduction : *Le nouvel État industriel*, Paris Gallimard, 1968.)

GOURNAY, B. (1980) « Administration et politique », *L'administration*, Paris, PUF, p. 87-118.

GOURNAY, B. (1981) « L'influence de la haute administration sur l'action gouvernementale », *in* F. Baecque et J.-L. Quermonne (dir.) *Administration et politique sous la Cinquième République*, Paris, Presses de la Fondation nationale des sciences politiques.

GREMION, C. (1979) *Profession : décideurs. Pouvoir des hauts fonctionnaires et réforme de l'État*, Paris, Gauthier-Villars.

HEADY, F. (1975) *Public Administration. A Comparative Perspective*, New York, Marcel Dekker.

JOHNSON, A.F. et DAIGNEAULT, J. (1988) « Liberal 'Chefs de cabinets ministériels' in Quebec : Keeping Politics in Policy-Making », *Administration publique du Canada*, Vol. 31(4), p. 501-516.

KERNAGHAN, K. (1982) *Public Administration in Canada*, Toronto, Methuen.

LEMIEUX, V. (1985) *Systèmes partisans et partis politiques*, Sillery, PUQ.

MARINI, F. (1971) *Toward a New Public Administration*, Scranton, Chandler.

MEYNAUD, J. (1964) *La technocratie, mythe ou réalité ?* Paris, Payot.

MILIBAND, R. (1969) *The State in Capitalist Society*, London, Quartet Books. (Traduction : *L'État dans la société capitaliste*, Paris, Maspero, 1973.)

MILLS, C.W. (1959) *The Power Elite*, New York, Oxford University Press. (Traduction : *L'élite du pouvoir*, Paris, Maspero, 1969.)

NISKANEN, W.A. (1971) *Bureaucracy and Representative Government*, Chicago, Aldine Atherton.

NORMAND, R. (1984) « Les relations entre les hauts fonctionnaires et le ministre », *Administration publique du Canada*, Vol. 27(4), p. 522-541.

O'CONNOR, J.R. (1973) *The Fiscal Crisis of the State*, New York, St-Martin's Press.

O'CONNOR, J.R. (1974) *The Corporations and the State : Essays in the Theory of Capitalism and Imperialism*, New York, Harper and Row.

O'NEIL, P. et BENJAMIN, J. (1978) *Les mandarins du pouvoir. L'exercice du pouvoir au Québec de Jean Lesage à René Lévesque*, Laval, Québec/Amérique.

PAILLET, M. (1983) *Les hommes du pouvoir et les nouveaux féodaux*, Paris, Denoël.

PETERS, G. (1978) *The Politics of Bureaucracy : A Comparative Perspective*, Londres, Langman.

PLASSE, M. (1981) « Les chefs de cabinet ministériel au Québec : la transition du gouvernement libéral au gouvernement péquiste (1976-1977) », *Revue canadienne de science politique*, Vol. 14(2), p. 309-335.

PLASSE, M. (1992) « Les chefs de cabinet ministériels du gouvernement fédéral canadien : rôle et relation avec la haute fonction publique », *Administration publique du Canada*, Vol. 35(3), p. 317-358.

PORTER, J.A. (1965) *The Vertical Mosaic. An Analysis of Social Class and Power in Canada*, Toronto, Toronto University Press.

POULANTZAS, N. (dir.) (1976) *La crise de l'État*, Paris, PUF.

POULANTZAS, N. (1978) *L'État, le pouvoir et le socialisme*, Paris, PUF.

PUTNAM, R.D. (1977) « Elite Transformation in Advanced Industrial Societies », *Comparative Political Studies*, Vol. 10(3), p. 383-412.

RAWSON, B. (1984) « The Responsability of the Public Servant to the Public : Accessibility, Fairness and Efficiency », *Administration publique du Canada*, Vol. 27(4), p. 601-610.

ROCHER, G. (1980) « Le sociologue et la sociologie dans l'administration publique et l'exercice du pouvoir politique », *Sociologie et Sociétés*, Vol. 12(2), p. 45-64.

RODNEY DOBELL, A. (1984) « Le haut fonctionnaire et la responsabilité : quelques réflexions en guise de résumé », *Administration publique du Canada*, Vol. 27(4), p. 628-639.

SFEZ, L. (1981) *Critique de la décision*, Paris, Presses de la Fondation nationale des sciences politiques.

SIMARD, C. (1983) « L'État administratif et les enjeux des transformations administratives récentes : le cas canadien », *in* G. Bernier et G. Boismenu (dir.) *Cahiers de l'Acfas*, Nº 16.

SIMARD, J.-J. (1979) *La longue marche des technocrates*, Laval, Saint-Martin.

SULEIMAN, E. (1976) *Les hauts fonctionnaires et la politique*, Paris, Seuil.

SULEIMAN, E.N. (1984) *Bureaucrats and Policy Making : A Comparative Analysis*, New York, Holmes and Meier Publishing.

THOENIG, J.C. (1973) *L'ère des technocrates : le cas des Ponts-et-Chaussées*, Paris, Éditions d'Organisation.

TSOUTSOS, A. (1978) « Administration et politique », *Revue internationale des sciences administratives*, Vol. 44(4), p. 323-332.

TULLOCK, G. (1965) *The Politics of Bureaucracy*, Washington D.C., Public affairs press.

WALDO, D. (dir.) (1971) *Public Administration in a Time of Turbulence*, Scranton, Chandler.

WALDO, D. (1980) *The Enterprise of Public Administration : A Summary View*, Novato, Chandler.

WHYTE, W.H. (1956) *The Organization Man*, New York, Doubleday. (Traduction : *L'homme de l'organisation*, Paris, Plon, 1959.)

WILSON, V.S. (1983) « Mandarins and Kibitzers : Men in and around the Trenches of Power in Ottawa », *Administration publique du Canada*, Vol. 26(3), p. 446-461.

Chapitre **9**

Contrôles politiques
et juridiques
de l'administration

Michel Barrette

PLAN

L'administration publique est l'objet de contrôles divers et multiples ; elle est sans cesse contrôlée dans ses processus et ses résultats. Certains contrôles internes font même partie de l'action administrative courante tandis que d'autres proviennent d'organes et d'organismes de contrôle. D'autres encore sont exercés par des acteurs situés à l'extérieur de l'appareil de l'État. Ces contrôles de tous genres alourdissent et ralentissent inévitablement le processus administratif, mais ils sont indispensables pour assurer la bonne marche de l'appareil administratif et pour garantir la légalité des actes posés par l'administration. En effet, l'administration publique n'étant soumise ni à la concurrence (sauf certains organismes spécialisés), ni au contrôle ultime de la rentabilité de ses opérations, cela nécessite l'établissement d'un système complexe de contrôles multiformes pour évaluer et favoriser la « productivité » et la qualité des services publics.

Ce chapitre se propose d'étudier et de présenter les différents contrôles de l'administration ; il s'agit bien sûr de ceux auxquels l'administration est soumise et non ceux qu'elle-même exerce sur divers secteurs de la société. Nous élaborerons d'abord la notion de contrôle puis nous en examinerons les diverses formes.

9.1
LA NOTION DE CONTRÔLE

À partir du moment où l'on cherche à cerner le sens du mot contrôle, on se heurte à une difficulté d'ordre linguistique. Ainsi, suivant l'étymologie française le mot signifie vérification, alors que selon l'étymologie anglaise (*control*) il prend le sens de maîtriser des opérations (Molitor *et al.*, 1971, p. 329). Nous devons retenir les deux sens pour pouvoir examiner le contrôle de l'administration publique ; il faudra même multiplier chacun des sens pour marquer l'intensité des contrôles. Pour l'instant, établissons que tout contrôle comporte une *comparaison* entre ce qui est fait (action, décision, etc.) par une unité administrative ou un fonctionnaire et une *norme* imposant ce qui doit être fait (rôle, objectifs, conditions de réalisation, manières de fonctionner, etc.) ; cette norme doit d'abord avoir été adoptée par une autorité supérieure et transmise aux exécutants. Le contrôle met donc en relation un *contrôleur* qui détermine et impose les *standards* puis en vérifie l'application par un *contrôlé*. Le schéma suivant illustre ce qui précède :

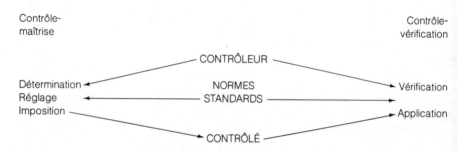

Contrôle-maîtrise

Contrôle-vérification

CONTRÔLEUR

Détermination
Réglage
Imposition

NORMES
STANDARDS

Vérification

Application

CONTRÔLÉ

Comme nous connaissons les éléments essentiels du contrôle, il convient maintenant d'en retenir une définition formelle :

> « Le contrôle est un processus fonctionnel de rapprochement comparatif entre deux termes dont l'un peut être soit une action abstraite ou concrète d'un individu ou d'un groupe, appelés contrôlés, et dont l'autre terme, qui sert de standard ou d'instrument pour mesurer le premier terme, peut être soit une valeur, une norme, un rôle à exercer ou s'exerçant, ou encore l'individu ou le groupe qui l'incarne et qui est appelé contrôleur » (Bergeron, 1965, p. 50).

Par ailleurs, Bergeron répertorie six sens différents de contrôle, tous contenus dans l'expression « rapprochement comparatif » ; nous pouvons relier ces six sens aux deux sens dégagés initialement :

- domination
- direction   } MAITRÎSE DES OPÉRATIONS
- limitation

- surveillance
- vérification   } VÉRIFICATION
- enregistrement

La définition de Bergeron, en plus de reprendre chacun des éléments du contrôle, englobe tous les sens énumérés ci-dessus. D'une part, elle met en relation les structures ou autorités exerçant les contrôles et les unités ou fonctionnaires qui en sont l'objet, et d'autre part, elle suppose que des priorités, des principes, des objectifs, des directives et des critères sont élaborés et transmis aux exécutants, dont l'action est ainsi orientée, encadrée et limitée. Enfin, elle suggère l'évaluation et la vérification de l'exécution et de l'application de ces normes.

Les buts

Précisons maintenant la notion en nous posant la question suivante : pourquoi contrôler l'administration ? Cela nous conduit alors à la découverte des buts du contrôle : premièrement, assurer un fonctionnement régulier et continu de l'appareil administratif pour qu'il accomplisse ses missions avec fidélité, cohérence et compétence ; deuxièmement, garantir la légalité des actes que pose l'administration et protéger les droits des citoyens ; troisièmement, superviser la réalisation des programmes pour en vérifier les résultats et le rendement. De ces objectifs généraux découlent des buts plus spécifiques des contrôles : vérifier l'exécution d'une tâche, conserver des traces écrites de l'exécution, attribuer éventuellement des responsabilités, rectifier des erreurs ou des dérogations aux standards, prévenir la répétition des erreurs (Poncelet, 1979, p. 37). Cela explique pourquoi l'administration publique doit développer toute une batterie de contrôles et les exercer à divers niveaux. Ce système de contrôle est d'ailleurs à la fois l'une des principales caractéristiques et l'une des contraintes essentielles de l'administration publique comparativement à l'entreprise privée. S'il existe certes des contrôles dans l'entreprise privée, ils ne prennent pas la même ampleur. Ces contrôles dans l'administration publique sont d'ailleurs justifiés puisqu'elle jouit généralement d'une situation de monopole, assure des services publics qui doivent être accessibles à tous et dont certains sont indispensables au fonctionnement de la société, vit de deniers publics dont une bonne partie est prélevée obligatoirement, et enfin ses interventions peuvent affecter les droits des citoyens. Ces contrôles sont donc nécessaires et influencent constamment et de façon déterminante la vie de l'administration. D'abord, l'existence même des contrôles oriente le fonctionnement de l'administration qui se soumet aux standards et aux normes en prévision de leurs effets. D'autre part, l'exercice de contrôles influe sur l'administration par les suites et corrections qui leur sont données (Gournay, 1978, p. 91).

Les modalités

Nous poursuivons notre étude du contrôle par l'exposé de diverses modalités. Nous verrons successivement des types puis des techniques de contrôle. On peut distinguer les divers types de contrôle en les répertoriant suivant leur portée, c'est-à-dire suivant la nature de la comparaison qu'ils établissent.

Le **contrôle d'opportunité** consiste à vérifier la pertinence d'une décision ou d'un acte administratif par rapport au contexte. On examine alors l'objectif recherché, la sélection des moyens mis en œuvre, les délais impartis, bref la qualité intrinsèque de la décision eu égard aux principes et aux standards établis. Il va sans dire que ce type de contrôle comporte inévitablement une part de subjectivité fondée sur les valeurs et l'appréciation du contrôleur. C'est le plus subjectif et le plus politique des contrôles.

Le **contrôle de la légalité** ou de la régularité vérifie formellement la conformité des actes de l'administration par rapport à des règles juridiques (Constitution, lois, règlements), des politiques établies, des directives ou des procédures imposées par un supérieur hiérarchique, un organisme central ou le gouvernement[1] lui-même. Ce type de contrôle nécessite la confrontation à partir de normes précises : textes législatifs ou réglementaires, décisions formelles, objectifs quantitatifs, etc.

Le **contrôle de rentabilité** cherche à mesurer le *rendement* (efficience) d'une décision, d'une politique, d'un programme ou d'une structure administrative, c'est-à-dire mesurer les coûts par rapport au rendement obtenu.

Le **contrôle d'efficacité** compare les résultats obtenus aux objectifs fixés.

Quant à Gournay (1978, p. 86), il identifie deux autres types de contrôles : les **contrôles techniques**, qui examinent l'activité propre à chacun des services eu égard à la mission qui leur est confiée ; les **contrôles administratifs**, qui évaluent la gestion des moyens d'intervention des divers services : achats, comptabilité, personnel, etc.

Par ailleurs, on dénombre plusieurs techniques de contrôle qui possèdent leur procédure propre, et chacune de ces procédures comporte des avantages et des inconvénients qui lui sont inhérents. Ainsi, il y a les contrôles *préventifs* ou *a priori* qui prennent place avant qu'une décision ne soit effective, avant l'exécution, sous forme d'autorisation ou d'approbation préalable. Ces contrôles ont pour but de déceler les erreurs et les irrégularités avant qu'elles ne produisent des situations dommageables. En ce sens c'est une technique très efficace qui permet des ajustements en cours d'action. Cependant, elle a aussi pour effet de ralentir l'action de l'administration qui doit attendre le feu vert d'une autorité supérieure avant de passer à l'action. D'autre part, elle tend à diluer la responsabilité des administrations qui s'en remettent alors à l'autorité qui accorde les autorisations. D'autres contrôles s'exercent *a posteriori*, c'est-à-dire qu'ils évaluent l'action administrative à la suite de l'exécution, soit après coup ; une autorité extérieure ou un corps de contrôle spécialisé effectue la vérification. Cette technique permet à l'administration qui est contrôlée d'être responsable de ses décisions et de l'ensemble de ses opérations et d'agir avec plus de célérité. Toutefois, ces contrôles *a posteriori* ont une efficacité limitée puisqu'ils sont exercés seulement après l'exécution ; ils permettent simplement, si possible, de réparer les dommages causés par des irrégularités éventuelles et d'éviter leur répétition. Certains contrôles se font *sur place*, c'est-à-dire sur les lieux-mêmes, qu'il s'agisse du contrôle d'un supérieur sur son service ou de représentants d'organismes de contrôle qui se rendent dans les services pour vérifier leurs procédures, leurs résultats, etc. D'autres contrôles enfin s'effectuent *sur pièce*, c'est-à-dire à partir de documents (dossiers, tableaux, statistiques, procès-verbaux, etc.) fournis au contrôleur par des services qui sont contrôlés. L'examen des pièces justificatives peut se faire sur place ou dans les bureaux du contrôleur.

Nous possédons maintenant une connaissance assez exhaustive de la notion de contrôle, de ses buts et des modalités de son exercice. Dès lors, nous pouvons considérer les diverses formes de contrôle de l'administration.

9.2
LES FORMES DE CONTRÔLE

On peut distinguer deux catégories principales de contrôle : le contrôle politique et administratif d'une part, et le contrôle juridictionnel d'autre part. Entendu dans son sens le plus large, le contrôle politique comprend l'action des partis politiques et des groupes d'intérêt sur l'administration et aussi la direction de l'administration par le gouvernement. En effet, les partis politiques, par l'intermédiaire de l'élection, orientent l'action de l'administration en introduisant, dans le processus administratif, les demandes, les besoins et les problèmes de l'environnement sociétal, sous forme d'objectifs. Les groupes d'intérêt peuvent influencer l'administration tout au long du processus administratif, de la planification à l'exécution, soit par des moyens informels tel le lobbying, soit en utilisant les mécanismes de participation-consultation établis par l'État (Bernard, 1977, p. 17). Toutefois, afin de ne pas déborder le cadre de cet ouvrage et parce que le chapitre 10 traite spécifiquement des relations de l'administration avec les groupes, nous limiterons notre étude au contrôle de l'exécutif sur l'administration. Cependant la figure 9.1 donne le portrait de l'ensemble des contrôles qui s'exercent sur l'administration publique.

Le contrôle politique

Le pouvoir exécutif est la première source de contrôle politique de l'administration : il constitue la structure politique décisionnelle supérieure

FIGURE 9.1
Contrôle de l'administration (Québec)

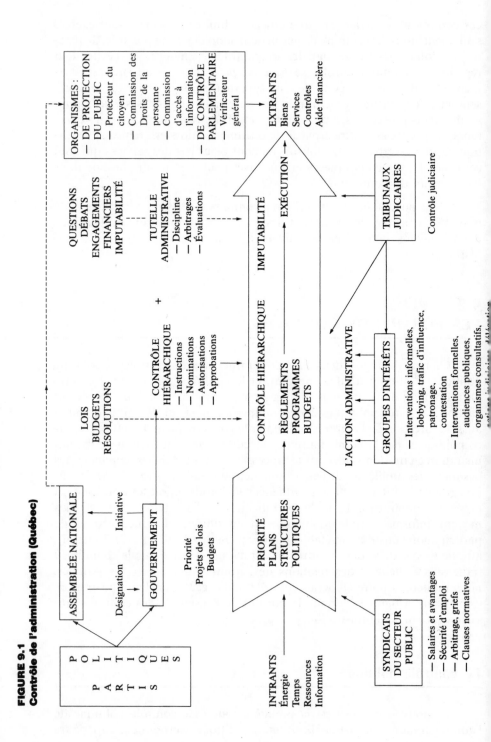

qui a pour fonction, entre autres, de coiffer, diriger et organiser l'administration publique. À ce titre, l'exécutif ou gouvernement exerce un contrôle que nous avons appelé « maîtrise des opérations ». C'est lui qui définit les priorités, les objectifs, les politiques et les missions que l'administration doit réaliser. L'exécutif détermine le contenu des projets de loi et des budgets et adopte les règlements en vertu des lois ; l'administration devra en faire l'application. Certes, celle-ci a pu participer au processus menant à l'élaboration de ces règles et normes, voire l'influencer, mais l'exécutif fait les choix et impose, du moins formellement, ses décisions à l'administration. De plus, c'est l'exécutif qui décide de la mise en place des structures administratives : ministères, organismes publics, institutions décentralisées ; c'est lui également qui définit les principes des politiques de gestion financière, de gestion du personnel, des achats de biens et services, etc. ; enfin, il est à l'origine d'instructions, de mots d'ordre qui orientent l'activité de l'administration. Bref, l'exécutif est la source décisionnelle qui élabore les paramètres auxquels l'administration doit se référer. D'autre part, le pouvoir exécutif exerce un « contrôle-vérification » de l'action administrative afin de contrôler la conformité avec les paramètres établis (Debbasch, 1980, p. 682). Il convient ici de remarquer que le contrôle politique, tant dans son aspect maîtrise des opérations que dans son aspect vérification, se confond largement avec le contrôle administratif. En effet, il n'est pas toujours possible de délimiter une frontière exacte entre la direction politique et la direction de l'administration puisque l'exécutif, coiffant l'appareil administratif, assume le rôle de direction de l'administration dans sa totalité.

Quant au pouvoir législatif, il exerce lui aussi un contrôle politique sur l'administration. Il participe d'abord au contrôle-maîtrise des opérations par l'adoption formelle de textes législatifs qui définissent les missions, établissent les structures administratives et déterminent les normes et les principes de fonctionnement, les règles de droit et les pouvoirs de l'administration. Ainsi, ce sont des textes législatifs qui créent les ministères et les agences gouvernementales et qui permettent la décentralisation administrative. De plus, les programmes que l'administration doit gérer sont aussi établis par des lois. C'est au cours des débats marquant l'adoption de ces textes de loi que les parlementaires peuvent influencer, plus ou moins modestement selon les régimes politiques, l'évolution et le fonctionnement de l'administration. Par ailleurs, c'est le pouvoir législatif qui vote les règles budgétaires, le budget global et les crédits alloués à l'appareil administratif, véritable « nerf de la guerre », indispensable à l'action administrative ; c'est le contrôle des deniers publics par les représentants de la population qui fut l'objet de tant de luttes politiques entre la Couronne et le Parlement d'abord, puis entre le gouvernement et le Parlement. De nos jours, il faut bien convenir que le contrôle législatif s'exerce dans le sillage du contrôle politique de l'exécutif qui, dans tous les régimes politiques, détient principalement ou quasi exclusivement l'initiative de la présentation des projets de loi ou des budgets. Le pouvoir de contrôle du législatif peut donc varier selon les régimes politiques où il s'exerce.

L'autre forme de contrôle, la vérification, effectuée par le pouvoir législatif, consiste en une surveillance de l'action administrative dans le but d'en vérifier la conformité avec les normes adoptées formellement par le corps législatif. Ainsi, les parlementaires peuvent questionner les ministres responsables de la gestion de leur ministère et des organismes dont ils assument la tutelle ; ils peuvent être soumis à des questions orales ou écrites. La plupart des ministères et agences sont tenus de fournir un rapport annuel sur leurs activités ; ce rapport est déposé devant les parlementaires qui peuvent y puiser matière à questions ou à débats sur la gestion de ces unités ou sur leurs orientations. Ils sont aussi les récepteurs des plaintes et critiques de la part de leurs électeurs en ce qui a trait à leurs relations avec l'administration ; c'est l'occasion pour les élus de soulever des questions ou des débats. Les institutions représentatives reçoivent aussi des rapports des responsables d'organismes de contrôle spécialisés, tels le vérificateur général et le protecteur du citoyen au Québec, ce qui leur permet de discuter des lacunes de l'organisation et de la gestion de l'administration publique. Mais c'est à l'occasion de l'examen des projets de loi et des crédits, en commissions parlementaires, que les représentants de la population peuvent discuter et critiquer la politique des services, l'opportunité des programmes, la régularité des actes de l'administration, la pertinence des engagements financiers, etc. Il convient ici de souligner la différence dans la capacité de contrôle des parlementaires en régime présidentiel et en régime parlementaire. Aux États-Unis, les pouvoirs des comités sont plus étendus que ceux des commissions parlementaires du Québec et du Canada. Ainsi, les représentants et sénateurs américains peuvent faire comparaître et interroger les gestionnaires et exercer de cette façon un contrôle direct sur l'administration. Le parlementarisme, en raison de la responsabilité ministérielle, stipule que c'est le ministre qui doit répondre des activités de son ministère et des organismes dont il est responsable. En clair, cela signifie que les parlementaires ne peuvent généralement pas faire comparaître les fonctionnaires en leur nom propre ; lorsque ces derniers participent aux commissions parlementaires, ils y fournissent des informations et des explications mais ils n'assument pas la responsabilité de la gestion. Le contrôle législatif s'effectue alors indirectement, toujours sous le parapluie ministériel. La rigueur du contrôle législatif en est donc fort atténuée puisqu'en fait les parlementaires « contrôlent surtout le contrôle » hiérarchique ou de tutelle effectué par le ministre. De plus, les parlementaires ne disposent ni du temps, ni de ressources suffisantes (experts, documentation, dossiers, etc.) pour effectuer un contrôle minutieux de l'administration ; ils sont plutôt à la merci des documents et arguments élaborés par les spécialistes des ministères et agences gouvernementales et ils ne bénéficient pas de contre-expertise. S'il est maintenant commun de dire que les députés sont davantage des contrôleurs que des législateurs, force est de constater qu'ils n'ont ni les moyens, ni les outils pour exercer un contrôle rigoureux et efficace de l'administration publique (Pelletier, 1984, p. 146). Le contrôle politique le plus effectif sur l'administration est donc celui de l'exécutif. Toutefois, cette affirmation doit être nuancée lorsqu'on considère le régime présidentiel américain où le contrôle du Congrès et de ses comités sur l'administration peut être beaucoup plus serré.

Le contrôle administratif

Le contrôle administratif est un contrôle qui s'effectue à l'intérieur de l'appareil administratif, par l'administration elle-même. Il est exercé soit par les organes supérieurs de l'administration, soit par des chefs de service ou des organismes de contrôle spécialisés. Un premier type est appelé *contrôle hiérarchique*, que Patrice Garant définit ainsi :

> Le contrôle hiérarchique est celui qu'exerce un supérieur sur la personne et sur les actes des agents de son service, ou celui qu'exerce un organe supérieur sur un organe inférieur à l'intérieur d'une administration (Garant, 1985, p. 453).

À chacun des niveaux de la hiérarchie administrative, un fonctionnaire supérieur contrôle les actes des subordonnés. Il s'agit d'une cascade de contrôles, successivement délégués du sommet jusqu'à la base, c'est-à-dire des autorités politiques aux cadres supérieurs, puis aux cadres intermédiaires ou chefs de service. Ce contrôle hiérarchique comporte les deux volets du contrôle. Il est « maîtrise des opérations » lorsqu'il prend la forme d'instructions, d'autorisations, d'objectifs, de priorités, de plans et de politiques élaborés et transmis à des services ou à des fonctionnaires subordonnés. Il est « vérification » lorsqu'il consiste à vérifier la conformité de certains actes administratifs avec les buts, normes et standards édictés par les autorités concernées afin de corriger les erreurs, dérogations et irrégularités éventuelles. Cette forme de contrôle s'effectue par un ensemble d'approbations, d'inspections, de signatures, d'évaluations, de décisions disciplinaires, etc. Le contrôle hiérarchique s'exerce tout au long du processus administratif, portant aussi bien sur l'opportunité que sur la légalité de l'action administrative. Il convient de préciser que le contrôle hiérarchique s'exerce aussi par les organes supérieurs de l'administration publique : organes politiques, ministères et organismes de coordination et de contrôle spécialisés, telles les unités responsables de la planification, de la budgétisation, de la gestion centrale des ressources humaines ou des biens et services. Le contrôle hiérarchique est un contrôle de gestion qui fait partie du système de gestion courante, comme le montre André Gagné :

> Le contrôle est une sorte de rétroaction qui signale la nécessité de faire des ajustements et des modifications aux orientations, aux

buts, aux résultats désirés et/ou aux moyens d'action (Gagné, 1984, p. 262).

D'autre part, si l'on considère strictement le contrôle-vérification, on doit distinguer deux types d'administration. Il y a d'abord celles où l'on a établi des corps de contrôle ou d'inspection situés à l'extérieur des services exécutifs : ils ont pour fonction de vérifier minutieusement l'ensemble des activités de ces services. Il y a ensuite les administrations qui n'ont pas de ces corps de contrôle qui procèdent à une inspection systématique des services ; les contrôleurs font alors de simples vérifications ponctuelles plutôt que des vérifications systématiques et globales.

Il existe un second type de contrôle administratif, la *tutelle administrative*, qui est :

> [...] le droit de regard des autorités gouvernementales ou para-gouvernementales sur les activités des administrations décentralisées [...] (Garant, 1985, p. 456).

La tutelle diffère du contrôle hiérarchique en ce sens qu'il ne s'agit pas du contrôle d'un supérieur sur un subordonné mais d'un contrôle limité et encadré que l'administration centrale exerce sur les institutions administratives décentralisées, ou encore le contrôle d'un organisme spécialisé sur des administrations autonomes. La tutelle administrative est une technique de contrôle dont l'administration centrale dispose pour s'assurer que les administrations décentralisées poursuivent leurs objectifs et qu'elles accomplissent leurs tâches dans la légalité et avec efficacité[2]. En fait, la tutelle a pour but de garantir la recherche de l'intérêt général et le respect des droits des citoyens. D'ailleurs, la tutelle administrative est toujours expressément prévue par la loi qui établit ou qui régit l'institution décentralisée ainsi contrôlée (Garant, 1985, p. 455). Les formes de la tutelle, sa portée et ses modalités sont donc des normes qui proviennent de la loi et le contrôleur ne peut exercer un contrôle dérogeant aux stipulations de la loi. Bref, il ne s'agit pas d'un contrôle discrétionnaire tous azimuts mais d'un contrôle limité, quoique le plus souvent de large étendue. La tutelle administrative prend diverses formes ; au sens strict il s'agit d'une surveillance de l'activité des administrations décentralisées, au sens large elle comprend aussi la maîtrise des administrations autonomes par l'administration centrale. Nous retiendrons le sens large qui, seul, peut rendre compte de l'ensemble de ce mécanisme de contrôle. Ainsi, c'est d'abord le gouvernement qui décide de l'existence des institutions décentralisées et qui détermine le mandat et les pouvoirs qui leur sont attribués ; les institutions représentatives officialisent cette existence et les règles de fonctionnement qui sont imparties aux administrations autonomes. C'est aussi le gouvernement qui nomme et révoque les administrateurs supérieurs et qui peut sanctionner certaines décisions prises par l'organisme autonome. D'autre part, le ministre de tutelle, celui qui exerce la tutelle sur une administration décentralisée et qui en est responsable devant le gouvernement et le Parlement, peut donner des instructions et exercer une surveillance sur les décisions budgétaires et réglementaires des organismes contrôlés qui doivent lui remettre un rapport annuel de leurs activités. Enfin, le ministre des Finances et les organismes de contrôle budgétaire effectuent un contrôle de l'administration financière des organismes décentralisés. Si l'on considère maintenant le contrôle-vérification, qui comprend aussi la tutelle administrative, on constate (Poncelet, 1979) qu'il peut prendre six différentes formes, que nous énumérons ci-après :

- l'approbation préalable : l'exécutant soumet son projet de décision au contrôleur et attend son accord avant d'agir ;

- l'instruction : le contrôleur transmet des directives que l'exécutant doit prendre en considération dans son action ;

- l'annulation ou le désaveu : le contrôleur peut annuler une décision de l'exécutant qui doit alors remodeler sa décision ;

- la suspension : le contrôleur peut retarder l'application d'une décision de l'exécutant ;

- la réformation : le contrôleur peut lui-même modifier ou changer certaines parties de la décision ;

- la substitution : le contrôleur remplace la décision de l'exécutant par sa propre décision.

Répétons cependant, pour plus de certitude, que ces diverses formes de tutelle doivent être inscrites dans les lois constitutives des administrations décentralisées pour que le contrôleur (ministre de tutelle, gouvernement ou organismes de contrôle) puisse les utiliser.

Il existe aussi une forme plus spécifique, quant à l'objet, de contrôle administratif, le *contrôle financier*. Ce type de contrôle est certes intégré au contrôle hiérarchique, mais il convient tout de même d'en faire une présentation à part en raison de son importance (il s'agit de l'affectation et de la surveillance des deniers publics) et de son omniprésence à tous les niveaux de l'administration (le fonctionnement de l'administration publique est donc forcément conditionné par ce contrôle). De plus, c'est pour ce type de contrôle que les administrations ont davantage recherché et développé de nouvelles techniques de contrôle global des dépenses publiques. Néanmoins, nous traiterons brièvement de cette forme de contrôle pour éviter d'empiéter sur le chapitre traitant des finances publiques (chapitre 5).

Le contrôle financier comporte les deux volets habituels du contrôle : la maîtrise (des opérations) et la vérification. D'abord, le gouvernement (exécutif) détermine les priorités budgétaires annuelles et pluriannuelles (les objectifs des dépenses publiques) et l'orientation à donner aux finances publiques (plafonds de dépenses, secteurs prioritaires, etc.). Pour sa part, l'organe ou l'organisme central de budgétisation (au Québec et au Canada, c'est le Conseil du Trésor) établit les règles devant présider à la confection et à l'exécution du budget. La phase d'établissement des prévisions budgétaires nécessite de nombreux arbitrages à l'intérieur même des unités administratives : chefs de services, service interne responsable du budget, autorité administrative et autorité ministérielle sont tour à tour appelés à arbitrer les demandes diverses et multiples. Par la suite, l'organisme central de budgétisation et parfois même le gouvernement doivent procéder à l'arbitrage[3] ultime des prévisions des ministères et agences gouvernementales. Enfin, les institutions représentatives adoptent formellement le budget global et les crédits budgétaires alloués aux divers programmes et unités administratives. Voilà, sommairement exposées, les étapes qui marquent le contrôle des opérations dans le domaine financier ; il consiste à fixer des objectifs, à allouer des ressources et à proposer des normes de rendement. C'est d'ailleurs dans le but de mieux contrôler les dépenses publiques, dans les sens de maîtrise des opérations et de vérification, que la plupart des administrations publiques occidentales ont adopté des techniques budgétaires plus rigoureuses comme la rationalisation des choix budgétaires (RCB(PPBS en anglais)) et le budget à base zéro (BBZ(ou ZBB)). La RCB par exemple est une technique qui exige l'établissement d'objectifs de dépenses et qui nécessite une prévision des coûts et des résultats, permettant ainsi des décisions budgétaires mieux contrôlées par ceux qui les prennent. D'autre part, la RCB propose aussi la détermination de critères et de mesures afin d'effectuer le contrôle-vérification des coûts et des résultats en les comparant aux prévisions, rendant ainsi possibles les ajustements. On voit alors que les administrations publiques sont à la recherche de moyens qui assureront un contrôle financier plus efficace et plus rigoureux sur les décisions budgétaires et l'exécution du budget.

Maintenant, si l'on considère le contrôle financier sous l'angle de la vérification, on constate qu'il s'exerce par un ensemble de moyens qui forment un véritable système de surveillance de l'exécution du budget. Il y a d'abord un contrôle des dépenses à l'intérieur de chacune des unités administratives ; contrôle hiérarchique et aussi approbation du service interne responsable du budget ; c'est un contrôle d'opportunité sur la pertinence des engagements financiers et de régularité de la gestion financière qui s'exerce aussi bien *a priori* qu'*a posteriori*. Au niveau central, il y a un contrôle *a priori*, sur les engagements financiers des unités administratives, qui est exercé par un contrôleur des finances ou par le ministère des Finances ; il s'agit d'un contrôle de régularité effectué dans le but de vérifier la conformité de la dépense avec les normes établies et la disponibilité des ressources selon l'allocation des crédits. L'organisme central de budgétisation exerce lui aussi un contrôle *a priori* par le biais de l'approbation des dépenses des unités administratives, dont il vérifie surtout l'opportunité mais aussi la régularité. Les institutions représentatives quant à elles, par l'intermédiaire des comités législatifs, scrutent la gestion financière et adoptent les crédits budgétaires de chacune des unités de l'administration. Enfin, leurs dépenses et leur gestion sont examinées par un vérificateur général, une fois l'année financière écoulée ; il s'agit alors d'une vérification postérieure qui porte sur l'opportunité, mais davantage sur la régularité des décisions et pratiques administratives. Ce vérificateur, contrôleur spécialisé extérieur à l'administration, agit généralement sous l'autorité des institutions représentatives plutôt que sous celle du gouvernement. Il rédige annuellement un rapport faisant état des résultats de ses vérifications et contenant des propositions en vue de corriger les lacunes de l'administration financière ; le rapport est remis aux parlementaires qui peuvent y trouver matière à questionner la gestion du gouvernement et de l'administration.

9.3
LE DÉVELOPPEMENT DE NOUVEAUX MOYENS DE CONTRÔLE DE L'ADMINISTRATION PUBLIQUE

Jusqu'ici nous avons présenté les contrôles politique et administratif classiques de l'administration publique. Mais ces contrôles sont loin d'assurer, à la hiérarchie, aux organismes de coordination et de contrôle et au gouvernement, et encore moins au Parlement, une pleine maîtrise de l'action administrative. Par ailleurs, ils ne permettent pas toujours non plus aux citoyens d'obtenir satisfaction, ou réparation éventuelle, quant à leurs demandes et à leurs relations avec l'appareil administratif. Ces lacunes dans les mécanismes de contrôle ont entraîné la proposition et le développement de nouvelles formes de contrôle ; nous exposerons ici l'imputabilité administrative puis le contrôle que les citoyens peuvent exercer sur l'administration par l'intermédiaire d'organismes de protection du public.

L'imputabilité administrative

Au Canada, l'insuffisance des contrôles classiques a été dramatisée par le vérificateur général, dans son rapport pour l'année 1976 :

> Je m'inquiète sérieusement du fait que le Parlement — et, en réalité le gouvernement — ne contrôle plus de façon efficace l'utilisation des deniers publics, ou semble près de perdre le contrôle.

Ce cri d'alarme du vérificateur général a sonné le réveil et déclenché le branle-bas de combat au sein de toute l'administration fédérale. Le gouvernement a mis sur pied une Commission royale d'enquête sur la gestion financière et l'imputabilité dont le rapport, publié en 1979 (Rapport Lambert), comportait de multiples recommandations ; on a d'ailleurs entrepris la mise en application de quelques-unes d'entre elles. De nombreux spécialistes se sont penchés sur ces recommandations et sur leur impact sur l'administration (*Administration publique du Canada*, 1979 ; Charih, 1990). Dix ans plus tard, un groupe d'études du gouvernement du Canada, dirigé par le vice-premier ministre Éric Nielsen, déclare dans son rapport que le gouvernement fédéral a perdu le contrôle de ses dépenses (Rapport Nielsen, 1986). On en est toujours au point de départ : les contrôles classiques et les quelques applications partielles des recommandations du Rapport Lambert ne permettent pas un contrôle satisfaisant de la machine administrative. Par ailleurs, au Québec, en 1981, l'Assemblée nationale chargeait une commission parlementaire spéciale d'examiner le rôle de la fonction publique. En 1982, cette commission parlementaire publiait un rapport au titre révélateur « Pour une fonction publique sensible aux besoins des citoyens, moderne, efficace et responsable » (Rapport Bisaillon, 1982). La création de ces divers groupes d'études témoigne du malaise qui existe et de l'incapacité des contrôles classiques de maîtriser ces réalités. L'insuffisance de ces contrôles classiques devient particulièrement aiguë dans un contexte financier difficile, ou particulièrement critique lorsqu'il devient impératif de contrôler et de diminuer le déficit budgétaire. On comprend alors la complexité de la tâche si le gouvernement ne détient pas un solide contrôle sur les dépenses, sur l'organisation et sur l'action administrative. En effet, comment réduire les dépenses lorsqu'on ne connaît pas à fond les programmes gouvernementaux, comme l'a montré le rapport Nielsen, et comment rendre la fonction publique plus productive sans accroître la responsabilité des fonctionnaires, des autorités administratives et des structures administratives ?

Pour augmenter l'efficacité et la maîtrise du gouvernement et du Parlement sur l'action administrative et sur les dépenses publiques, les rapports Lambert et Bisaillon ont proposé la mise en place d'un régime d'imputabilité. C'est cette nouvelle forme de contrôle que nous allons tenter de cerner.

Au départ, l'imputabilité est un principe qui a pour objet d'obliger les administrations publiques et les gestionnaires à rendre compte de leur gestion. Kernaghan la définit ainsi :

> *The obligation of managers to be answerable for fulfilling responsibilities that flow from the authority given them [...]* (Kernaghan, 1984, p. 15).

L'imputabilité suppose donc une délégation d'autorité, et celui qui la reçoit doit l'assumer et en rendre compte. Ouellet reprend le même principe tout en en précisant la portée :

L'obligation pour les administrateurs publics de rendre compte à la société ou à ses mandataires de leurs activités et de leurs comportements (Ouellet, 1984, p. 46).

On constate donc l'obligation de rendre compte, d'informer, à chaque niveau de l'activité administrative. Le principe diffère de celui de la simple responsabilité, lequel est beaucoup plus général et beaucoup plus diffus. En effet, il ne s'agit pas que de la responsabilité hiérarchique de l'accomplissement régulier des tâches administratives, mais aussi d'une démarche d'ensemble qui nécessite la mise en place d'un « système d'imputabilité ». Un tel système doit fonctionner à l'aide de trois acteurs : un *mandant* qui délègue des tâches, des pouvoirs, au *mandataire* qui, lui, réalise et doit rendre compte, puis une *tierce partie* spécialisée dans l'évaluation. Celle-ci évalue aussi bien la qualité des mandats attribués que leur réalisation (Rapport Bisaillon, 1982, p. 32).

Cette tierce partie serait normalement le vérificateur général. En effet, dans l'esprit des rapports Lambert et Bisaillon, les gouvernements canadien (1977) et québécois (1985) ont élargi les mandats de leurs vérificateurs respectifs pour que ceux-ci contrôlent non seulement la légalité et l'économie de la gestion financière, mais aussi la mise en place de moyens de vérification de l'atteinte des objectifs des programmes gouvernementaux.

D'autre part, puisqu'il s'agit d'un système, l'imputabilité exige la planification d'objectifs et la prévision de moyens concertées par le mandant et le mandataire, puis la vérification de la réalisation des objectifs et de l'utilisation optimale des moyens. On le voit, l'imputabilité en elle-même constitue un mode complet de gestion et un système de contrôle couvrant aussi bien la « maîtrise des opérations » que la « vérification ». En effet, l'imputabilité a pour effet de préciser les orientations, les résultats désirés et de définir les moyens pour les atteindre. D'ailleurs, le Rapport Lambert expose un certain nombre de critères fonctionnels qu'il convient de rappeler ici afin de préciser le mode de fonctionnement du système ; celui-ci doit permettre de :

- planifier et établir les priorités du gouvernement ;

- transformer ces priorités en programmes ;

- allouer à ces programmes les ressources requises ;

- définir les normes et procédures provenant des organismes centraux ;

- déléguer aux gestionnaires les pouvoirs nécessaires à la réalisation de ces programmes ;

- établir les dispositifs pertinents de surveillance et d'évaluation qui assurent que tous les intervenants rendent des comptes à tous les niveaux, y compris devant le Parlement (Rapport Lambert, 1979, p. 90).

Cette simple énumération des critères fonctionnels d'un régime d'imputabilité et la répartition des pouvoirs qu'elle suppose entre l'administration, l'exécutif et le législatif montrent qu'il s'agit d'une forme de contrôle à la fois administratif et politique :

> [...] la question de l'imputabilité est politique par nature, en plus d'être un fait de management : l'imputabilité, en effet, soulève des problèmes politiques de fond tels que la place de l'administration dans l'appareil de l'État, son contrôle par des acteurs politiques responsables et les différents moyens institutionnels de ce contrôle (Ouellet, 1984, p. 46).

Il convient donc de souligner l'existence de deux niveaux d'imputabilité : d'abord, une imputabilité intra-administrative selon laquelle les gestionnaires sont redevables de l'action administrative de leur unité à leurs supérieurs hiérarchiques ; ensuite une imputabilité extra-administrative qui, elle, est de nature politique et rend les gestionnaires gouvernementaux responsables devant le public, soit par l'intermédiaire d'un ministre, ou encore plus directement devant un corps de représentants de la population (législatif). Dans le premier cas les gestionnaires sont redevables au ministre qui, à son tour, doit rendre compte de la gestion de son ministère et des organismes sur lesquels il exerce une tutelle devant le Parlement et l'opinion publique. Dans le second cas, les gestionnaires supérieurs sont appelés périodiquement à rendre compte de leur gestion devant un comité de parlementaires. Si on considère la portée des deux niveaux d'imputabilité, on convient que l'imputabilité politique doit s'exercer sur les orientations générales, les politiques et les objectifs alors que l'imputabilité administrative doit porter sur la gestion des moyens mis en œuvre pour les réaliser.

Nous avons déjà indiqué que l'adoption du principe d'imputabilité modifiait profondément le processus administratif. La mise en place d'un régime d'imputabilité bouleverse également les structures politiques et administratives de l'État, leur fonctionnement et les relations qu'elles entretiennent entre elles (Kernaghan, 1984, p. 20). Ainsi, les pouvoirs de gestion et de contrôle des organismes centraux sont renforcés ; la Commission Lambert par exemple propose la création d'un super organisme central de gestion. Ce Conseil de gestion succéderait au Conseil du Trésor et posséderait de nouveaux pouvoirs sur la dotation du personnel et sur la vérification de l'efficacité de la gestion des programmes par les ministères, pour ne mentionner que ceux-là. De plus, le système des comités du Cabinet doit être revu afin qu'on en fasse un véritable instrument de maîtrise de l'appareil gouvernemental et administratif, capable de planifier les objectifs et les stratégies, de même que l'affectation des ressources financières. D'autre part, les commissions parlementaires devront recevoir les pouvoirs nécessaires pour interroger les gestionnaires et réviser leurs procédures pour rendre opérationnelle l'imputabilité politique ; l'imputabilité exigera aussi des changements dans la structure interne des ministères et des organismes gouvernementaux aussi bien que dans le processus administratif : elle nécessitera entre autres l'attribution de responsabilités de gestion précises aux sous-ministres et aux dirigeants d'organismes. Enfin les organismes de vérification, tel le vérificateur général, auront des pouvoirs renforcés afin de permettre la délégation d'autorité aux gestionnaires, condition essentielle de l'imputabilité. En contrepartie, la vérification *a posteriori* doit être plus systématique et elle doit s'effectuer selon une procédure formelle, connue de tous les intervenants. Il s'agit, on le voit, de changements majeurs dans l'organisation des institutions politiques et administratives et dans leur fonctionnement.

Ces changements, exigés par la mise en œuvre d'un régime d'imputabilité, entraînent des questions politiques fondamentales pouvant même remettre en cause des caractères essentiels du régime politique. Ainsi, dans un régime parlementaire, l'imputabilité des gestionnaires devant une commission du Parlement peut entrer en conflit avec le principe de la responsabilité ministérielle. On doit alors établir des modalités permettant de rendre fonctionnels les deux principes ; la principale modalité est le partage des responsabilités entre l'exécutif et l'administration. L'inconvénient d'un tel partage est qu'il a pour effet d'atténuer la subordination de l'administration à l'exécutif (Gélinas, 1984, p. 379). L'imputabilité, dont l'un des buts est de promouvoir l'efficacité de la gestion, peut être un facteur d'incohérence dans le fonctionnement du régime politique et de l'administration. En effet, en matière de décisions administratives, peut-on distinguer une gestion « administrative » d'une gestion « politique » ? Est-il possible de tracer une frontière entre les responsabilités de l'exécutif et celles des gestionnaires ? Toute décision administrative implique l'exécutif, car c'est lui qui émet les normes et les directives balisant la prise de décision, qui nomme les gestionnaires et qui approuve ces décisions (Gélinas, 1984, p. 381). Enfin, rendre les gestionnaires supérieurs imputables en commissions parlementaires comporte un double risque (Normand, 1984, p. 539) : le premier est de faire des gestionnaires des politiciens de second ordre qui cherchent à se ménager l'appui des parlementaires, de l'opinion publique et de l'exécutif ; le second est la tentation que pourrait avoir un gouvernement ou un ministre de faire porter aux gestionnaires des responsabilités relevant de l'exécutif (Sutherland, 1991). Bref, la mise en place d'un régime d'imputabilité soulève de nombreuses questions et d'épineux problèmes.

Depuis le début des années 1980, les gouvernements des États-Unis et du Canada ont mis en place certaines pièces du système d'imputabilité administrative, mais le régime complet n'est pas encore implanté. Une enquête parlementaire récente (Rapport Lemieux-Lazure, 1990) a trouvé que l'imputabilité interne avait progressé beaucoup plus vite que celle devant l'Assemblée nationale. Elle hésitait cependant à recommander un régime de responsabilité directe pour les sous-ministres devant la Chambre. On veut peut-être éviter que l'imputabilité soit considérée comme une panacée qui réglerait d'un coup tous les problèmes de l'administration publique afin de ne pas répéter les erreurs commises dans les années 1960 et 1970 lorsque la RCB et le BBZ ont été perçus comme des outils qui allaient enfin rationaliser la gestion des deniers publics ; les années subséquentes allaient nuancer cette perception. Par ailleurs, l'implantation d'un régime d'imputabilité est un processus long et progressif puisqu'il s'agit d'introduire un véritable système de gestion et de le concilier avec des structures et des procédures établies. Enfin, l'implantation d'un régime d'imputabilité ne saurait se faire sans débats, études ou recherches, puisque l'imputabilité semble bien être un moyen efficace pour accroître le contrôle politique et administratif sur l'action administrative. Cependant, elle soulève en même temps des problèmes majeurs qui nécessitent des choix politiques.

Le contrôle des citoyens sur l'administration par l'intermédiaire d'organismes de protection du public

Les formes classiques de contrôle de l'administration, aussi raffinées soient-elles, se révèlent peu efficaces pour le contrôle des citoyens-clients. En effet, le contrôle classique accorde des pouvoirs tantôt à la hiérarchie administrative, tantôt à l'exécutif ou au législatif. Mais les citoyens ne peuvent utiliser ces moyens classiques si ce n'est indirectement, c'est-à-dire en s'adressant à un cadre supérieur responsable du service impliqué, ou au ministre responsable du secteur ou encore en faisant appel à leur député. Dans les deux premiers cas, ceux qui reçoivent les doléances du citoyen sont à la fois juge et partie. Quant à l'influence du député, elle dépend d'un grand nombre de variables et elle s'exerce de manière lointaine, à la fois du citoyen et de l'administration. Cette faiblesse du contrôle des citoyens sur l'administration est une contradiction essentielle puisque l'existence de l'administration et l'objectif prioritaire de l'action administrative se justifient par le service à rendre à la population : règlements, biens et services sont toujours dirigés vers les citoyens. Pour redonner au citoyen un certain contrôle sur les services publics, plusieurs états ont établi des mécanismes et des institutions habiles à recevoir les plaintes ou les revendications des citoyens en ce qui a trait à certaines transactions ou relations avec les fonctionnaires et les unités administratives. Ces institutions, selon leur nature, disposent de pouvoirs plus ou moins grands pour satisfaire les demandes que les citoyens leur adressent. Ainsi, le citoyen peut exercer un contrôle, restreint parce que ponctuel, un peu plus direct sur les actes de l'administration.

Originaire des pays scandinaves et aujourd'hui fort répandu dans les régimes parlementaires de type britannique (Grande-Bretagne, Australie, Nouvelle-Zélande ...), l'ombudsman se charge de défendre le citoyen face aux pouvoirs publics ; au Québec on parle de protecteur du citoyen. Il s'agit d'une forme de contrôle qui ne diminue en rien les recours administratifs, politiques ou judiciaires du citoyen, il complète simplement les possibilités de recours. Le protecteur du citoyen ne peut en effet se substituer aux tribunaux ou autres formes d'arbitrage pouvant être prévues par les lois. Comme l'ombudsman doit être tout à fait indépendant de l'administration et de l'exécutif, il relève du Parlement qui peut l'instituer, déterminer ses devoirs et ses tâches, recevoir le rapport de ses activités et assurer la nomination et la révocation du titulaire de la fonction. Le mandat de l'ombudsman consiste à recevoir les plaintes des citoyens envers l'administration, enquêter sur le bien-fondé de ces plaintes et enfin à faire des recommandations aux responsables : fonctionnaires, cadres, ministres. Il s'agit donc d'un contrôle *a posteriori* qui porte surtout sur la légalité, mais aussi dans une certaine mesure sur l'opportunité d'actes administratifs. En effet, l'ombudsman n'examine pas que la légalité de l'action administrative, il évalue aussi son caractère raisonnable ou abusif, juste ou injuste, discriminatoire ou non ; il cherche également à retracer les erreurs et les excès de pouvoir discrétionnaire (Garant, 1973, p. 230). On constate alors que l'ombudsman effectue un contrôle de vérification. Pour s'acquitter de son mandat, il est muni d'un pouvoir d'enquête qui lui permet d'interroger les fonctionnaires et d'exiger la remise de documents ; il détient en outre le pouvoir de faire des recommandations à l'administration et celui de faire rapport, au Parlement, de ses enquêtes et de ses démarches, des situations mises en lumière et des obstacles qu'il rencontre. Le Parlement peut utiliser ce rapport pour interroger et même censurer le gouvernement. L'ombudsman ne peut forcer l'exécution des recommandations qu'il fait à l'administration, il ne fait que suggérer. Ces recommandations peuvent par exemple proposer l'annulation d'un geste illégal, demander réparation à l'égard d'un citoyen lésé, souhaiter la modification d'une situation anormale, la compensation et inciter à prévenir les opérations pouvant causer des torts au public (Garant, 1973, p. 230). Ce contrôle de l'ombudsman s'exerce généralement sur les ministères et organismes du gouvernement mais il n'a aucune juridiction sur les institutions décentralisées territorialement ou sur les tribunaux judiciaires. Bref, l'ombudsman donne au citoyen un recours contre l'administration qui est plus rapide et plus simple (sans formalisme excessif) que l'intervention auprès de responsables administratifs et politiques ou la poursuite devant les tribunaux. Toutefois, l'ombudsman n'agit qu'en réponse à l'initiative d'individus ou de groupes.

Les États occidentaux ont aussi, pour la plupart, accordé à leurs citoyens des droits et des garanties, codifiés dans des chartes des droits, sur le modèle de la Déclaration universelle des droits de l'homme adoptée par l'ONU en 1948. Certaines de ces chartes sont très élaborées, d'autres moins ; elles peuvent faire partie de la Constitution du pays ou n'être que de simples lois détenant une suprématie morale sur les autres lois et sur les actes du gouvernement et de l'administration. Le contenu des chartes porte habituellement sur les droits et libertés garantis aux citoyens contre l'arbitraire de l'État et de ses agents ; certaines d'entre elles établissent l'égalité juridique de tous les citoyens et interdisent la discrimination suivant divers motifs. Plusieurs États, dont le Québec et le Canada, confient à une Commission des droits de la personne, la responsabilité de surveiller l'application de la

Charte des droits ; celle-ci est redevable au Parlement, afin que son indépendance face à l'exécutif et à l'administration soit garantie. La Charte des
droits et l'organisme qui en est le principal gardien constituent des mécanismes de contrôle que le citoyen peut utiliser pour obtenir gain de cause
dans un litige avec l'administration. En effet, les citoyens peuvent faire
appel à la Commission lorsque leurs droits sont bafoués par des fonctionnaires ou des agents publics, même décentralisés, ou encore s'ils croient
qu'ils sont victimes de discrimination dans leurs transactions avec les services administratifs. L'organisme responsable de l'application de la Charte
des droits peut recevoir les plaintes des citoyens et ouvrir une enquête s'il le
juge à propos ; il peut ensuite jouer un rôle de conciliateur en vue d'amener
les parties à résoudre leur litige. Au besoin, l'organisme peut faire des
recommandations dans le but de faire modifier certaines pratiques discrimi-
natoires ou abusives et indemniser la partie lésée. Il pourra, en recours, faire
appel aux tribunaux pour forcer l'application de ses recommandations. Le
contrôle d'une Commission des droits de la personne sur l'administration
publique est donc un contrôle de vérification qui s'exerce *a posteriori*.
Cependant, certains gouvernements consultent leur Commission au sujet de
certains projets de lois ou de règlements afin de s'assurer de leur conformité
avec la Charte des droits ; c'est alors un contrôle de légalité qui s'exerce *a
priori*. Comme le contrôle de l'ombudsman sur l'administration, le contrôle
basé sur les droits de la personne s'effectue à la suite d'une plainte ou d'une
initiative provenant d'individus ou de groupes. De nos jours, de nombreux
citoyens, soucieux de leurs droits, recourent à la Charte pour s'opposer à des
décisions politiques ou administratives ; ils exercent alors une censure sur
certains actes de l'administration et partant un certain contrôle.

   Nous retiendrons, en guise de dernier exemple d'un contrôle des
citoyens sur l'administration, celui de l'accès à l'information détenue par les
services administratifs. En cette matière, de plus en plus de gouvernements
adoptent les deux principes suivants : le premier est de rendre accessible,
aux citoyens, une partie substantielle des informations et des données dont
dispose l'administration. Le but est de rendre l'information plus ouverte et
plus transparente et de permettre au public de prendre connaissance des
activités et des procédures administratives. Il va sans dire que certaines
informations stratégiques, ou qu'il n'est pas utile de rendre publiques,
demeurent soustraites à ce principe d'accessibilité ; le deuxième principe est
celui de la protection de la confidentialité des renseignements que l'administration collige sur les individus et les groupes sociaux. Certains gouvernements ont confié aux tribunaux l'application de ces principes contenus dans
une législation, mais la plupart ont choisi d'établir un organisme autonome,
spécialisé, à caractère quasi judiciaire, responsable de l'application et du
contrôle découlant de la loi d'accès à l'information et de la protection de la
confidentialité des renseignements personnels. Au Québec, c'est la Commission d'accès à l'information qui assume cette fonction. Généralement, un tel
organisme est totalement, ou du moins prioritairement, subordonné au Par-

lement (nomination et révocation du personnel décisionnel, rapport annuel, etc.) afin de garantir son autonomie vis-à-vis l'exécutif et l'administration. La législation et l'organisme responsable de son application sont donc des mécanismes qui donnent aux citoyens un droit de recours pour contraindre, le cas échéant, les services administratifs à leur divulguer l'information désirée ou à leur remettre les documents ou dossiers demandés. Ce mécanisme permet aussi aux individus de surveiller l'utilisation, par l'administration, de renseignements personnels qui les concernent. Ainsi, au Québec, la Commission d'accès à l'information entend les plaintes et demandes des citoyens qui se sont vu refuser des informations du domaine public ou abuser dans l'usage des renseignements personnels les concernant ; d'autre part, la Commission émet des normes afin de régir l'utilisation des fichiers de renseignements personnels. Elle exerce également une fonction de consultation lorsqu'elle examine des projets de lois et de règlements pour en vérifier la conformité avec les principes de base. Tout citoyen qui a un différend avec l'administration au sujet de l'information ou de l'usage de renseignements personnels peut donc s'adresser à un tel organisme pour faire valoir ses droits, exerçant ainsi un contrôle sur la gestion de l'information. Ce contrôle s'exerce par l'intermédiaire de l'organisme ; il s'agit d'un contrôle de vérification qui porte surtout sur la légalité, mais aussi un peu sur l'opportunité de décisions administratives relatives à l'information. Ce contrôle s'exerce surtout *a posteriori* mais aussi *a priori* lorsque, par exemple, la Commission donne son avis sur un projet de loi.

On peut conclure cette partie en rappelant que les administrations publiques, à la suite de l'évolution des sociétés, de la complexité de la gestion politique et administrative, et des exigences accrues de la population, sont contraintes de rechercher et d'établir de nouveaux moyens de contrôle à l'usage du gouvernement, des représentants de la population et des citoyens eux-mêmes.

9.4
LE CONTRÔLE JURIDICTIONNEL

Nous abordons maintenant l'exposé du dernier, mais non le moindre, type de contrôle, un contrôle externe aussi indispensable que traditionnel, celui que les tribunaux exercent sur l'activité du gouvernement et de l'administration, soit le contrôle juridictionnel. Le contrôle des tribunaux se justifie par la nécessité de donner aux citoyens des recours en regard de l'action administrative. En effet, comme l'activité de l'administration rejoint tous les citoyens, il en découle inévitablement des litiges entre les administrés et l'administration publique. Quant à ces litiges, ils forment un contentieux administratif et sont alors assujettis à la compétence des tribunaux qui, eux, sont chargés de résoudre ces différends (Pépin, Ouellette, 1979, p. 13 et 24). On constate donc qu'il est dans la tradition des pays démocratiques de soumettre l'activité gouvernementale et administrative au contrôle des tribunaux. Cependant, cette tradition prend des formes différentes selon que les états ont adopté un régime juridique d'inspiration française ou un régime juridique d'origine britannique[4]. Les premiers placent l'administration sous le contrôle de tribunaux de juridiction administrative, qui appliquent des règles et des procédures spécifiques et particulières à l'administration publique. On trouve donc dans ces états un système de juridiction administrative différent du droit commun et de la juridiction des tribunaux judiciaires, une distinction nette entre droit privé et droit public et entre l'administration et les justiciables. Par ailleurs, les États dont le régime juridique est d'inspiration britannique confient le contrôle de l'administration à la juridiction des tribunaux ordinaires (de droit commun), en se basant sur la *rule of law* qui soumet l'administration et les citoyens aux mêmes lois et aux mêmes tribunaux. Néanmoins, ces États sont en pratique amenés à établir assez fréquemment des législations et des règles particulières, de même que des tribunaux spécialisés pour « régir les rapports entre l'administration et les administrés » (Lemieux, 1981, p. 6), dérogeant ainsi au droit commun. Nous reviendrons ultérieurement sur cet aspect ; pour l'instant, il convient d'établir la notion de contrôle judiciaire avec plus de précision puisque les administrations québécoise et canadienne sont soumises au droit commun et à ce type de contrôle juridictionnel.

Le contrôle judiciaire est le pouvoir, confié aux tribunaux judiciaires par la Constitution ou par d'autres lois, de surveiller l'action des institutions gouvernementales et administratives et de leurs agents dans le but de réparer les préjudices causés à des citoyens, de rectifier ou de prévenir une injustice ou un acte illégal, ou encore pour affirmer l'existence d'un droit (Lemieux, 1981, p. 7). Il faut cependant remarquer que l'initiative de faire appel à la surveillance des tribunaux appartient aux citoyens ; ceux-ci doivent même avoir un intérêt direct dans la cause portée devant les tribunaux. En effet, les cours ne peuvent, de leur propre chef, intervenir dans le processus administratif ; il tombe sous le sens que si les tribunaux pouvaient s'immiscer quand bon leur semble dans les opérations de l'administration, celle-ci risquerait la paralysie. Ainsi donc, au Québec et au Canada, l'une des fonctions des tribunaux judiciaires consiste à surveiller la légalité de l'action administrative. Pour s'acquitter de cette mission, ils doivent mesurer la conformité d'un acte administratif, porté à leur attention, avec la loi ; ils doivent aussi s'assurer que le gouvernement et l'administration agissent avec équité à l'égard de tous les citoyens, à l'intérieur des limites de leurs compétences et des pouvoirs qui leur sont attribués par la loi (Lemieux, 1981, p. 16 ; Pépin et Ouellette, 1979, p. 150). À partir de cette description, on peut établir que le contrôle judiciaire est un « contrôle-vérification » d'actes administratifs par rapport à une norme législative ; il s'exerce principalement *a posteriori* quoiqu'il puisse parfois poursuivre un objectif de prévention, comme on l'a vu. D'autre part, c'est un contrôle qui porte avant tout sur la légalité de l'action administrative. Cependant, il convient de souligner que la séparation entre contrôle de la légalité et contrôle de l'opportunité n'est pas toujours très nette et peut comporter une bonne part d'équivoque.

Au Québec, le pouvoir général de surveillance et de contrôle de l'administration appartient au tribunal général de droit commun : la Cour supérieure[5]. Les décisions de la Cour supérieure peuvent faire l'objet d'un appel devant la Cour d'appel du Québec et devant la Cour suprême du Canada. Toutefois, l'Assemblée nationale du Québec a adopté plusieurs lois confiant le contrôle judiciaire de certaines administrations spécifiques à la Cour provinciale du Québec ; il en est ainsi par exemple des réseaux institutionnels régis par le droit municipal et par le droit scolaire. D'autre part, dans de nombreux domaines précis d'intervention de l'administration, les lois du Québec ont établi des tribunaux administratifs, spécialisés, qui assurent le contrôle de la légalité de l'action administrative : Tribunal du travail, Tribunal de l'expropriation, etc.

De nombreuses lois prévoient cependant que le contrôle de la légalité des décisions administratives se fera par des tribunaux provinciaux, administratifs ou judiciaires, autres que la Cour supérieure (Lemieux, 1981, p. 36).

Il peut arriver cependant que les jugements de ces tribunaux inférieurs soient révisés, suite à des appels à la Cour supérieure, sauf lorsque la loi qui crée cet organisme administratif comporte une clause d'exclusion[6] qui le soustrait de l'appel au tribunal général de droit commun. Cette clause restrictive a donc pour objet de restreindre la portée du contrôle judiciaire que peut exercer la Cour supérieure. Quant à l'administration publique fédérale, elle est soumise au pouvoir général de surveillance de la Cour fédérale du Canada depuis 1970. Auparavant, ce pouvoir était assumé par le tribunal général de droit commun de chacune des provinces (la Cour supérieure au Québec). Enfin, les décisions de la Cour fédérale peuvent être portées en appel devant la Cour suprême du Canada.

Nous avons déjà exposé la nécessité d'un contrôle judiciaire de l'administration et nous avons aussi montré que c'est à partir d'un appel de citoyens, à l'encontre d'un acte de l'administration, que les tribunaux peuvent réaliser leur mission de contrôle et de surveillance des institutions et de l'action administratives. Il importe maintenant de faire un tour d'horizon des divers recours dont les citoyens peuvent se prévaloir en cas de litige avec l'administration ; ces recours constituent autant de contrôles judiciaires auxquels est soumise l'administration. Nous décrirons brièvement certains de ces recours[7], sans toutefois en faire une liste exhaustive, et nous nous limiterons à l'aspect québécois de la question.

Un citoyen peut toujours engager une poursuite civile contre la Couronne ou contre un organisme décentralisé, selon les prescriptions de la loi. Il peut aussi loger un appel demandant la révision, par le tribunal, d'une décision administrative, si la loi accorde un tel droit. Le justiciable peut demander une injonction au tribunal, laquelle injonction peut soit enjoindre de poser un acte ou de procéder à une opération, soit ordonner qu'un acte ne soit pas exécuté ou qu'il cesse de l'être.

L'*habeas corpus* peut être invoqué en matière criminelle ou parfois administrative (immigration par exemple) ; le justiciable peut alors faire déclarer illégale sa détention par décision judiciaire. Un citoyen peut aussi obtenir de la cour un jugement déclaratoire par lequel, dans certaines conditions, le tribunal peut affirmer l'existence d'un droit, d'un pouvoir ou d'une obligation. Plus directement reliés au contrôle et à la surveillance de l'administration sont les recours en évocation, en *quo warranto* et le *mandamus*. L'évocation est une ordonnance qui peut viser à empêcher une administration de dépasser sa juridiction avant qu'un jugement soit connu ou encore à casser la décision d'un organisme qui aurait rendu une décision illégale. Le *quo warranto* oblige une autorité administrative à démontrer, devant le tribunal, qu'elle détient les attributions légales pour accomplir une tâche. Enfin, le *mandamus* est une ordonnance d'un tribunal pour obliger un organisme ou un fonctionnaire à accomplir un acte de sa compétence ou à s'en abstenir. Voilà, brièvement évoqués, certains des principaux moyens de contrôle judiciaire de l'administration au Québec.

Il serait inopportun de terminer cette étude du contrôle juridictionnel sans rappeler quelques éléments du débat entourant les mérites respectifs d'un système de tribunaux administratifs et d'un contrôle judiciaire pour surveiller l'action de l'administration dans ses rapports avec les administrés. Le contrôle confié aux tribunaux ordinaires a pour principal avantage l'unité de doctrine ; en vertu de la *rule of law*, l'administration et les citoyens sont soumis aux mêmes lois et aux mêmes tribunaux. Cette unité confère à ce système de contrôle juridictionnel une simplicité remarquable qui facilite le recours des citoyens et qui élimine tout problème de compétence entre des tribunaux appartenant à des ordres différents. D'autre part, l'indépendance des tribunaux judiciaires vis-à-vis le gouvernement et l'administration est assurée, les recours sont entendus selon une procédure rigoureuse, publique et formelle et leurs décisions sont motivées (Pépin et Ouellette, 1979, p. 28). Le principal avantage de la juridiction administrative est sa spécialisation. Le tribunal administratif recourt à la fois à des connaissances juridiques et à la connaissance de l'administration et de ses techniques. En conséquence, les tribunaux administratifs sont à même d'exercer un contrôle efficace tout en tenant compte des contraintes auxquelles l'administration est soumise. La justice administrative peut même excéder le contrôle de la légalité des actes de l'administration et effectuer un contrôle de la légalité des actes de l'administration et effectuer un contrôle de l'opportunité des décisions administratives en raison même de sa spécialisation. Enfin, la procédure est généralement plus simple, plus rapide et moins onéreuse devant les tribunaux administratifs que devant les tribunaux judiciaires (Pépin et Ouellette, 1979, p. 28-29).

Probablement à cause de ces avantages de spécialisation et de simplicité, on remarque que les États dont le régime juridique est d'inspiration britannique ont institué une certaine forme de justice administrative. Le développement des services publics et partant de l'administration publique, dans les dernières décennies, a multiplié les relations avec les citoyens et consécutivement les litiges de toutes natures. Dans plusieurs domaines, ces États ont en quelque sorte établi un droit administratif spécifique et créé de nombreux organismes de juridiction administrative. Plusieurs litiges sont alors traités par les tribunaux administratifs plutôt que par les tribunaux ordinaires (Giard et Proulx, 1985) tout en demeurant sous la surveillance de ceux-ci. Cette situation correspond particulièrement à ce qui s'est établi au Québec et au Canada, où l'on retrouve de nombreux tribunaux administratifs :

> Les tribunaux administratifs sont des organismes distincts des cours de justice et qui s'occupent principalement ou accessoirement de trancher des différends entre l'administration et les particuliers, et soumis au contrôle des cours de justice (Pépin et Ouellette, 1979, p. 9 et 24).

Un inconvénient majeur de la coexistence d'une forme inachevée de justice administrative subordonnée à la justice ordinaire est son incohérence. En effet, la multiplication des tribunaux administratifs dans des domaines divers, concernant les relations entre l'administration et les citoyens, ne développe pas un droit administratif unifié mais une série d'instances sans coordination. De façon générale, ces instances sont soumises au contrôle des tribunaux judiciaires ; cependant, les décisions de certains tribunaux administratifs, en vertu de clauses d'exclusion, échappent partiellement au contrôle judiciaire. Les recours des citoyens existent donc, et ils sont nombreux, mais ils demeurent complexes et peu accessibles pour un grand nombre. Cela rend la surveillance de l'administration par les tribunaux bien partielle. L'initiative de faire intervenir les tribunaux à l'encontre d'un acte administratif appartient aux citoyens, comme on l'a déjà vu. Par ailleurs, un citoyen plaignant doit avoir un intérêt suffisant dans le litige soumis à la cour pour qu'elle accepte d'entendre la plainte. Si l'on constate que la lenteur de la procédure et les coûts impliqués dans le recours aux tribunaux contribuent aussi à en diminuer l'accessibilité et que la surveillance qu'ils peuvent exercer porte le plus souvent sur la légalité de l'action administrative, on en conclut que le contrôle de l'administration est ponctuel et qu'une bonne part de l'activité administrative n'est pas soumise au contrôle des tribunaux judiciaires. C'est en raison de cette efficacité toute relative du contrôle judiciaire de l'administration, qui ne correspond plus à la réalité de l'administration publique d'aujourd'hui, que le Groupe de travail sur les tribunaux administratifs au Québec recommandait la création de véritables tribunaux administratifs et l'établissement d'une juridiction administrative différente de la justice ordinaire :

> Que soit reconnue officiellement l'existence d'une justice dite administrative qui, parallèlement à la justice civile et à la justice

pénale, concerne principalement les rapports entre l'administration publique et les administrés et, accessoirement, les rapports des administrés entre eux, dans l'interprétation et l'application des lois dites administratives.

Cette recommandation n'a toujours pas été mise en vigueur par le gouvernement du Québec. Quant à l'administration fédérale, elle est sous la surveillance de la Cour fédérale du Canada et il n'existe pas non plus de système parallèle de juridiction administrative véritable et coordonné.

CONCLUSION

Au terme de ce chapitre, il convient de rappeler les principaux thèmes traités. Nous avons tenté d'établir la notion de contrôle : il en est ressorti que tout contrôle s'articule autour de normes. Nous avons par la suite identifié une première espèce de contrôle, la maîtrise des opérations, qui consiste à établir des normes qui orientent l'action administrative ; la seconde espèce de contrôle est la vérification, qui consiste à mesurer la conformité de l'action administrative aux normes établies. Nous avons aussi décrit les différents caractères de contrôle. Et finalement, nous avons présenté divers contrôles politiques, intra-administratifs et juridictionnels en les caractérisant à l'aide des notions initialement établies.

Du contrôle politique nous pouvons dire que celui qui est exercé par l'exécutif est plus déterminant que celui du législatif, parce qu'il agit directement sur l'administration. Le contrôle du législatif, quoique fondamental, est atténué par l'exécutif, sorte d'écran entre le législatif et l'administration. Cette situation est particulièrement accentuée dans les régimes parlementaires où la responsabilité ministérielle donne certes une possibilité de contrôle de l'administratif au pouvoir législatif, mais toujours par l'intermédiaire de l'exécutif. En fait, le contrôle parlementaire demeure une fiction dans une large mesure.

Ce sont d'ailleurs les lacunes et les insuffisances des contrôles traditionnels de l'exécutif, du législatif et du judiciaire, sur l'administration, qui sont à l'origine du développement de nouveaux contrôles. Ainsi, l'imputabilité est un système complet de contrôles intra-administratifs et politiques parce qu'elle nécessite la définition d'objectifs et de moyens d'évaluation qui serviront par la suite à vérifier la conformité de l'action administrative aux normes préalablement établies. Cette nouvelle forme de contrôle, très étudiée et discutée, mais jusqu'ici fort incomplètement adoptée, vise principalement à accroître le contrôle de l'exécutif et du législatif sur l'administration. Toutefois, l'implantation d'un régime d'imputabilité administrative ne va pas sans poser de nouveaux problèmes de relations de pouvoir entre les trois sommets du triangle : exécutif, législatif, administration. Il est aussi apparu comme nécessaire de fournir des recours plus accessibles, plus souples et plus rapides aux citoyens pour leur permettre de résoudre les litiges qui peuvent les opposer à l'administration ; ces nouveaux recours constituent autant de moyens d'exercer un contrôle, relatif, sur l'activité administrative.

Enfin, la présentation du contrôle juridictionnel a montré les différences entre le contrôle de l'administration par les tribunaux ordinaires, selon le régime juridique britannique, ou par les tribunaux administratifs, selon le régime juridique d'inspiration française. Nous pouvons donc terminer en disant que le contrôle de l'administration par les tribunaux judiciaires, déjà submergés par des causes civiles ou criminelles, ne répond plus aussi adéquatement aux besoins d'aujourd'hui en raison de l'ampleur et de la complexité de l'administration.

NOTES

(1) Dans ce chapitre, le mot gouvernement est employé dans le sens d'exécutif.

(2) La Commission municipale du Québec peut imposer une tutelle encore plus rigoureuse aux municipalités dont elle juge l'administration malsaine. Dans ce cas, elle nomme un tuteur qui se substitue au Conseil municipal. Ce tuteur est chargé d'administrer la municipalité au nom de la Commission municipale.

(3) L'arbitrage qui consiste, pour une autorité, à choisir, parmi les demandes de services, celle qui sera prioritaire et retenue, constitue une emprise ou une maîtrise en même temps qu'un droit de regard sur l'action administrative. Il s'agit alors de l'une des formes que revêt le contrôle hiérarchique.

(4) Le lecteur pourra comparer ces deux régimes de droit public en consultant le chapitre 4 du présent manuel.

(5) Le pouvoir général de surveillance de l'administration québécoise par la Cour supérieure est établi à partir des articles 96 et 101 de l'AANB et par l'article 33 du Code de procédure civile du Québec. Pour un exposé précis voir, Garant, P. (1985) *Droit administratif*, Éd. Yvon blais, p. 583 à 600.

(6) La clause d'exclusion ou clause restrictive est fréquemment appelée « clause privative » au Québec. Il s'agit toutefois de la traduction littérale de l'expression anglaise *privative clause.*

(7) L'exposé sur les recours est largement tributaire des publications suivantes : Garant, 1985, p. 845 à 858 ; Lemieux, 1981, p. 61 à 63 ; Pépin et Ouellette, 1979, p. 237 à 275.

BIBLIOGRAPHIE

ADMINISTRATION PUBLIQUE DU CANADA (1979) *Symposium sur le rapport Lambert*, Vol. 22(4).

BERGERON, G. (1965) *Fonctionnement de l'État*, Paris, A. Colin.

BERNARD, A. (1977) *La politique au Canada et au Québec*, 2ᵉ éd., Montréal, PUQ.

CHARIH, M. (1990) *La guerre des experts d'Ottawa. Comment la Commission royale sur la gestion financière et l'imputabilité a perdu la bataille de l'imputabilité*, Montréal, Agence d'Arc.

DEBBASCH, C. (1980) *Science administrative*, Paris, Dalloz.

GAGNÉ, A. (1984) « Le contrôle de gestion », *in* A. Riverin, *Le management des affaires publiques*, Chicoutimi, Gaëtan Morin éd.

GARANT, P. (1985) *Droit administratif*, Montréal, Éd. Yvon Blais.

GARANT, P. (1973) « Le contrôle de l'administration au Québec », *RISA*, Vol. XXXIX(3), p. 225-235.

GÉLINAS, A. (1984) « La commission parlementaire : mécanisme d'imputabilité à l'égard des sous-ministres et des dirigeants d'organismes », *Administration publique du Canada*, Vol. XXVII(3), p. 372 à 398.

GIARD, M. et PROULX, M. (1985) *Pour comprendre l'appareil judiciaire québécois*. Sillery, PUQ.

GOURNAY, B. (1978) *Introduction à la science administrative*, Paris, A. Colin.

KERNAGHAN, K. (1984) « Public Service Accountability Reexamined », *Débat sur l'imputabilité*, Québec, CEPAQ.

LEMIEUX, D. (1981) *Le contrôle judiciaire de l'action gouvernementale*, Montréal, Centre d'édition juridique.

MOLITOR *et al.* (1971) *L'administration publique*, Paris, A. Colin.

NORMAND, R. (1984) « Relations entre les hauts-fonctionnaires et le ministre », *Administration publique du Canada*, Vol. XXVII(4), Toronto.

OUELLET, L. (1984) « L'imputabilité de qui et au nom de quoi ? », *Débat sur l'imputabilité*, Québec, CEPAQ.

PELLETIER, R. (1984) « Les fonctions du député : bilan des réformes parlementaires à Québec », *Politique*, Société québécoise de Science politique, Nº 6, p. 144 à 164.

PÉPIN, Y. et OUELLETTE (1979) *Principes de contentieux administratif*, Montréal, Éd. Yvon Blais.

PONCELET, M. (1979) *Le management public*, Montréal, PUQ.

Rapport de la Commission parlementaire spéciale sur la fonction publique (1982) (Rapport Bisaillon), « Pour une fonction publique sensible aux besoins des citoyens, moderne, efficace et responsable », Québec, Assemblée nationale du Québec.

Rapport de la Commission royale d'enquête sur l'imputabilité (1979) (Rapport Lambert), Ottawa, Ministère des Approvisionnements et Services.

Rapport du Groupe de travail sur les tribunaux administratifs (1971), Québec.

Rapport du Groupe de travail ministériel chargé de l'examen des programmes (1986) (Rapport Nielsen), Ottawa, Ministère des Approvisionnements et Services.

Rapport du Vérificateur général du Canada (1976), Ottawa, Ministère des Approvisionnements et Services.

SUTHERLAND, S. (1991) « The Al-Mashat Affair : Administrative Accountability in Parliamentary Institutions », *Administration publique du Canada*, Vol. 34(4), p. 573-603.

Bibliographie supplémentaire

DUSSAULT, R. et BORGEAT, L. (1984, 1986, 1989) *Traité de droit administratif*, 2ᵉ éd., tomes I, II et III, Québec, Les Presses de l'Université Laval.

FESLER, J.W. et KETTL, D.F. (1991) *The Politics of the Administrative Process*, Chatham N.J., Chatham House.

FORGET, C.E. (1982) « Le contrôle des dépenses publiques au Québec », *Le Gouvernement parlementaire*, Vol. 3(2), p. 3-6.

GÉLINAS, A. (1975) *Organismes autonomes et centraux*, Montréal, PUQ.

INSTITUT D'ADMINISTRATION PUBLIQUE DU CANADA (1979) *La question financière et l'imputabilité*, Vol. 22(4) et Vol. 23(1).

NIGRO, F.A. et NIGRO, L.G. (1984) *Modern Public Administration*, 6ᵉ éd., New York, Harper and Row.

Chapitre **10**

L'administration,
les citoyens,
les groupes

Stéphane Dion

PLAN

L'administration communique avec son environnement, c'est-à-dire avec les citoyens, les groupes ... bref, la collectivité dans son ensemble, par de multiples canaux ; et ces canaux sont tellement variés qu'il paraît difficile d'en dresser la liste. Néanmoins, on peut dégager une vue d'ensemble à partir d'un aspect fondamental du rapport administration – environnement. Cet aspect tient à la difficile conciliation entre les deux missions de l'administration : premièrement, se tenir à la disposition du gouvernement élu ; deuxièmement, dispenser un service à la population. Qui au juste l'administration doit-elle servir, l'élu ou l'administré ? Voilà la première question à examiner dans ce chapitre.

Lié à cette question fondamentale, le rapport entre l'administration et les groupes d'intérêt mérite une attention particulière. L'administration doit négocier avec des groupes organisés autour d'intérêts précis : milieux d'affaires, syndicats, corporations professionnelles, organisations d'agriculteurs, mouvements écologistes, Églises, associations de consommateurs, d'usagers, etc. Des liens étroits s'établissent entre les administrations et certains groupes d'intérêt puissants. Par exemple, le ministère de l'Agriculture a pour vis-à-vis naturels les organisations d'agriculteurs ; le ministère de l'Industrie doit tenir compte des milieux d'affaires ; le ministère de l'Environnement ne saurait oublier les groupements écologistes. Ces interdépendances revêtent une grande importance dans le monde d'aujourd'hui. C'est pourquoi nous y consacrerons la deuxième section du chapitre en adoptant d'abord le point de vue de l'administration, puis celui des groupes d'intérêt.

10.1
AU SERVICE DE L'ÉLU OU DE L'ADMINISTRÉ

Nous avons dit que la communication entre l'administration et son environnement empruntait une infinité de canaux. Un canal doit cependant prévaloir en démocratie, celui qui est tracé par le suffrage universel. En théorie, l'administration agit selon les directives du gouvernement, lequel est choisi par la population par voie électorale. Mais dans les faits, l'administration a acquis une certaine autonomie, en raison notamment de la croissance phénoménale du secteur public depuis le siècle dernier. C'est pourquoi des pressions sont exercées pour que des circuits, plus directs et plus courts que le circuit politique, s'établissent entre l'administration et les citoyens.

La marge de manœuvre de l'administration

L'administration publique est l'instrument qui permet au pouvoir politique d'agir sur la société. Elle joue un rôle de courroie de transmission, si l'on s'en tient au principe de distinction stricte entre la décision politique et l'administration en tant que fidèle exécutante. Ce principe est conforme au modèle d'organisation bureaucratique que nous avons étudié au chapitre 7. Le rôle de l'administration est de dispenser un service à la population, mais selon des critères qui lui échappent puisqu'ils sont fixés, en dernier ressort, par l'autorité politique élue. Le fonctionnaire doit obéissance à la hiérarchie politico-administrative et non aux citoyens avec qui il entre en contact au cours de son travail.

La démocratie représentative et le principe bureaucratique exigent que le service public soit lié d'abord à l'État plutôt qu'à la société. Il faut, de toute nécessité, que les fonctionnaires soient protégés des pressions des individus et des groupes pour que l'administration fonctionne à la fois comme courroie de transmission neutre et hiérarchie rationnelle.

Donc, en théorie, l'administration agit envers la société selon les directives des élus et en conformité avec la constitution et les lois. Elle applique les décisions fixées au niveau politique sans y apporter de modifications substantielles. Toutefois, nous savons que la réalité est plus complexe que ce que laisse supposer ce schéma théorique. Dans la pratique en effet, l'administration acquiert une certaine autonomie dans sa relation avec son environnement, le pouvoir technocratique des hauts fonctionnaires et l'ascendant qu'ils exercent souvent sur les élus contribuant à créer cette zone d'autonomie. L'administration est un univers complexe, protégé par une bureaucratisation, souvent excessive, liée au cloisonnement des structures, à la spécialisation extrême, à la hiérarchie démesurée, au blocage de l'information et à la prolifération des règles et garanties de toutes sortes. La lourdeur bureaucratique des grands appareils administratifs induit un ensemble de distorsions et de blocages qui biaisent, ou parfois même trahissent la volonté du pouvoir politique. L'intervention du ministre, la demande pressante d'un groupe d'électeurs, la mise en application urgente d'une réforme, le traitement prioritaire d'un dossier, toutes ces exigences se heurtent à un système d'administration qui fonctionne à son propre rythme, suivant ses contraintes.

Comme ces différents aspects de l'autonomie administrative ont fait l'objet des chapitres 7 et 8, nous n'y reviendrons pas ici, sauf pour en souligner les effets sur les relations administration − environnement. À tous les niveaux de la hiérarchie, des fonctionnaires vont disposer d'une capacité d'initiative réelle dans leur rapport avec le système social. Au sommet, les hauts fonctionnaires et grands technocrates de l'État développent leurs propres réseaux d'influence et deviennent ainsi plus autonomes face aux élus. Des catégories entières de professionnels (médecins, animateurs sociaux, ingénieurs) interviennent auprès de la population selon des méthodes bien à elles, au nom d'un savoir spécialisé et d'une déontologie. À la base, le service public fonctionne sous forme d'échanges quotidiens et multiples entre l'employé et le client, l'infirmière et le patient, le policier et l'automobiliste, etc. Ce personnel de terrain, qui travaille en permanence auprès de la population, développe avec le temps des modes d'action particuliers. Hauts responsables ou simples employés, dans les faits, de nombreux fonctionnaires jouissent d'une marge d'action dans leur relation avec le public. Bien sûr, ils peuvent se conformer en tout point à leur description de tâches et appliquer le règlement à la lettre. Cependant, il leur est souvent possible d'adopter un comportement plus souple, soit que le contrôle hiérarchique qui s'exerce sur eux soit inefficace, soit qu'une certaine marge d'appréciation discrétionnaire leur soit reconnue, ou encore que les règles formelles s'avèrent impraticables et contradictoires.

Trois raisons peuvent inciter un fonctionnaire à faire preuve de souplesse dans sa relation avec le public (Dupuy et Thoenig, 1985 ; Grémion, 1976 ; Lemieux, 1978 ; Musselin, 1984). En premier lieu, il peut vouloir avantager certains individus et groupes dont il partage le point de vue ou recherche l'appui ; à leurs yeux, il devient l'administrateur compréhensif avec lequel on peut s'arranger. En second lieu, il peut juger qu'une rigueur sans nuance dans l'application des règlements susciterait trop de mécontentement parmi les individus et les groupes touchés et que son intérêt est d'éviter l'affrontement, de temporiser, de se montrer souple de façon à donner l'impression d'une gestion bien maîtrisée. Enfin, il peut calculer que ses supérieurs risqueraient d'être eux-mêmes mis en cause s'il devait faillir à sa mission et que, pour cela, ils fermeront les yeux sur certaines entorses à la règle qui, en aidant à amortir les chocs et résorber les pressions, servent les intérêts du service.

Les fonctionnaires qui sont en contact avec le public ne bénéficient pas tous d'une marge de manœuvre importante, mais il est avantageux pour eux de jouer soit de rigueur, soit de souplesse, suivant la situation qui se présente. De cette façon, ils peuvent espérer devenir des intermédiaires entre l'administration et leur milieu d'intervention plutôt que de simples exécutants privés d'initiative. Ils vont découvrir une zone d'autonomie, et même une certaine forme de pouvoir, dans cette capacité d'adapter le règlement ou, au contraire, de se réfugier derrière lui, selon les situations particulières.

L'administration n'est donc pas qu'une simple courroie de transmission, elle est un véritable lieu de pouvoir qui influe profondément sur le rapport entre le système politique et le système social. Cette influence s'exerce par la relation entre le fonctionnaire et l'administré, ou entre le ministère et sa clientèle ; influence qui n'a d'ailleurs cessé de croître avec l'extension de l'État, de son champ d'action et des moyens qui lui sont dévolus.

Une administration omniprésente

Pour les libéraux du XIXᵉ siècle, l'administration ne devrait intervenir que dans quelques domaines très précis, liés à la souveraineté traditionnelle de l'État : la police, la défense, la diplomatie, l'émission de la monnaie et la fiscalité. Peu sophistiquée, confinée à des tâches d'exécution, l'administration exerçait alors une influence limitée qui ne semblait pas menacer l'équilibre du système. Ses effectifs étaient réduits, sa visibilité faible au regard du citoyen. Très vite cependant, le champ d'intervention de l'État de même que l'administration ont pris du volume : aux rôles traditionnels de l'État libéral sont venues s'ajouter de nombreuses missions d'ordres économique, social et culturel. L'État a maintenant des responsabilités en matières de recherches fondamentales et appliquées. Il intervient dans différents domaines de la vie économique, tels le crédit, l'investissement, l'énergie, l'industrie, les transports, les télécommunications, l'agriculture et la pêche ; la coordination générale de la politique économique est sa responsabilité. Il s'occupe aussi de santé et d'hygiène, de logement et d'urbanisme, de relations de travail et de redistribution du revenu, de protection de la nature et d'enfouissement sanitaire. Il a enfin des missions éducatives et culturelles : l'enseignement des niveaux primaire à universitaire, la formation continue, le loisir, le sport, l'aide aux artistes et à la diffusion de leurs œuvres. S'étant ainsi gorgé de nouvelles responsabilités, il lui a fallu renforcer son administration, la doter de nouveaux budgets, de structures supplémentaires, d'un effectif plus nombreux et de personnel qualifié.

Le secteur public est devenu extrêmement complexe à gérer. Il se développe dans tellement de directions qu'aucune unité apparente, aucune logique, ne paraît se dégager en matière de délimitation du service public (Pisier-Kouchner, 1983). Par exemple, pourquoi l'alcool et non le pain ? la poste et non le téléphone ? la télévision et non la presse écrite ? Dans les faits, le secteur public représente un conglomérat d'organisations diverses, un enchevêtrement d'activités et de structures de toutes sortes. Il est d'ailleurs difficile de délimiter ses frontières. Où se termine le secteur public et où commence le secteur privé lorsque l'État possède une part du capital de tant d'entreprises « privées » ou lorsqu'une myriade de sous-traitants privés, qui ne pourraient survivre seul, se pressent autour des grandes sociétés publiques ?

Afin d'assurer une certaine souplesse à l'énorme machine étatique, les parlements et les gouvernements ont consenti graduellement plus d'autonomie à l'action administrative. Le pouvoir discrétionnaire de l'administration sur la société s'en est trouvé considérablement accru puisqu'on lui reconnaissait la capacité de déterminer elle-même plusieurs modalités d'action.

La marge de manœuvre est importante lorsqu'il s'agit d'organismes autonomes en relation plus ou moins lâche avec l'administration centrale (Commission de réforme du droit du Canada, 1985 ; Gélinas, 1975). Au Québec, on dénombre au moins 200 de ces régies, sociétés d'État, offices, bureaux, commissions ou conseils, qui forment un réseau parallèle à l'État. Ce réseau touche aux aspects les plus variés de la vie sociale, que l'on pense à la Régie des services publics, la Régie des marchés agricoles, la Régie des loteries et courses, la Régie de l'assurance automobile, la Commission de la santé et de la sécurité du travail, la Commission des transports, la Commission des valeurs mobilières, l'Office des professions, l'Office de la protection du consommateur, l'Office de la langue française, etc. À cela il faut ajouter les services parapublics des trois réseaux décentralisés, soit le système municipal, l'éducation et les affaires sociales. C'est de cette façon que le secteur public se fragmente en une pluralité d'unités administratives déconcentrées et décentralisées, fonctionnellement et territorialement.

Les citoyens et les groupes sont confrontés quotidiennement aux interventions incessantes de ces administrations, organismes autonomes et réseaux publics : le bénéficiaire d'aide sociale pour sa prestation, l'accidenté du travail pour son indemnisation, l'étudiant pour sa bourse, le chef d'entreprise pour sa subvention ... tous doivent transiger avec l'administration.

La seule médiation des élus du suffrage universel ne saurait assurer à la société un contrôle adéquat sur une administration devenue à ce point imposante et diffuse. Dans tous les pays occidentaux, on a éprouvé la nécessité d'établir des relais directs entre l'administration et les citoyens, relais qui, en théorie, ont pour objet d'empêcher que le « service public » ne devienne un « service sur le public ». Ces relais se rangent en quatre catégories. La première, d'ordre juridique, offre des moyens de défense aux administrés tels les recours devant les tribunaux, le Protecteur du citoyen et la Commission des droits et libertés (nous avons vu ces moyens juridiques au chapitre 9).

La deuxième catégorie de relais est définie par le concept de participation. Elle ouvre, aux citoyens et aux groupes, la possibilité de s'impliquer directement dans la gestion des affaires publiques, par l'entremise des conseils consultatifs, des commissions locales ou scolaires, des conseils régionaux de développement et des conseils d'administration des organismes (Assimopoulos *et al.*, 1980 ; Collins, 1980 ; Fox, 1979 ; Godbout, 1983 ; Tremblay, 1985). Au Québec, les conseils consultatifs sont nommés par le gouvernement ou le ministère de tutelle (Ambroise et Jacques, 1980, p. 138-145 ; Bergeron, 1984, p. 308-316 ; Ouellet, 1983). Chaque conseil est spécialisé dans un domaine : éducatif, linguistique, économique, culturel ... on peut mentionner, en guise d'exemples, le Conseil du statut de la femme, le Conseil supérieur de l'éducation, le Conseil de la langue française, le Comité consultatif de l'environnement. Ils produisent des recommandations dans le but d'éclairer l'État, mais celui-ci n'est pas tenu de les suivre. En plus de ces différentes formes de participation et de consultation, il faut mentionner une pratique plus récente, celle des sommets socio-économiques, rencontres de concertation entre dirigeants politiques, syndicaux et patronaux (Dion, 1981). L'administration doit préparer ces rencontres de façon qu'elles se déroulent dans les meilleures conditions. Il existe ainsi des modalités de participation pour les simples citoyens et les groupes. Comme ces modalités jouent un rôle important dans la relation liant l'administration et les groupes d'intérêt, nous y reviendrons à la deuxième section de ce chapitre.

Le troisième relais est constitué par l'information qui circule entre l'administration et les citoyens. L'administration informe les citoyens au sujet de ses activités et enregistre leurs réactions. On soupçonne souvent l'administration d'utiliser cet échange d'information pour servir son pouvoir plutôt que l'intérêt public. C'est ce qui explique pourquoi des pressions sont exercées pour que l'administration respecte mieux les droits de la population en matière d'information et de protection de la vie privée. Ces dernières années ont donné lieu, dans plusieurs pays, à un effort de législation dont la visée officielle est de répondre à ces nouvelles exigences.

Le quatrième et dernier relais consiste en l'appartenance sociale des fonctionnaires. L'administration puise inégalement ses effectifs dans les différentes composantes de la société. Elle est en cela plus ou moins représentative de cette société. Ici encore, de nouvelles exigences se manifestent, qui demandent cette fois que le recrutement du personnel du secteur public s'effectue selon des critères moins étroitement méritocratiques et plus conformes à la sensibilité des milieux concernés.

Ces quatre relais directs entre l'administration et les citoyens ont leur importance. Les deux derniers méritent cependant un examen particulier, car ils font l'objet de débats très contemporains, l'un lié à la protection et à l'information du public, l'autre à la composition sociale de l'administration.

Protection et information du public

L'État est traditionnellement jaloux de ses secrets. Ainsi, toute information est confidentielle, sauf celle que le gouvernement choisit de communiquer. Au cours des dernières années, la pression s'est intensifiée pour que ce principe soit inversé, c'est-à-dire que toute information soit diffusée, sauf si le gouvernement a pu démontrer que l'intérêt public commande que telle ou telle information demeure secrète. Si un tel renversement des usages devait se concrétiser, la protection de la vie privée du citoyen et son droit à l'information sur les programmes et activités de l'État seraient considérablement accrus (Chevallier *et al.*, 1983 ; Kernaghan, 1982 ; Rowat, 1979, 1982 ; Thyreau et Bon, 1981). Ce renversement paraît nécessaire si l'on veut faire contrepoids à l'intrusion constante de l'État dans la vie quotidienne des citoyens.

Dans plusieurs démocraties, des lois ont été votées relativement à l'accès aux documents des organismes publics et à la protection des renseignements personnels. Au Québec et au Canada de telles lois n'ont été sanctionnées qu'en 1982 alors qu'aux États-Unis le *Freedom of Information Act*, entré en vigueur en 1966, a été renforcé en 1974 dans l'atmosphère du Watergate, puis a été complété par le *Privacy Act* de 1975. Nos voisins ont ainsi obtenu l'élargissement du droit d'accès aux documents publics avant nous. En 1976, la première année d'entrée en vigueur du *Privacy Act*, il n'y eut pas moins de 150 000 demandes de consultation ; inutile de préciser que le FBI et la CIA en ont reçu plusieurs milliers à eux seuls (Rowat, 1982).

À la vérité, dans les différents pays, l'État n'a pas attendu la nouvelle vague de législation pour déployer une vaste campagne d'information du public : publicité gouvernementale transmise par la presse écrite, la radio et la télévision, diffusion de périodiques et de dépliants d'information, enquêtes menées pour mesurer le degré de satisfaction de la clientèle, mise en place de bureaux d'information spécialisés dans le tourisme, les loisirs, etc. (Bouchard, 1986 et 1991). De plus en plus, les ministères affectent une direction générale à la relation avec le public.

Toutefois, cette information émise spontanément par l'État vise moins à adapter le service public à la population qu'à préparer celle-ci à s'adapter au service public. L'objectif est avant tout de faciliter l'application des programmes gouvernementaux. Il s'agit soit d'obtenir la collaboration des citoyens, soit de les convaincre de la qualité des services, ou encore de les rappeler à leurs obligations, ce qui est nécessaire dans un monde complexe où le principe que nul n'est censé ignorer la loi devient insoutenable.

L'État se montre prodigue en informations officielles malgré sa prédilection pour le secret. Le flot en est tellement abondant que le public en général n'est pas toujours conscient qu'une part de cette information lui est volontairement cachée, soit par l'administration, soit par le pouvoir politique. Certains partis au pouvoir donnent l'impression que, pour eux, information gouvernementale rime avec propagande. L'information délivrée par l'État est sélective parce que la sélection sauvegarde le secret et que le secret est source de pouvoir, certains diront d'abus de pouvoir ; il permet à l'État de révéler ce qu'il désire faire connaître et, inversement, de cacher les faits dont la révélation publique pourrait limiter sa marge de manœuvre ou le placer en situation délicate : projets controversés, rivalités et dissensions internes, négligences et erreurs gênantes, pratiques compromettantes de favoritisme ou de corruption.

Le secret d'État inquiète davantage la population depuis l'apparition des nouvelles technologies. Prenons l'informatique par exemple, non seulement elle permet de diffuser largement l'information officielle, mais en plus elle rend possible l'accumulation de renseignements sur la vie privée des citoyens. Elle implique un développement phénoménal des outils et méthodes de surveillance et, par le fait même, une plus grande invasion de la vie privée.

Les pressions pour une législation plus stricte de la politique d'information se sont intensifiées avec les craintes suscitées par la nouvelle informatique. Maintenant, l'opinion selon laquelle l'accès du citoyen aux documents qui le concerne est une exigence de la démocratie prévaut. Parmi les agents de cette évolution des esprits, mentionnons certains groupes professionnels qui ressentaient particulièrement les effets indésirables du système du secret : les historiens et spécialistes des sciences sociales handicapés dans leurs recherches ; les scientifiques privés de la circulation libre des connaissances classées secret d'État ; les juges et avocats appelés à statuer sur une cause impliquant l'État ; enfin, les journalistes à l'affût d'une information moins aseptisée que les communiqués officiels.

Même du point de vue de l'État, la norme du secret comporte de sérieux inconvénients. Ainsi, elle lui vaut scepticisme plutôt qu'adhésion de la part du public, l'information gouvernementale étant automatiquement perçue comme une entreprise d'intoxication. Si la mise en cause de cette norme affecte les défenses traditionnelles de l'État, elle lui donne néanmoins l'occasion de rehausser la crédibilité de sa politique d'information. Par ailleurs, la norme du secret exige des acteurs publics une discipline qui, appliquée indistinctement, paraîtra excessive en certaines circonstances. Ministres et députés peuvent trouver leur intérêt dans le fait que s'estompe une certaine paranoïa du secret, une attitude exagérément défensive qui leur enlève toute initiative en matière d'information. De leur côté, les fonctionnaires peuvent souhaiter un adoucissement de l'obligation de réserve à laquelle ils sont tenus en vertu de l'indéfectible loyauté qu'ils doivent à l'État.

Cette obligation de réserve, limitation importante à la communication directe entre l'administration et les citoyens, engage le fonctionnaire à garder secrètes les informations confidentielles dont la divulgation est jugée contraire à l'intérêt public par le gouvernement. La loi prévoit que celui qui contrevient à son engagement est susceptible de poursuites pour abus de confiance et est même passible de prison. Les agents d'information des différents ministères et autres organismes de l'État ne sont pas autorisés à transiger avec la presse, sauf pour délivrer un message « de source officielle ». Cette obligation de réserve constitue une contrainte pour l'administration en même temps qu'elle lui fournit un alibi tout trouvé pour ne pas divulguer certains renseignements et ainsi faire barrage à l'information. Inversement, il arrive que des fonctionnaires « indélicats » contreviennent à leur devoir de réserve et organisent des « fuites » pour alimenter un parti d'opposition ou un syndicat, débloquer un dossier, ou parce qu'ils se croient tenus, en leur âme et conscience, de divulguer une information gardée secrète ; ils agissent alors à leurs risques et périls.

Chaque fonctionnaire doit savoir que sa propre responsabilité peut être engagée en cas de violation de l'obligation de réserve. Dans le doute, un réflexe naturel est de jouer la prudence et de ne rien communiquer au public sans demander la permission à un supérieur. On conçoit aisément que bien des fonctionnaires trouvent cette situation plutôt inconfortable et qu'ils regardent d'un bon œil cet effort de législation dont le but est de leur donner des indications claires en matière d'information du public.

Bien sûr, il y a trop d'intérêts en jeux et d'habitudes bien ancrées pour que l'adoption d'une nouvelle loi ouvre aussitôt dossiers et documents à l'examen du citoyen. Pour vaincre les résistances, il faut que cette loi ait des dents (Rowat, 1982, p. 69). En premier lieu, la loi n'est efficace que si l'information est son principe général, le secret l'exception. Les types de documents pouvant être soustraits à l'attention du public sont clairement spécifiés. En second lieu, l'administration est tenue de répondre aux exigences de clarté et de transparence, par exemple en simplifiant ses procédures, en prévoyant des registres qui facilitent l'accès aux documents publics et en respectant des délais raisonnables pour la transmission de ces documents.

Enfin, l'arbitrage d'une autorité supérieure est nécessaire, incluant l'appel final devant le tribunal. Ainsi, au Canada, la Cour fédérale a le pouvoir d'inverser la décision du ministre en ce qui a trait à la communication des documents publics.

L'évolution vers une plus grande transparence se heurtera inévitablement à des résistances. L'intérêt public commande, de toute façon, que certains renseignements demeurent secrets. C'est le cas des informations dont la divulgation menacerait la sécurité du pays, la protection de la vie privée des citoyens, le déroulement normal de l'instruction judiciaire et le principe de la discrétion professionnelle (du médecin, de l'assistante sociale, etc.). Ces restrictions sont nécessaires mais floues, car comment déterminer les catégories de faits dont la publication porte atteinte à la sécurité nationale ou à l'intégrité des personnes ? Autre type de restrictions jugé nécessaire : l'action gouvernementale suppose un travail d'équipe, lequel exige, d'une certaine façon, la confidentialité des discussions et la possibilité de recueillir des avis privés. C'est ainsi que le texte de loi sanctionné au Québec protège le huis clos du Conseil exécutif et du Conseil du Trésor ; il autorise aussi l'administration à ne pas divulguer les études et recommandations faites dans le cadre d'un processus décisionnel en cours. Le fonctionnaire qui prendrait sur lui de porter à la connaissance du public ce type d'informations trahirait son obligation de réserve et serait passible de poursuites pénales.

L'obligation de réserve des fonctionnaires demeure une condition de la primauté du pouvoir politique élu. Aujourd'hui comme hier, il est primordial que les fonctionnaires fassent preuve de discrétion dans l'exercice de leurs fonctions. Pour eux, l'ajustement entre le climat de confiance exigé des élus et la pression du public pour plus d'information sera difficile.

L'administration représentative

Une communication directe entre l'administration et son environnement est établie par les fonctionnaires eux-mêmes en tant qu'individus membres de la société. Comme parents, résidents, consommateurs et contribuables, ils partagent les problèmes de leur entourage. Aux gens qu'ils côtoient, ils décrivent leur vécu professionnel et prodiguent des conseils quant aux démarches à suivre : comment formuler une requête ou une demande d'emploi ? obtenir un appui ? une recommandation ? etc. Ils n'entrent pas dans la fonction publique l'esprit libre de tout conditionnement, mais apportent avec eux leurs modes de pensée et d'agir, bref leur socialisation.

Pour ces raisons, il paraît évident qu'un milieu social est avantagé lorsqu'il est largement représenté dans la fonction publique. Une origine sociale similaire, donc des codes communs de comportement, rapproche le fonctionnaire et l'administré. Or, les statistiques des différents pays confirment la composition déséquilibrée de l'administration sur le plan social. La majorité des postes sont occupés par des agents provenant de la classe moyenne, alors que les enfants d'ouvriers et de paysans sont beaucoup moins nombreux à accéder à la fonction publique. À quoi attribuer cette surreprésentation de la classe moyenne : à un niveau d'éducation, une facilité d'élocution, aux diplômes universitaires et à l'influence de parents appartenant à la fonction publique (Subramaniam, 1967). Les facteurs culturels font en sorte que les classes sociales sont inégalement attirées par la fonction publique. On peut aussi mentionner la discrimination possible dans la politique de recrutement et de promotion. D'ailleurs, les préjugés sociaux sont en faveur non seulement des classes moyennes et supérieures, mais aussi des hommes vis-à-vis des femmes et des blancs vis-à-vis des noirs.

La représentation déséquilibrée est manifeste aux niveaux les plus élevés de la hiérarchie administrative. Ainsi, à Ottawa, le haut fonctionnaire est généralement un homme, ontarien anglophone, diplômé d'université, originaire de la classe moyenne ou supérieure (Olsen, 1980). Au Québec, en 1985, les femmes représentaient 7 % du personnel d'encadrement et 18 % des professionnels.

Pour corriger les déséquilibres, certains préconisent une politique d'embauchage et de promotion orientée vers une meilleure représentation des différents groupes d'appartenance. Une réflexion s'est développée en ce sens, à partir des travaux de J. Donald Kingsley (1944), qui a donné lieu à la théorie de la *representative bureaucracy*. L'idéal proposé est celui d'un service public condensant en lui-même la juste proportion des composantes de la société, calculée selon des indicateurs précis : nationalité, sexe, religion, éducation, langue, classe, région d'origine, personnes handicapées. Il est à souligner que l'objectif est d'obtenir une présence équitable de chaque groupe à tous les niveaux hiérarchiques et dans chaque administration, et non pas simplement d'équilibrer l'effectif global du secteur public. Certains demandent même que les services décentralisés aient des effectifs conformes au profil social des populations locales (Kranz, 1976). À terme, les mêmes exigences devraient s'étendre au secteur privé, à commencer par les entreprises qui obtiennent des contrats de l'État.

Cette théorie repose sur trois postulats : premièrement, une meilleure représentation des classes, des groupes ethniques et des sexes est une mesure de simple justice, une condition de l'équité ; deuxièmement, une administration vraiment représentative a un effet positif sur le plan symbolique et devient un élément de stabilité nationale. Entre les citoyens de toutes origines et leur administration prévaut davantage de compréhension et moins de méfiance et de sentiment d'exclusion ; troisièmement, et le plus important, une représentation équilibrée sert l'intérêt général, l'administration prenant ainsi conscience de la diversité des problèmes sociaux. Le service public devient un microcosme de la société, partageant le même éventail de valeurs et d'expériences. L'administration est consciente des intérêts de tous, responsabilisée par le lien social et non plus seulement par le contrôle de l'exécutif ou du Parlement.

Concrètement, l'objectif d'une administration plus représentative se traduit par des programmes d'accessibilité à la fonction publique au bénéfice des groupes cibles. Ces programmes d'égalité d'emploi correspondent à des mesures de rattrapage ou d'action positive (*affirmative action*) pour les francophones (dans le cas de l'administration fédérale), les femmes, les minorités visibles, les autochtones et les handicapés (Agocs, 1986 ; Goldmen, 1979 ; Kernaghan, 1982 ; Simard, 1983). Nous avons vu, au chapitre 6, les différentes modalités que peuvent adopter ces programmes d'égalité d'emploi ; certaines revêtent un caractère contraignant, telle l'assignation de quotas ou d'objectifs à court terme. Les administrations et organismes sont alors tenus de recruter une proportion donnée de candidats parmi les groupes sous-représentés. D'autres moyens sont plus souples, comme l'aide à la formation permanente, le choix préférentiel à qualifications équivalentes et la chasse à la discrimination dans les critères d'embauchage et de promotion. Leur souplesse vient du fait que, s'ils aident les groupes cibles à faire partie de la compétition pour l'emploi et la promotion, ils le font sans prescrire à l'avance les résultats de cette compétition.

Les moyens contraignants suscitent des objections (Krauss, 1985 ; Sheriff, 1974). Leur efficacité est mise en doute au regard des trois postulats de l'administration représentative. En premier lieu, sur le plan de l'équité, une sélection fondée sur des attributs de naissance (le sexe, la couleur de la peau) contrevient à une conception de la justice largement admise. La formule des quotas, en particulier, revêt un caractère discriminatoire qui en gêne plusieurs, même si cette discrimination se veut positive et correctrice des inégalités. De plus, le choix des priorités pose des problèmes délicats. Faut-il privilégier le critère du sexe ou celui de l'appartenance ethnique ? Pourquoi le critère de la classe d'origine n'est-il pas retenu ? Les couches économiquement défavorisées seraient en droit, elles aussi, d'obtenir des programmes de rattrapage et d'action positive (Sjoberg et Bryer, 1966).

En second lieu, il n'est pas démontré qu'une politique basée sur une comparaison arithmétique entre les minorités soit un facteur de cohésion nationale. Au contraire, elle pourrait exacerber la défense des intérêts minoritaires de toutes sortes au détriment du sentiment d'appartenance à l'ensemble de la communauté. Comme la juste mesure entre les droits de chaque minorité et les droits des individus n'est jamais atteinte, le recrutement de la fonction publique devient l'objet d'une spirale de revendications sans fin.

Enfin, le lien entre l'intérêt général et les politiques de rattrapage est contesté par certains auteurs (Goodsell, 1981 ; Meier et Nigro, 1976 ; Rice, 1979 ; Romzek et Hendricks, 1982 ; Sheriff, 1974) qui font valoir que la qualité du service public risque de pâtir d'une politique d'embauchage et de promotion fondée sur l'appartenance plutôt que sur la compétence. Pour des raisons culturelles et sociales, les groupes cibles ne sont pas toujours en mesure de fournir suffisamment de candidats qualifiés pour les postes offerts. De plus, il n'est pas certain que l'administration sera maintenant plus au fait des intérêts des groupes mieux représentés. Les fonctionnaires développent leurs propres intérêts dans un univers professionnel qui les détache en partie de leur milieu d'origine. Une pression constante s'exerce sur eux pour qu'ils s'identifient avant tout à leur unité de travail et à leur profession. Ils sont régis par un système de punitions-récompenses qui les rappelle à leurs obligations et les incite à se conformer à la hiérarchie. Bien sûr, il subsiste une certaine marge de manœuvre que les fonctionnaires peuvent utiliser pour marquer leur sensibilité et lutter contre les formes larvées de discrimination et d'exclusion. Mais plusieurs d'entre eux hésiteront à pousser davantage l'engagement en faveur de leur groupe d'appartenance. La déontologie traditionnelle du service public interdit le parti pris et fait du sens de l'objectivité une condition à la carrière. Certains fonctionnaires auront pour principal souci de démontrer à leurs supérieurs qu'ils sont capables de cette objectivité. Que l'on pense au policier noir qui patrouille dans un ghetto, ou à l'agent d'immigration d'origine sud-américaine qui est chargé de dépister les « faux » réfugiés politiques ; ces fonctionnaires savent très bien que leurs supérieurs et subordonnés les soupçonnent de complaisance envers leur milieu d'origine. Leur intérêt de carrière est de lever ce soupçon. Ces fonctionnaires connaissent les doutes entretenus sur leur compétence : ne sont-ils pas entrés en fonction « à la faveur » d'un programme d'action positive plutôt que sur la base exclusive de leurs aptitudes personnelles ? Leur intérêt de carrière est de dissiper ces doutes. Pour ces raisons, ils pourront ne pas retenir la solidarité avec leur milieu d'origine parmi leurs priorités professionnelles.

Encore une fois, la conciliation est difficile entre deux allégeances ; celle qui lie le fonctionnaire à une conception du service public et celle qui peut l'identifier à un groupe défavorisé. C'est là une autre manifestation de la position particulière de l'administration, à la fois intégrée à l'État et exposée en première ligne aux pressions sociales.

10.2
L'ADMINISTRATION ET LES GROUPES D'INTÉRÊT

L'administration intervient sur un milieu qui, en plus d'individus isolés, contient aussi des groupements de citoyens. Ces groupements forment ce qu'on appelle des groupes d'intérêt, c'est-à-dire des organisations qui expriment certains intérêts et exercent des pressions pour parvenir à leurs fins (Bernard, 1982 ; Dion, 1971, 1972 ; Presthus, 1973 ; Pross, 1975a). Ces organisations se dotent de différentes appellations : mouvements, ligues, comités, associations, fédérations, etc. Leur taille varie à l'extrême, de la fédération de grandes entreprises au petit comité de quartier. De même, les intérêts pris en charge sont aussi très divers : groupes écologistes, ethniques, linguistiques, religieux, féministes, fédérations de loisirs, corporations professionnelles, associations de consommateurs, de locataires, de chômeurs et d'assistés sociaux. Parmi les groupes les plus importants, beaucoup entretiennent des intérêts d'ordre économique : syndicats, groupes patronaux et fédérations d'agriculture ; la Chambre de commerce de la province de Québec, la Fédération des travailleurs du Québec, l'Union des producteurs agricoles, autant de groupes à vocation économique bien connus au Québec.

Afin de promouvoir leurs intérêts, ces groupes dirigent leurs pressions vers le Parlement, le gouvernement et l'administration. Ils attendent de l'État des avantages de toutes natures : modification des lois et réglementations, aide matérielle et financière, déductions fiscales, protection sociale, attribution de contrats, reconnaissance officielle, etc. Les moyens de pression utilisés oscillent entre l'affrontement (grèves, campagnes de protestation, dénonciations publiques) et la collaboration (rencontres régulières, offre de compromis, contribution à la caisse électorale). Les contacts prennent un caractère informel (rencontres impromptues, conversations téléphoniques) ou formel (rencontres officielles, comités consultatifs, sommets socio-économiques, participation réglementaire à des conseils d'administration d'organismes publics). Les membres des conseils consultatifs proviennent en bonne partie des groupes d'intérêt ou sont choisis avec leur collaboration. Le cadre des relations formelles prend une importance particulière, car il engage les partenaires à poursuivre une collaboration officielle.

En raison de son poids et de son influence, l'administration est l'une des cibles privilégiées des groupes (Abney et Lauth, 1983 ; Ehrmann, 1961 ; Gournay, 1978 ; Peters, 1977 ; Wilson, 1981) alors que, simultanément, elle les incite à adopter certains comportements ; l'influence a lieu dans les deux directions.

Du point de vue de l'administration

Des facteurs incitent l'administration à rechercher activement le contact avec les groupes d'intérêt, alors que d'autres au contraire lui font craindre une relation trop étroite.

Les facteurs de rapprochement sont au nombre de trois : le premier relève de l'obéissance que l'administration doit aux élus, lesquels entretiennent eux-mêmes des alliances avec des groupes ; le second vient de ce que l'administration est elle aussi en quête de soutiens pour mieux défendre sa cause auprès des élus ; le troisième a trait à la collaboration que l'administration désire obtenir dans la poursuite de ses activités.

Les alliances du pouvoir politique.   L'administration prête son concours aux politiques que les élus déploient pour changer les rapports de force dans la société. Les élus souhaitent récompenser leurs alliés et élargir leurs appuis. Peut-être veulent-ils aussi aider des intérêts trop faiblement organisés à leurs yeux, tels les consommateurs, les mal logés, les minorités ethniques, etc. Après quelque temps, les ministres développent des relations privilégiées avec certains groupes d'intérêt ou sont conduits à rechercher leur soutien. Souvent, il paraît de bonne politique de soigner les groupes puissants ou accommodants — chambre de commerce, centrale syndicale, mouvement nationaliste — et de tenir à distance les intransigeants. Les élus attendent de l'administration une attitude ouverte envers les groupes courtisés et prudente envers les plus hostiles. Au besoin, ils lui demanderont de favoriser l'émergence de nouvelles forces qui partageront leurs objectifs (Pross, 1975).

L'administration comme groupe d'intérêt.   D'une certaine façon, l'administration est elle-même un groupe d'intérêt qui exerce une pression constante sur les élus afin d'obtenir des lois, des réglementations, des budgets, des moyens d'action, des conventions, etc. Elle voit un avantage à renforcer ses relations avec ceux des groupes qui acceptent de faire la promotion de ses demandes auprès du pouvoir politique. Ils exercent cette pression parce qu'ils partagent les mêmes intérêts qu'elle et vivent de ses services, de sa sous-traitance, des contrats qu'elle distribue. Ces alliances s'intensifient en période de restriction budgétaire. Quand un programme est menacé de compression, l'usage est de mobiliser ceux qui en bénéficient. Par exemple, les fonctionnaires touchés par la suppression d'un programme de recherche sur la pollution de l'eau verront sans doute d'un bon œil le fait que les groupes écologistes se mobilisent pour renverser la décision du gouvernement. En de telles circonstances, les administrations peuvent aider leurs alliés de plusieurs manières : assistance technique, préparation des dossiers, conseils sur la stratégie à suivre devant le ministre, les comités spéciaux du Parlement, les médias, etc. La prise de contact est facilitée lorsque ces groupes de pression font partie de la clientèle obligée du ministère. Ainsi, le ministère de l'Éducation peut compter sur l'appui indéfectible de tout le réseau des écoles lorsqu'il s'agit de défendre la part du budget global affectée à l'enseignement.

La collaboration du milieu.   Certains groupes peuvent aider l'administration à appliquer ses programmes dans les milieux concernés. Cette aide comporte plusieurs volets. Les groupes peuvent émettre des avis d'experts et participer à des commissions consultatives. La complexité des affaires rend obligatoire le recours à un savoir spécialisé extérieur au secteur public. L'administration souhaite recueillir une évaluation des programmes ainsi que des conseils sur la façon de les adapter et de les défendre devant la population. Par ailleurs, certains groupes participent concrètement à la mise en œuvre de programmes en assumant des responsabilités de gestion ou en remplissant des tâches d'intérêt général. Pensons aux corporations qui établissent les règles d'autocontrôle des professions, ou aux associations communautaires subventionnées pour la prise en charge des nouveaux immigrants.

La recherche de la collaboration du milieu est peut-être le facteur de rapprochement administration − groupes le plus important, car il concerne directement la pratique de l'administration. Sur ce plan, une attitude ouverte, faite de consultations préalables et de contacts réguliers, peut favoriser l'esprit de conciliation et élargir le consensus entre les administrations et les groupes. Les relations informelles entre fonctionnaires et dirigeants de groupes développent la compréhension mutuelle, la sympathie, la complicité autour de secrets partagés. Les consultations plus formelles donnent lieu à des accords officiels liant les partenaires ou, à défaut, elles permettent aux autorités de gagner du temps et d'obtenir un certain répit. Par la consultation, l'administration espère aussi prévenir les résistances que pourraient susciter ses interventions. Elle veut modérer ou canaliser l'énergie des groupes critiques bien implantés dans leur milieu et qui, de ce fait, sont en mesure d'entraver la mise en œuvre des programmes gouvernementaux. De toute façon, certains groupes sont tellement puissants que l'administration n'a pas le choix : elle doit apprendre à composer avec eux. Le meilleur exemple est celui des grandes firmes multinationales qui peuvent mettre en échec la politique économique du gouvernement (Bonin, 1984 ; Niosi, 1985). Lorsqu'une administration ne trouve pas de partenaires conciliants et efficaces dans son milieu d'intervention, elle peut tenter d'en créer de toutes pièces. Si la stratégie réussit, ces créatures de l'État viendront concurrencer les groupes récalcitrants (Anderson, 1982).

L'administration a donc intérêt à se rapprocher de certains groupes, autant pour garder les bonnes grâces du pouvoir politique que pour obtenir une collaboration du milieu et émousser ses résistances. Mais, à l'inverse, elle doit éviter de trop se compromettre vis-à-vis des différents intérêts en jeux. Elle doit maintenir une certaine distance et résister aux pressions extérieures quand cela devient nécessaire. Quatre facteurs vont lui suggérer une telle prudence :

1er *La confiance du pouvoir politique.* Si l'administration doit s'ouvrir à certains groupes pour plaire aux élus, elle doit aussi se fermer à d'autres pour la même raison. Du moins lui faudra-t-il se montrer très prudente lors de ses échanges avec les groupes les plus hostiles à la politique du gouvernement.

Par ailleurs, les élus ne souhaitent pas que les fonctionnaires se fassent les porte-parole d'intérêts précis, ils attendent plutôt d'eux des avis objectifs et distanciés. Les pouvoirs publics doivent-ils accorder, en matière d'investissement, une préférence au réseau routier ou au réseau ferroviaire ? Une entreprise menace de fermer ses portes, faut-il lui accorder la subvention demandée ? Où construire le nouveau cégep convoité par deux villes voisines ? Pour établir les priorités, les élus ont besoin de conseillers compétents, bien informés et indépendants des intérêts en jeux. L'administration gagne en influence et en prestige lorsqu'elle semble être au service de l'intérêt général plutôt que sous l'emprise des lobbies.

2e *Le phénomène bureaucratique.* Il est de la nature d'une bureaucratie de se défendre contre toute influence extérieure qui menace sa cohésion et bouscule ses routines. Les administrations ont tendance à faire passer leurs propres contraintes de fonctionnement avant l'adaptation aux pressions extérieures. Elles ne s'ouvrent aux groupes que si cela ne met pas trop en cause leurs arrangements internes. De plus, les administrations sont liées les unes aux autres par un réseau d'interdépendances qui a souvent priorité sur la relation que chacune d'elles entretient avec son environnement. Les ministères et organismes horizontaux à compétence générale (les Finances, le Trésor), qui sont concernés de près par la régulation interne de l'appareil administratif, veillent au respect de cette priorité. Il leur incombe de maintenir le contrôle sur les ministères verticaux à compétence spécialisée (Agriculture, Éducation, Industrie et Commerce) qui sont exposés à la revendication de leurs clientèles.

3e *La représentativité aléatoire des groupes.* Les pouvoirs publics fixent les critères de représentativité qui vont déterminer quels syndicats, fédérations de consommateurs ou groupements féministes seront invités à participer. Le choix de ces critères est une opération délicate (Bauer, 1981). Le nombre de membres à l'échelon national ? On écarte alors les groupes moins nombreux, mais qui peuvent avoir une assise régionale très concentrée. La compétence ? le poids financier ? l'impact économique ? le style et les méthodes de travail ? Quels que soient les critères officiels et officieux, ils seront contestés par les groupes non retenus. Là encore, l'administration a ses propres intérêts à défendre. À la recherche d'alliés influents, elle ne souhaite pas se lier à des coquilles vides sans représentativité réelle. Or, les risques d'erreur sont nombreux à cet égard : mal juger un rapport de force, choisir un allié trop faible, surestimer la capacité d'un groupe de se développer grâce à l'appui de l'État. L'administration a obtenu la collaboration de quelques dirigeants, mais au prix d'un éloignement de leurs mandants : ils ne sont plus que des partenaires isolés et détachés des forces sociales qu'ils prétendent représenter. Autre écueil possible : un groupe dynamique au départ s'est peu à peu sclérosé après avoir obtenu l'accès aux ressources de l'État ; il a négligé de poursuivre le travail de terrain une fois la subvention garantie. Dans tous ces cas, l'administration s'est retrouvée alourdie d'un poids mort, d'une structure de consultation, sans capacité d'action autonome, qui ne lui offrait aucune source de légitimité nouvelle dans le milieu et ne la protégeait pas des pressions exercées par ailleurs. Pour avoir mal placé sa confiance, elle s'est aliéné du même coup les forces véritablement implantées dans les milieux concernés. Après quelques expériences malheureuses de ce type, elle y regardera à deux fois avant de s'engager à nouveau dans une collaboration étroite avec des groupes.

4e *La réversibilité des alliances.*   Les alliances administration – groupes reposent parfois sur des bases fragiles. C'est le cas lorsque l'administration engage le dialogue avec un groupe sans avoir obtenu le mandat de négocier quelque compromis que ce soit. Autre exemple : un groupe accepte de participer aux séances de consultation mais uniquement dans le but d'attaquer le gouvernement et de placer les fonctionnaires en situation délicate. L'entente est aussi précaire lorsqu'une administration et un groupe entrent en concurrence pour des subsides et des champs d'attribution. Il arrive cependant que l'alliance s'engage sur des bases solides. Même là, la collaboration peut se dégrader, échouer à l'aplanissement des divergences et se révéler, à l'usage, une expérience décevante pour les deux parties. Les groupes critiques et indépendants entendent promouvoir leurs intérêts et ne pas se laisser récupérer. L'administration, de son côté, doit tenir compte de l'ensemble des intérêts en jeux et les resituer dans la cohérence de l'action gouvernementale. Elle doit prendre garde de faire trop de promesses, car son pouvoir, son budget et ses moyens techniques sont limités. De plus, il lui appartient de maintenir un contrôle efficace sur les ressources et les responsabilités publiques confiées aux organisations privées. En définitive, elle ne saurait s'engager sans précaution auprès de partenaires qui, en tout temps, peuvent devenir des adversaires, faire écran entre elle et la population et, forts de l'aide publique qu'elle leur a accordée, s'ériger en contre-pouvoirs puissants.

L'administration balance ainsi entre l'ouverture et la prudence dans sa relation avec les groupes. De la même façon, le comportement des groupes face à l'État peut s'interpréter comme étant une oscillation entre deux modalités stratégiques : la collaboration et la confrontation.

Du point de vue des groupes d'intérêt

Quels avantages les groupes ont-ils à établir le dialogue avec l'État, à se presser autour des hommes politiques et à rechercher la collaboration des fonctionnaires ? Le principal avantage est la possibilité d'obtenir des décisions favorables : une nouvelle législation, un allégement des charges fiscales, une protection contre la concurrence étrangère, etc. La collaboration avec l'État présente aussi d'autres attraits. Le groupe obtient une place dans les institutions et peut formuler des contre-propositions, glaner des informations, bloquer un projet dès son ébauche, secouer la machine administrative, ses lourdeurs et ses myopies. Siéger auprès des ministres et des hauts fonctionnaires apporte un supplément de représentativité aux groupes qui recherchent la publicité ; c'est là une source importante de prestige pour le dirigeant vis-à-vis de ses adhérents ou pour la fédération vis-à-vis de ses cellules de base. Les réunions officielles et régulières donnent aux groupes un cadre pour se rencontrer et coordonner leurs actions communes, parfois même pour mieux diriger leur opposition à l'autorité qui les a mis en rapport. En outre, ces structures de consultation fournissent, aux dirigeants d'associations volontaires créées lors de débats ponctuels (construction d'une autoroute ou d'un aéroport, levée d'une nouvelle taxe, mise en cause de programmes sociaux, etc.), la base qui leur fait défaut pour exister de façon permanente. Lorsque la mobilisation tombe et que l'association perd la masse de ses adhérents, ses dirigeants peuvent rester en activité dans le cadre du dialogue institutionnel avec l'État.

Un autre facteur incite les groupes à rechercher le contact des élus et des fonctionnaires. Ce facteur est la rivalité entre les groupes eux-mêmes. Ils entrent en compétition pour obtenir une reconnaissance officielle, des subventions, des champs d'action, et aussi parce qu'ils poursuivent souvent des objectifs opposés. Par exemple, les écologistes et les fédérations de consommateurs demandent une réglementation plus stricte de l'industrie et, ce faisant, ils obligent les milieux d'affaires à contre-attaquer en mobilisant leurs propres lobbies (Berry, 1977 ; Boivin, 1984). Si un groupe obtient une audience auprès d'un ministère, ses concurrents auront intérêt à intensifier leurs pressions. Faire le siège des autorités publiques devient d'autant plus vital que, souvent, pour rester dans le jeu, il faut s'engager à fond et ne laisser passer aucune occasion d'exercer son influence (Pross, 1982). De plus, à l'intérieur même de chaque groupe, les membres exercent sur leurs dirigeants « une pression à faire pression ». Les dirigeants doivent prouver à leur base qu'ils peuvent acquérir de l'État des ressources en quantité et en qualité au moins égales à celles obtenues par des dirigeants d'organisations comparables.

Sur qui les groupes concentrent-ils leurs pressions : les hommes politiques ou les fonctionnaires ? Les enquêtes menées dans différents pays montrent que les deux types de contacts sont recherchés, politiques auprès des ministres et députés, administratifs avec les fonctionnaires d'autorité (Abney et Lauth, 1983 ; Alum, 1980 ; Boivin, 1984 ; Islam et Ahmed, 1984 ; Presthus, 1973 ; Pross, 1985 ; Wilson, 1983). Si on convainc le ministre, on accroît considérablement ses chances de succès. Le ministre de l'agriculture par exemple est à la fois chargé d'appliquer la politique de son gouvernement et d'expliquer cette politique aux agriculteurs, en plus d'être le porte-parole des agriculteurs au sein du gouvernement ; l'objectif des unions agricoles est de rappeler constamment au ministre son rôle de porte-parole.

Toutefois, le groupe qui ne vise que le ministre n'a plus de stratégies de rechange en cas de réponse négative, à moins d'atteindre le premier ministre. C'est pour cette raison qu'il est préférable de bien se faire connaître aussi de l'administration et de gagner la confiance des fonctionnaires plutôt que de tout miser sur le ministre. Les groupes d'intérêt sont moins dépendants des forces politiques lorsqu'ils sont assurés, par leurs contacts avec l'administration, d'un accès permanent à l'État, quel que soit le parti au pouvoir ou le ministre en poste. Les cabinets ministériels sont une autre cible à la portée des groupes ; antichambres du pouvoir, ils se prêtent bien aux contacts plus informels.

La collaboration avec l'État, sous formes de rencontres régulières, de compromis ou d'ententes formelles, n'implique pas que des avantages pour les groupes. Ainsi, comme inconvénient, mentionnons une réduction possible de l'autonomie : en échange d'une garantie de ressources ou d'une représentativité reconnue, l'État demande aux groupes de limiter leurs exigences et de prendre en charge de nouvelles contraintes. Or, plusieurs groupes, ayant des intérêts précis et étroits, s'inscrivent mal dans un plan d'ensemble, alors que d'autres, au contraire, ont des intérêts hétérogènes, difficiles à concilier, ce qui limite leur capacité d'intégrer des contraintes supplémentaires. C'est le cas par exemple des centrales syndicales qui regroupent les catégories les plus variées d'employés et d'ouvriers, ou encore des fédérations patronales formées d'entreprises en concurrence. Il est d'autres groupes, telles les corporations professionnelles, qui se montrent très jaloux de leur indépendance et qui se mobilisent contre tout ce qui menace de près ou de loin leur monopole de compétence.

Le respect des ententes avec l'État exige aussi que les dirigeants soient en mesure de tenir leurs engagements et que les résultats des négociations se reflètent dans l'organisation. Or, la recherche de compromis avec l'État risque d'avoir pour effet d'éloigner les dirigeants de leur base. Ils ne s'en rendent pas toujours bien compte, car après avoir obtenu l'aval de la base sur des questions de principe, ils se sont permis une grande latitude quant aux modalités de leur action : conférences de presse, articles de journaux, rencontres au sommet, etc. Le dirigeant confortablement installé dans les structures de l'État est toujours soupçonné de se laisser récupérer, de trahir ses mandants, de se complaire dans un rôle « d'opposition à sa Majesté ». Qu'un compromis négocié avec une autorité publique soit jugé désavantageux, voire dénoncé comme une trahison par un rival, une section influente ou un groupe concurrent, et le dirigeant se verra placé sur la sellette. Il est difficile pour lui de tenir les deux bouts de la chaîne à savoir : conserver le contrôle et la confiance de ses troupes et transiger avec l'État afin d'obtenir des ressources et des décisions favorables.

Le danger, pour les groupes, de perdre leur autonomie est bien réel. Ils risquent de tomber sous la dépendance de l'État en raison même des ressources qu'ils obtiennent de lui. En effet, grâce à la subvention, le groupe s'est doté de nouveaux moyens, de personnel qualifié, de locaux mieux aménagés, ses membres bénéficient d'un meilleur niveau de vie ... il ne peut plus se passer de ces ressources maintenant qu'elles ont généré des besoins supplémentaires. Ira-t-il jusqu'à édulcorer ses objectifs pour que la subvention soit renouvelée, majorée, devienne annuelle et indexée sur le coût de la vie ?

Généralement, les groupes se montrent soucieux de leur indépendance, laquelle suppose une capacité de mobilisation réelle de leurs membres ; sans cette capacité, un groupe se sclérose et perd son influence. C'est pourquoi la stratégie de la pression sur l'État implique une menace crédible de confrontation en complément de l'offre de collaboration. Un groupe gagne en influence lorsqu'il est en mesure de déployer des moyens de résistance, lesquels moyens peuvent prendre différentes formes : campagnes de presse, opérations de marketing, grèves, manifestations dans les rues, occupations des lieux publics. Au besoin, la démonstration de force viendra relayer le dialogue institutionnel, le piquet de grève remplacera la table de négociation et les témoignages d'expertise céderont la place aux appels à l'opinion publique.

La pression sur l'État constitue un pôle d'action des groupes et l'appel à l'opinion publique est l'autre pôle. Les groupes ne veulent pas paraître comme porteurs d'intérêts corporatistes, c'est-à-dire égoïste et à courte vue, mais préfèrent de beaucoup être perçus comme les véritables défenseurs de l'intérêt général et des droits fondamentaux des personnes. Ainsi, à les en croire, les unions agricoles défendent leurs membres mais agissent aussi, bien entendu, dans l'intérêt des consommateurs et de l'indépendance économique du pays. Les syndicats d'enseignants identifient leurs luttes au droit à l'éducation pour tous, les fédérations patronales lient le plein-emploi à la satisfaction de leurs exigences. De la sorte, les groupes espèrent gagner la sympathie du public malgré les inconvénients qu'entraînent leurs moyens de pression : interruption des services, ralentissement des procédures, sentiment d'insécurité, etc. Un groupe qui parvient à mettre l'opinion publique de son côté accroît beaucoup ses chances de faire céder l'État.

Un moyen de confrontation particulièrement en vogue ces dernières années au Canada est la guérilla judiciaire, c'est-à-dire le recours systématique aux juges et aux tribunaux. Les groupes qui cherchent à prendre l'État en défaut au regard de la constitution et de la Charte des droits sont de plus en plus nombreux.

Le dialogue avec l'État se présente ainsi du point de vue des groupes : une source de moyens d'action et de reconnaissance officielle, mais aussi un risque d'enlisement et de dépendance. La confrontation, comme stratégie supplétive à la collaboration, demeure une condition nécessaire à l'autonomie des groupes et au maintien de leur influence.

CONCLUSION

Les relations étroites qui lient les fonctionnaires, les citoyens et les groupes représentent un élément extrêmement important dans l'appréciation du rôle des administrations publiques dans le monde moderne.

Pour certains observateurs, ces relations constituent une menace pour la démocratie, car elles ont pris trop d'ampleur et ont échappé au contrôle des élus du suffrage universel. Sous prétexte de se mettre à l'écoute de son milieu, l'administration a conquis un pouvoir exorbitant. À quoi servent les parlements et les gouvernements élus si le contenu des décisions publiques est largement déterminé par les administrations et leurs clientèles privilégiées ? Ces observateurs estiment que l'État est devenu la proie de tous les corporatismes, que ce sont les bureaucrates et les groupes de pression bien organisés qui font la loi, tandis que les élus, ballotés sous les pressions, sont obligés de louvoyer dans l'espoir vain de contenter, à coups de subventions et d'avantages multiples, les organisations publiques et privées qui risquent de leur faire obstacle. Aussi faudrait-il revenir à la procédure démocratique « normale » et considérer le pouvoir émanant des élus de la nation comme seul autorisé à parler, décider, contrôler, au nom de tous. Sans quoi la démocratie va s'émietter sous la pression des actions revendicatives et opposées.

Pour d'autres observateurs au contraire, l'administration est trop méfiante et refermée sur elle-même. Il faudrait qu'elle s'ouvre davantage et intensifie ses relations avec les citoyens et les groupes. Cette ouverture est devenue une exigence démocratique dans un monde où l'administration intervient constamment dans la vie des individus et où le fonctionnaire est un personnage bien plus omniprésent que le député. Pour faire obstacle à l'hégémonie de l'État, il faut donner aux individus et aux groupes les moyens de renforcer leur prise directe sur l'administration. Celle-ci doit négocier réellement avec les milieux concernés et non plus simplement les consulter de temps à autre.

Nous voici devant deux conclusions : l'une prônant le raffermissement du pouvoir élu, l'autre une administration plus participative et ouverte ; l'une se portant à la défense de l'électeur, l'autre de l'administré ; d'une part, la souveraineté du suffrage universel, d'autre part l'idéal d'une démocratie quotidienne aux multiples recours. Nos sociétés s'efforcent de concilier ces deux idéaux. Le principe dont elles se réclament encore et toujours est la démocratie parlementaire, c'est-à-dire le droit, pour les citoyens, de choisir leurs dirigeants lors d'élections libres. Mais il est maintenant admis que la démocratie ne saurait s'exercer que tous les quatre ans, par voie de scrutin, alors que c'est en permanence que la société est soumise à la tutelle de l'État et au poids de ses appareils.

Le contexte dans lequel nous sommes est celui d'un État envahissant, certes, mais en même temps assiégé par des individus et des groupes en quête de décisions, d'appuis, de ressources et de protections. Un État submergé d'exigences face à une clientèle qui, pour être tombée sous sa dépendance, n'en est que plus empressée à le harceler. Son interventionnisme gêne et déplait, ses coûts croissants mécontentent le contribuable, son amaigrissement est prôné, mais c'est vers lui que tous se tournent pour obtenir des protections toujours plus étendues.

C'est dans ce contexte difficile, entre les élus qui exigent une obéissance et les individus et les groupes qui demandent à être entendus, que se pose le problème d'une meilleure insertion de l'administration. Une administration qui, en soi, représente un enjeu de pouvoir pour toutes les forces qui comptent dans la société.

BIBLIOGRAPHIE

ABNEY, G. et LAUTH, T.P. (1983) « Exchanges Between Interest Groups and State Administrators », *Polity*, Vol. 15(4), p. 593-612

AGOCS, C. (1986) « Affirmative Action Canadian Style : A Reconnaissance », *Analyse des politiques*, Vol. 12(1), p. 148-162.

ALUM, P. (1980) « Les groupes de pression en Italie », *Revue française de science politique*, Vol. 30(5), p. 1048-1072.

AMBROISE, A. et JACQUES, J. (1980) « L'appareil administratif », *in* G. Bergeron et R. Pelletier (dir.) *L'État du Québec en devenir*, Montréal, Boréal express.

ANDERSON, J.E. (1982) « Pressure Groups and Canadian Bureaucracy », *in* K. Kernaghan (dir.) *Public Administration in Canada*, Toronto, Methuen Publication, p. 276-288.

ASSIMOPOULOS, N. *et al.* (dir.) (1980) *La transformation du pouvoir au Québec : le citoyen et les appareils*, Montréal, St-Martin.

BAUER, J. (1981) « La représentativité dans l'administration consultative », *Administration publique du Canada*, Vol. 24(3), p. 452-468.

BERGERON, G. (1984) *Pratique de l'État au Québec*, Montréal, Québec/Amérique.

BERNARD, A. (1982) *La politique au Canada et au Québec*, Québec, PUL, p. 251-293.

BERRY, J.M. (1977) *Lobbying for the People*, Princeton, Princeton University Press.

BOIVIN, D. (1984) *Le lobbying*, Montréal, Éditions du Méridien.

BONIN, B. (1984) *L'entreprise multinationale et l'État*, Montréal, Éditions études vivantes.

BOUCHARD, G. (1986) *Les facteurs d'influence dans les relations entre fonctionnaires et citoyens*, Thèse de doctorat, Département de science politique, Université de Montréal.

BOUCHARD, G. (1991) « Les relations fonctionnaires-citoyens : un cadre d'analyse », *Administration publique du Canada*, Vol. 34(4), p. 604-620.

CHEVALLIER, J. *et al.* (1983) *Communication administration-administrés*, Paris, PUF.

COLLINS, W.F. (1980) « Public Participation in Bureaucratic Decision Making : A Reapraisal », *Public Administration*, Vol. 58(4), p. 465-478.

COMMISSION DE RÉFORME DU DROIT DU CANADA (1985) *Le Statut juridique de l'administration fédérale*, Document de travail 40, Ottawa.

DION, L. (1971) *Société et politique : la vie des groupes*, Tome I : *Fondements de la société libérale*, Québec, PUL.

DION, L. (1972) *Société et politique : la vie des groupes*, Tome II : *Dynamique de la société libérale*, Québec, PUL.

DION, L. (1981) « Les sommets socio-économiques : vers un corporatisme libéral ? », *Gestion*, Vol. 3, p. 7-18.

DUPUY, F. et THOENIG, J.C. (1985) *L'administration en miettes*, Paris, Fayard.

EHRMANN, H.W. (1961) « Les groupes d'intérêt et la bureaucratie dans les démocraties occidentales », *Revue française de science politique*, Vol. 11(3), p. 541-568.

FOX, D. (1979) *La participation du public au mécanisme administratif*, Commission de réforme du droit, Série droit administratif, Ottawa.

GÉLINAS, A. (1975) *Les organismes autonomes et centraux*, Montréal, PUQ.

GODBOUT, J. (1983) *La participation contre la démocratie*, Montréal, St-Martin.

GOLDMAN, A.H. (1979) *Justice and Reverse Discrimination*, Princeton, Princeton University Press.

GOODSELL, C.T. (1981) « Looking Once Again at Humane Service Bureaucracy », *The Journal of Politics*, Vol. 43(3), p. 763-770.

GOURNAY, B. (1978) *Introduction à la science administrative*, Paris, Presses de la Fondation nationale des sciences politiques, p. 243-251.

GREMION, P. (1976) *Le pouvoir périphérique : Bureaucrates et notables dans le système politique français*, Paris, Seuil.

ISLAM, N. et AHMED, S.A. (1984) « Business Influence on Government : A Comparison of Public and Private Sector Perceptions », *Administration publique du Canada*, Vol. 27(1), p. 87-101.

KERNAGHAN, K. (1982) « Freedom of Information in Canada », *in* K. Kernaghan (dir.) *Public Administration in Canada*, Toronto, Methuen, p. 336-344.

KINGSLEY, J.D. (1944) *Representative Bureaucracy*, Yellow Spring, Ohio, The Antioch Press.

KRANZ, H. (1976) *The Participatory Bureaucracy : Women and Minorities in a More Representative Public Service*, Mass. D.C. Heath, Lexington Press.

KRAUSS, M. (1985) « L'action positive : réflexions historiques et philosophiques », *Revue de droit*, Vol. 16(1), p. 459-478.

LEMIEUX, V. (1978) « Le pouvoir des coordonnateurs régionaux », *Administration publique du Canada*, Vol. 21(2).

MEIER, J. et NIGRO, L.G. (1976) « Representative Bureaucracy and Policy Preference : A Study in the Attitudes of Federal Executives », *Public Administration Review*, Vol. 36(2), p. 458-469.

MUSSELIN, C. (1984) « Les relations avec le public dans les administrations financières : enjeux internes et limites du contrôle organisationnel », *Politiques et management public*, Vol. 2, p. 25-40.

NIOSI, J. (dir.) (1985) « Les multinationales et l'État », *Études internationales*, Vol. 16(2), p. 231-357.

OLSEN, D. (1980) *The State Elite*, Toronto, McClelland and Stewart.

OUELLET, L. (1983) « La concertation », *in* J. Dufresnes et J. Jacques, *Crise et leadership : les organisations en mutation*, Montréal, Boréal express, p. 145-171.

PETERS, G. (1977) « Insiders and Outsiders. The Politics of Pressure Groups influence on Bureaucracy », *Administration and Society*, Vol. 9(2), p. 191-218.

PISIER-KOUCHNER, E. (1983) « Le service public entre libéralisme et collectivisme », *Esprit*, Vol. 4, p. 8-19.

PRESTHUS, R. (1973) *Elite Accommodations in Canadian Politics*, Toronto, MacMillan.

PROSS, A.P. (1975) « Inputs versus Withinput : Pressure Groups Demands and Administrative Survival », *in* A.P. Pross, *Pressure Group Behaviour in Canadian Politics*, Toronto, McGraw-Hill Ryerson.

PROSS, A.P. (1975a) *Pressure Group Behaviour in Canadian Politics*, Toronto, McGraw-Hill Ryerson.

PROSS, A.P. (1982) « Gouverner sous pression : les groupes d'intérêt spéciaux », *Administration publique du Canada*, Vol. 25(2), p. 183-197.

PROSS, A.P. (1985) « Parliamentary Influence and the Diffusion of Power », *Revue canadienne de science politique*, Vol. 18(2), p. 235-266.

RICE, M.F. (1979) « Inequality, Discrimination and Service Delivery : A Recapitulation for the Public Administrator », *International Journal of Public Administration*, Vol. 1(4), p. 409-433.

ROMZEK, B.S. et HENDRICKS, J.S. (1982) « Organizational Involvement and Representative Bureaucracy : Can We Have It Both Ways ? », *American Political Science Review*, Vol. 76(1), p. 75-82.

ROWAT, D.C. (dir.) (1979) *Administrative Secrecy in Developped Countries*, London, Macmillan.

ROWAT, D.C. (1982) « The Right to Government Information in Democracy », *Revue Internationale de science administrative*, Vol. 48(1), p. 59-69.

SHERIFF, P. (1974) « Unrepresentative Bureaucracy », *Sociology*, Vol. 8(4), p. 447-462.

SIMARD, C. (1983) « Les mesures législatives en emploi : le début ou la fin d'une illusion », *Revue canadienne de science politique*, Vol. 16(1), p. 103-114.

SJOBERG, G. et BRYER, R.A. (1966) « Bureaucracy and the Lower Class », *Sociology and Social Research*, Vol. 50(2), p. 325-337.

SUBRAMANIAM, V. (1967) « Representative Bureaucracy : A Reassesment », *American Political Science Review*, Vol. 61(4), p. 1010-1019.

THYREAU, A. et BON, J. (1981) « L'amélioration des relations entre l'administration et les administrés en France », *Revue internationale de science administrative*, Vol. 47(3), p. 259-263.

TREMBLAY, R. (1985) « L'évolution des organismes de consultation populaire : une nouvelle perspective », *Égalité*, Automne 1984/hiver 1985, p. 175-186.

WILSON, F.L. (1983) « Les groupes d'intérêt sous la Vᵉ République ; test de trois modèles théoriques de l'interaction entre groupes et gouvernement », *Revue française de science politique*, Vol. 33(2), p. 221-254.

WILSON, V.S. (1981) *Canadian Public Policy and Administration Theory and Environment*, Toronto, McGraw-Hill.

Chapitre **11**

L'administration publique et les idées politiques

James Iain Gow

PLAN

L'ADMINISTRATION PUBLIQUE DANS LES IDÉOLOGIES POLITIQUES

L'ADMINISTRATION PUBLIQUE DANS LES THÉORIES POLITIQUES

Le fonctionnalisme
Le systémisme
Le marxisme

CONCLUSION

BIBLIOGRAPHIE

Au terme de ce livre, il convient maintenant de se pencher sur la place qu'occupe l'administration dans les idées politiques. Il n'est plus question des idées sur l'administration, telles celles exposées au chapitre 2, mais plutôt de la manière selon laquelle on traite de l'administration dans le discours politique. Nous verrons, à tour de rôle, deux formes de ce discours, l'idéologie et la théorie.

Les idéologies et les théories font partie du monde abstrait des idées, mais on peut les distinguer les unes des autres. Recensant les écrits de sociologues contemporains, André Bernard définit ainsi une idéologie :

> [...] un système d'idées et de jugements, explicite et généralement organisé, qui sert à décrire la *situation* d'un groupe ou d'une collectivité, qui sert à expliquer, interpréter ou justifier cette situation et qui propose une orientation précise à l'action historique de ce groupe ou de cette collectivité (Bernard, 1976, p. 98).

Si on apprend ensuite qu'une théorie est un « ensemble d'idées, de concepts abstraits, plus ou moins organisés, appliqués à un domaine particulier » (Le Petit Robert), on peut se demander si les deux mots ne recouvrent pas la même idée. C'est en partie vrai puisque idéologies et théories apportent des explications au sujet des situations sociales de groupes ou de collectivités. Cependant, les deux ont des intentions de même que des méthodes différentes (Boudon et Bourricaud, 1982, p. 275-2, 562-56). L'idéologie comporte nécessairement un projet, ce qui n'est pas le cas avec la théorie ; l'idéologie est orientée vers l'action, tandis que la théorie a généralement une fonction plus didactique et plus abstraite. Dans le cas d'une idéologie, la présence d'un projet implique un recours plus ouvert aux valeurs ; il s'agit de proposer des fins valables au groupe en question. Les valeurs sont aussi présentes dans les théories, mais de façon moins évidente. Les faits qu'on considère significatifs, les choses que l'on juge important de connaître et d'expliquer, ces choix et bien d'autres procèdent des valeurs du chercheur. Toutefois, la nécessité de formuler des propositions d'action oblige l'idéologue à exprimer plus clairement les siennes. Aussi, les règles de formulation et de présentation des théories et des idéologies sont-elles différentes. Les idéologies se basent davantage sur des croyances qui touchent non seulement aux valeurs mais aussi souvent aux faits ; leur mode de démonstration tient de la rhétorique. Par contre, la théorie est censée obéir à des règles plus scientifiques, que ce soit de raisonnement ou de preuve empirique, et doit permettre de formuler des propositions qui peuvent être vérifiées par l'observation rigoureuse des faits et ainsi confirmées ou infirmées. Bien que chaque scientifique ait ses propres croyances et convictions, elles ne peuvent être présentées à son auditoire ou à ses lecteurs comme étant des propositions scientifiques.

Donc, une idéologie se distingue d'une théorie par son allure de projet aussi bien que l'explication de la situation sociale d'un groupe ou collectivité et par la place plus ouverte dans son discours aux valeurs et aux croyances. Le marxisme tient une place particulière dans les sciences sociales, car il est à la fois une théorie et une idéologie. D'ailleurs, le marxisme refuse à la sociologie bourgeoise le statut de théorie neutre, qui ne fait appel à aucun système de valeurs. Pour le marxisme, une telle prétention ne fait que favoriser le statut quo ; on se rappellera la discussion au chapitre 2 sur la préférence de certains auteurs marxistes pour une « sociologie critique » qui ferait place, dans son analyse, à des « possibles » existant dans le présent observé. Quoi qu'il en soit, nous respectons la distinction proposée entre idéologie et théorie dans les lignes qui suivent.

11.1
L'ADMINISTRATION PUBLIQUE
DANS LES IDÉOLOGIES POLITIQUES

L'administration publique est peu apte à devenir elle-même l'objet d'une réflexion idéologique ; cela se ferait plutôt dans le cadre d'une appréciation globale de l'État. Cependant, la croissance des administrations au cours des dernières décennies a eu entre autres comme résultat que notre appréciation de l'État est influencée par notre expérience avec l'administration. Bernard Gournay est l'un des premiers à observer que si l'on connaît la position que maintient un penseur ou une formation politique vis-à-vis l'État, on pourra presque en déduire son attitude face aux problèmes classiques que sont la décentralisation, le statut de la fonction publique, la bureaucratie, la technocratie et le pouvoir discrétionnaire (Gournay, 1978, p. 220-230 ; Fougère, 1966, p. 145-150). Nous avons résumé cette logique au tableau 11.1 ; après l'avoir commenté, nous verrons que la conjoncture des

TABLEAU 11.1
Positions idéologiques sur les grands problèmes de l'administration publique

Question administrative	Point de vue politique		
	Socialiste (la *gauche*)	Libéral (le *centre*)	Conservateur (la *droite*)
— Théorie de l'État	— Instrument au service de la classe dominante	— Arbitre — Gérant	— Souci de l'ordre — Intervention minimale ou autoritaire
— Centralisation/décentralisation	— Le centralisme démocratique — L'autogestion	— Pour la démocratie locale mais pour des interventions nationales — Rentabilité	— Pour un État limité — Pour la communauté locale « naturelle »
— Le statut des fonctionnaires	— Militantisme et obéissance	— Rentabilité et sécurité	— Fidélité et obéissance
— La bureaucratie	— Contre, préfère la primauté de la politique	— Le plus favorable	— Contre, préfère la primauté de la politique
— La technocratie	— Contre, parce qu'apolitique	— Le plus favorable	— Contre, parce qu'impossible
— Régime des lois	— Primauté à la ligne du parti communiste — La légalité socialiste	— Le plus favorable	— Besoin d'autorité

années 1980 remet en question les clivages traditionnels droite-centre-gauche ou conservateur-libéral-socialiste.

En élaborant les trois positions sur l'État données au tableau 11.1, il faut se rappeler les idées maîtresses de chaque tendance (Bernard p. 102-116). D'abord, les conservateurs se méfient des changements radicaux dans les affaires de la société. Ils ont une vision organique de la société où certains sont appelés à diriger, d'autres à suivre. À cette idée des inégalités naturelles, ils ajoutent une méfiance quant à la capacité des êtres humains de contrôler leur destinée. À cet égard, ils préfèrent généralement la charité à l'aide sociale étatique. Parmi les valeurs traditionnelles qu'ils privilégient, se trouvent normalement la patrie, la famille et l'Église. Avec une telle pensée, on comprend qu'ils se méfient de l'État et qu'ils veuillent limiter son intervention dans les affaires de la société au minimum essentiel, lequel minimum privilégie l'ordre comme objectif primordial de l'État. Certains conservateurs radicaux refusent à l'État le droit de venir chercher dans leurs poches des revenus pour toute autre activité que le maintien de l'ordre interne, la défense nationale, la réglementation du commerce et les grands travaux publics essentiels. D'autres, plus autoritaires, insistent sur la nécessité d'un État fort, protecteur des valeurs traditionnelles.

La pensée libérale est l'idéologie dominante de l'ère industrielle des pays capitalistes. Elle est plus égalitaire que celle des conservateurs, mais c'est un égalitarisme individualiste basé sur la notion de compétition, sur « l'égalité des chances ». C'est aussi une pensée matérialiste qui tend à mesurer le bonheur suivant le succès matériel et qui favorise la séparation de l'Église et de l'État. Sa version de la société est pluraliste, car les différents groupes qui la composent vivent, selon elle, en une sorte d'équilibre, fruit de leur compétition. L'État est alors vu comme l'arbitre de cette compétition, garant des règles du jeu ; il a aussi un rôle de gérant des affaires communes de la société. Au XXᵉ siècle cependant, les libéraux acceptent progressivement que les problèmes sociaux issus des sociétés industrielle et urbaine ne peuvent plus être résolus par les voies traditionnelles, à savoir la famille, les institutions de charité et les municipalités. Ils acceptent l'État protecteur qu'on appelle aussi l'État providence (Rosanvallon, 1981 ; Hamel, 1984). Depuis la fin des années 1970, un courant néo-libéral ou radical a amené au pouvoir des gouvernements plus à droite, comme ceux de Margaret Thatcher en Grande-Bretagne ou de Ronald Reagan aux États-Unis, qui veulent une réduction du rôle de l'État, notamment dans la vie économique (Rocher, 1984 ; Dunleavy et O'Leary, 1987, chap 3)[1].

Lorsqu'elle s'oppose à l'État capitaliste, la pensée socialiste est plutôt favorable au changement radical. Comme la pensée libérale, elle est matérialiste, mais à l'encontre de celle-ci, elle considère que les antagonismes de classe sont inévitables et que, loin de vivre en équilibre, il y a toujours une ou des classes dominantes. Contrairement à la pensée conservatrice, la pensée socialiste n'accepte pas cette inégalité ; elle est la plus égalitariste des trois. Sa sympathie et son attention se portent vers les classes laborieuses, les ouvriers, les employés et les paysans. Dans sa perspective, l'État est un instrument au service de la classe dominante et la seule façon pour la classe ouvrière de se sortir de sa position de dominé est de saisir le pouvoir et de mettre l'État à son service, en instaurant soit la dictature du prolétariat, soit un régime social-démocrate sous la gouverne d'un parti jouissant de l'appui du mouvement syndical.

Fort de ces positions générales, on peut à présent passer aux cinq autres problèmes énumérés au tableau 11.1. En ce qui a trait à la centralisation ou à la décentralisation, le conservatisme est plutôt décentralisateur : en laissant à chaque communauté locale la responsabilité d'intervenir ou non sur le plus grand nombre de sujets, il est fidèle à son souci de limiter l'intervention de l'État. Le conservatisme trouve aussi, dans la communauté locale, une unité politique plus naturelle que l'État central, souvent avec l'idée sous-jacente que cette communauté est mieux dirigée par ses élites locales, ses « notables ». La pensée libérale est favorable à la démocratie locale et elle reconnaît les plus grandes possibilités de participation des citoyens à ce niveau qu'au niveau national. Par contre, elle est souvent impatiente devant l'immobilisme des municipalités et elle se préoccupe des inégalités qui proviennent de leur richesse variable. Dans les faits, l'État libéral a généralement été centralisateur et son intérêt pour la décentralisation s'est souvent porté au niveau régional, où il voulait créer des relais entre le local et le national. La pensée socialiste est aussi traditionnellement centralisatrice, car elle favorise la planification économique et sociale. Dans les démocraties occidentales, cette pensée a également favorisé la planification et le développement régional. Dans les pays communistes, la doctrine qui a longtemps dominé était le centralisme démocratique, qui ne voyait l'initiative locale que dans un cadre établi par la capitale. Depuis quelque temps cependant, à l'Est comme à l'Ouest, on oppose à ce modèle le modèle de l'autogestion, qui vise à donner aux employés de tout établissement un rôle décisif dans la direction. Ce modèle a pris son origine en Yougoslavie, où il a été introduit dès 1950. Dans une société planifiée cependant, il y a des limites inévitables à l'autonomie locale réelle (Mandel, 1970, p. 332-334).

Malgré ces orientations générales, on ne pourrait prédire la pensée caractéristique d'un groupe sur la décentralisation sans connaître la conjoncture politique. Bernard Gournay a noté qu'on s'oppose à la centralisation quand on est contre la tendance qui est au pouvoir à la capitale (Gournay, 1978, p. 224). Puisque cette tendance est généralement interventionniste depuis longtemps, la pensée conservatrice est davantage favorable à la décentralisation ; mais des mouvements ayant une pensée progressiste ou réformiste l'ont aussi épousée pendant un long règne conservateur. Ainsi, au Québec, face au refus des gouvernements Taschereau et Duplessis, au cours des années 1930, de nationaliser la production et la distribution de l'électricité, des groupes réformateurs ont proposé la municipalisation des services de distribution.

En ce qui a trait au statut des fonctionnaires, la pensée conservatrice insistera sur les devoirs de fidélité et d'obéissance. Tout en étant prête à accorder certains privilèges aux fonctionnaires, elle réservera à la direction politique une bonne marge de manœuvre dans la nomination et la mutation des hauts fonctionnaires. C'est la pensée libérale qui a été la plus favorable à l'autonomie des fonctionnaires, puisque le régime du mérite correspond parfaitement à l'individualisme qu'elle affiche. Cette pensée sera la plus ouverte à un régime qui offre une sécurité considérable aux fonctionnaires. Si les sociaux-démocrates partagent ce point de vue, la pensée communiste quant à elle est beaucoup plus sceptique au sujet de la possibilité, pour les fonctionnaires, de servir loyalement différents maîtres politiques. Elle insiste davantage sur l'adhésion des fonctionnaires à l'idéologie au pouvoir et leur soumission au contrôle populaire ou révolutionnaire.

Les positions idéologiques sur la bureaucratie reflètent celles sur le statut des fonctionnaires, car c'est l'une des sources de régulation bureaucratique. Cependant, s'il se trouve des défenseurs du statut des fonctionnaires, il y en a très peu de la bureaucratie. Comme nous l'avons vu au chapitre 7, la bureaucratie est le bouc émissaire de toutes les tendances politiques ; ses vertus ne sont découvertes que lorsque des citoyens ou des fonctionnaires s'estiment lésés par des décisions discrétionnaires. Par exemple, dans les années 1950 au Québec, les commissions scolaires se plaignaient du fait que les subventions étaient octroyées au gré du gouvernement et demandaient que cela soit fait statutairement. La certitude de ces droits, qu'apporte un régime basé sur des règles écrites, est un des bienfaits de la bureaucratie qui est souvent oubliée dans les débats. On préfère s'attaquer à des dysfonctions : la droite, à ses lenteurs, à sa complexité, à sa réglementation qui, selon elle, tuerait toute initiative et tout sens de la responsabilité ; la gauche, à sa position privilégiée de soutien de la classe dominante. Même si la pensée libérale la critique pour son inefficacité, il n'en demeure pas moins qu'elle lui est la tendance la plus favorable à cause de sa conception de l'État et de la fonction publique.

Quant à la technocratie, toutes les tendances s'inquiètent du problème du contrôle politique de l'administration. En effet, il n'y a aucune idéologie qui propose de mettre l'administration au pouvoir à la place des élus. Par contre, les pensées libérale et sociale-démocrate tendent à reconnaître un domaine distinct qu'elles sont prêtes à laisser aux fonctionnaires (prenons par exemple le slogan « le gouvernement gouverne ... les administrateurs administrent »), tandis que les socialistes et les conservateurs sont davantage portés à voir de la politique partout et à refuser d'établir une ligne de partage étanche entre politique et administration.

Un aspect de cette question de la technocratie concerne la position de chacun par rapport à la planification. Les premiers libéraux et bon nombre de conservateurs sont plutôt contre la planification : croyant que les planificateurs n'ont pas la compétence pour diriger intelligemment la vie économique, ils préfèrent le jeu du marché qui, à leur avis, est plus subtil et efficace. Par contre, la pensée socialiste a toujours cru en la possibilité de planifier la vie économique et sociale ; les pays communistes favorisent une planification contraignante pour tous les agents économiques, tandis que dans les pays occidentaux, on préfère une planification indicative ou incitative. La pensée libérale a évolué vers l'acceptation d'une planification de ce type par son adhésion à la notion de l'État en tant que gestionnaire des affaires communes. Une version de cette idéologie, qui a eu une audience assez importante au cours des années 1960 et au début des années 1970, est celle de la fin des idéologies. Selon cette pensée, les grandes questions touchant l'intervention étatique avaient été résolues, et il ne restait que la gérance de l'appareil ainsi créé (Bell, 1965 ; Birnbaum, 1975). Ainsi conçue, la technocratie attire ceux et celles qui méprisent la politique et les politiciens et qui pensent qu'à tout problème, il existe une solution technique (Fuller, 1980).

Il n'y a pas de correspondance parfaite entre la position d'un groupe sur une question et celle qu'il adopte sur une autre. Ainsi, la pensée conservatrice peut être amenée à être davantage favorable à la planification si celle-ci se présente sous la forme d'une concertation ou du corporatisme. Au Québec, au cours des années 1930, il existait un tel courant qui croyait en la possibilité d'une concertation entre l'État, l'Église et les associations professionnelles et syndicales (Bélanger, 1974 ; Monière, 1977, p. 276-280). Même si cette approche n'a pas eu un grand impact dans l'immédiat, elle revient maintenant sous certains aspects, du moins dans les politiques de participation et de concertation proposées ou tentées depuis 1960 (Archibald, 1983). À l'opposé d'une pensée basée sur la compétition poussée ou sur la lutte des classes, cette approche cherche un terrain d'entente entre les divers groupes organisés d'une société, pour le plus grand bien de tous. Cette approche peut être très autoritaire ou, au contraire, davantage démocratique. De toute façon, elle envisage le dialogue entre l'État et les groupes organisés de la société, ce qui fait habituellement l'affaire de l'administration, car elle préfère traiter avec des interlocuteurs connus plutôt que de vivre dans l'incertitude des rapports non structurés (chapitre 10 ; Dion, 1969 ; Baccigalupo, 1978, p. 421-444).

Le dernier thème classique qui oppose les différentes idéologies est l'importance qu'on accorde à un régime de lois par opposition aux pouvoirs discrétionnaires du gouvernement et de l'administration. C'est un très ancien débat qui remonte à la Chine antique, à l'époque où confucianistes et légistes débattaient les vertus du « gouvernement des hommes » ou du « gouvernement des lois ». La pensée libérale est encore ici la plus prête à accepter un régime de lois (ce que les Britanniques appellent *the rule of law*). Ceci peut paraître comme étant de peu d'importance mais, comme le dit Prosper Weil (1964, p. 5) « que l'État lui-même accepte de considérer comme « lié » par le droit [...] cela mérite l'étonnement ». Et justement, les deux autres tendances sont moins prêtes à accepter de telles contraintes : la pensée conservatrice s'oppose aux pouvoirs discrétionnaires des fonctionnaires et des organismes administratifs, mais elle est habituellement prête à laisser une marge discrétionnaire considérable aux autorités politiques dans les questions d'ordre interne et de défense nationale ; quant au socialisme démocratique, il est aussi prêt que le libéralisme à lier les mains du gouvernement ; enfin, le communisme, tout en voulant respecter un régime de droit dans le quotidien, réserve néanmoins aux dirigeants du parti communiste le droit de changer de ligne de conduite par directives, quitte à les faire entériner par les instances formelles le moment venu (Lesage, 1975, p. 9-25 ; Tikhomirov, 1973, p. 131-145).

Si les positions résumées permettent de situer les principales tendances idéologiques vis-à-vis les grands problèmes traditionnels en administration publique, la situation n'est plus aussi claire aujourd'hui. Deux développements méritent ici notre attention. D'abord, il y a une critique très généralisée de l'État providence. À la suite de la crise du pétrole amorcée en 1973, la plupart des gouvernements occidentaux ont connu des difficultés financières à cause des déficits budgétaires répétés et des budgets de prestations sociales qui semblaient incompressibles. Le niveau de taxation provoque une « révolte des contribuables » qui prend la forme tantôt de mesures référendaires comme celle de la « Proposition 13 », adoptée en Californie en 1978, tantôt celle du troc entre citoyens, qui frustre le fisc de son dû parce qu'il ne laisse pas de trace comme le font les échanges commerciaux de biens ou de services.

Du côté de certains auteurs, on trouve des échos de cette déception avec l'État providence. À droite comme à gauche, on trouve que l'État intervient trop dans la vie économique et sociale, qu'il a pris des dimensions alarmantes, qu'il essaie de trop réglementer la vie des gens et que les fonctionnaires sont des privilégiés égoïstes qui s'intéressent surtout à la protection de leurs droits et avantages[2]. C'est dans les solutions qu'offrent la droite et la gauche qu'on trouve des différences encore prononcées. À droite, on propose le retrait de l'État, la « déréglementation » et la « privatisation » des activités présentement contrôlées par l'État. On juge qu'un retour au secteur privé est nécessaire pour stimuler l'économie, pour effectuer les transformations qui s'imposent dans une société en voie d'informatisation. D'autre part, la droite estime que l'État providence entretient avec des prestations d'aide sociale une foule de gens qui pourraient ou bien se trouver un emploi, ou bien être à la charge de leurs familles. Elle est donc favorable à une diminution de l'aide sociale. La gauche est portée à trouver exagérées les critiques de la droite et la gravité de la crise de l'État. Même si elle partage plusieurs points de vue de cette critique de l'État, elle est moins prête à réduire les prestations sociales. Elle propose plutôt d'alléger le poids de l'État par la décentralisation, le développement de la coopération communautaire et le recours à des ententes négociées qui peuvent parfois remplacer la réglementation unilatérale par l'État.

Dans le cas de la crise de l'État, les positions de la gauche et de la droite ont évolué face à une nouvelle conjoncture politique ; mais les tendances traditionnelles sont toujours présentes, du moins dans les solutions proposées. Par contre, il existe une série de problèmes relativement nouveaux autour desquels gravitent des groupes intéressés qui ne correspondent pas du tout aux clivages traditionnels. C'est le cas des mouvements féministes, écologistes et anti-nucléaires, où l'on ne peut guère recourir au vocabulaire droite-gauche pour les situer. Il s'agit de tendances nouvelles qui, jusqu'à présent, n'ont pas été intégrées au sein des mouvements et partis traditionnels sur la scène politique. En ce qui nous concerne, cela veut dire que ces groupes n'ont pas adopté de position systématique et générale envers l'État et son administration, mais qu'ils ont des revendications qui s'adressent autant à l'administration qu'aux leaders des partis politiques. Ils sont alors des alliés ou des opposants de circonstance de l'administration ; alliés, dans la mesure où, par exemple, les services canadiens et québécois de l'environnement font cause commune dans leurs efforts de promouvoir des mesures contre les pluies acides ; opposants, par contre, des groupes anti-nucléaires qui cherchent à empêcher des essais de missiles sur le territoire canadien.

Pour résumer, l'administration n'est pas un sujet qui attire les idéologies, si ce n'est certaines tirades contre l'État envahissant, étouffant, etc. D'autre part, en dehors des grands scandales, ce n'est pas un thème qui intéresse beaucoup les parlementaires ou les journalistes, et encore moins le grand public. C'est davantage un problème auquel il faut aujourd'hui s'adresser, l'administration ayant pris tellement d'ampleur au sein de l'État. C'est également cette perspective qui prévaut lorsqu'on aborde la place qu'occupe l'administration au sein des théories politiques.

11.2
L'ADMINISTRATION PUBLIQUE DANS LES THÉORIES POLITIQUES

L'attention qu'accordent les théories politiques à l'administration publique varie beaucoup. Si la principale préoccupation d'une théorie est la révolution ou la représentation électorale d'une collectivité, l'administration a une importance mineure sinon nulle. Par contre, aujourd'hui, toute théorie qui prétend expliquer le fonctionnement du système politique doit lui faire une place ; par exemple, les différents modèles qu'on utilise pour expliquer les origines des politiques publiques lui attribuent tous un rôle clé. Que l'on envisage les politiques publiques comme des produits de la compétition entre les multiples groupes d'une société, des préférences des élites, de processus rationnels, d'activités des institutions étatiques ou encore d'une multitude de petits rajustements aux activités étatiques existantes, l'administration est présente dans un rôle d'initiateur, de collaborateur ou de compétiteur (Dye, 1972, p. 20-35 ; Morrow, 1980, p. 89-96 ; Landry, 1980, p. 15-35).

À l'encontre des théories partielles que nous avons évoquées dans les pages précédentes (la technocratie et le corporatisme), il s'agit ici de trois théories globales : le fonctionnalisme, le systémisme et le marxisme. Nous verrons comment chaque théorie considère l'administration de même que ses avantages et ses inconvénients.

Le fonctionnalisme

Le fonctionnalisme est une théorie sociologique qui peut être très utile pour comprendre le rôle et la place de l'administration au sein du système politique. Par contre, il a été sévèrement critiqué et il est important de connaître ses limites (Cot et Mounier, 1974, p. 73-89).

Le fonctionnalisme est venu à la sociologie par l'intermédiaire des anthropologues qui, dès les années 1920, réfléchissaient sur l'apport des différentes institutions et pratiques sociales au maintien des sociétés qu'ils étudiaient. Ils supposaient que toute activité récurrente devait avoir sa raison d'être, qui n'était peut-être pas connue des acteurs sociaux eux-mêmes, et que c'était donc la tâche des anthropologues de la découvrir. S'inspirant de la biologie, ils commencèrent à chercher les fonctions de ces activités suivant la méthode que l'on avait utilisée pour étudier les fonctions des poumons ou du système lymphatique dans le corps humain.

Le sociologue Robert Merton qui, plus que tout autre, a diffusé la théorie du fonctionnalisme, a fait sienne cette définition de fonctions : « [...] processus vitaux ou organiques dans la mesure où ils contribuent au maintien de l'organisme. » L'accent, par cette approche, est mis sur les *effets* des processus observés. Pour comprendre leur signification, il faut introduire deux autres notions développées par Merton : premièrement, il distingue les fonctions manifestes et latentes, c'est-à-dire celles qui sont voulues et connues des acteurs sociaux et celles qui, par contre, sont involontaires et inconscientes. Il est au cœur de cette théorie qu'une activité récurrente peut avoir des effets qui n'étaient ni prévus ni voulus par les acteurs ; deuxièmement, Merton distingue fonctions et dysfonctions. Une activité est fonctionnelle si sa contribution au maintien de l'organisme est positive, et dysfonctionnelle si elle est négative. Ceci est important car certains anthropologues avaient fait l'erreur de croire que tout ce qui existe dans une société, pour un certains temps, doit avoir des conséquences positives pour cette société. Merton, par contre, admet qu'une activité peut avoir des conséquences négatives et qu'elle peut pourtant continuer d'exister longtemps ; selon lui, la seule nécessité est que cette activité ait un solde d'effets positif, sinon elle cesse d'exister. Un exemple célèbre, utilisé par Merton, peut nous éclairer sur ces deux distinctions. Ainsi, il s'est demandé pourquoi les « machines politiques » des grandes villes américaines avaient pu survivre aussi longtemps, malgré les efforts des réformateurs de les éliminer. Il découvrit alors que ces machines avaient des fonctions latentes qui étaient utiles dans le contexte du système politique américain du xixe siècle et du début du xxe siècle. Les fonctions manifestes du système des machines avec leurs « boss » étaient de faire élire et de garder au pouvoir le parti qui, par favoritisme ou patronage, pouvait s'assurer le vote des électeurs. Cependant, dans le contexte d'une société où il n'y avait ni services aux immigrants, ni aide sociale, les machines politiques s'occupaient des immigrants récents, offraient des emplois aux chômeurs et distribuaient des secours aux pauvres et ce, d'une façon beaucoup plus efficace et humaine que les quelques services gouvernementaux existants. La machine remplissait donc des fonctions « inadéquatement remplies par les structures conventionnelles » (Merton, 1953, p. 165).

Selon Merton, cette approche n'est pas basée sur des notions de cause et d'effet, ce qui est très important. En effet, il voulait se défendre contre la critique accusant le fonctionnalisme de faire l'apologie de tout ce qui existe, d'être l'instrument de justification du statu quo. Pour Merton, seules certaines fonctions sont essentielles, mais elles peuvent être remplies par différents éléments, qu'il appelle des « équivalents fonctionnels ». Afin d'apprécier l'utilité de la notion de fonction en science politique, voyons à présent la théorie fonctionnaliste de Gérard Bergeron.

Pour Bergeron, il y a deux fonctions essentielles à la vie politique : prendre des décisions autoritaires pour cette société et les exécuter. Ces fonctions sont exercées par le noyau agissant de la société politique, l'État. En règle générale, les deux fonctions se subdivisent en quatre, comme cela est exposé au tableau 11.2 : la fonction décisionnelle ou d'impérativité est remplie par les fonctions gouvernementale et législative, et la fonction d'exécuter est divisée en fonctions administrative et judiciaire. L'emplacement des fonctions est significatif ; non seulement les deux niveaux regroupent des fonctions du même type, mais le côté gauche représente la partie active de l'État, tandis que les deux fonctions de la droite expriment des fonctions de contrôle. Ainsi, les responsables de la fonction gouvernementale proposent des politiques, lois et budgets, alors que ceux de la fonction législative les adoptent, les amendent ou les rejettent, légitimant de cette façon celles qui sont approuvées. La fonction judiciaire est également un type particulier de la fonction d'exécution qui consiste à juger des cas contestés, l'indépendance des juges étant encore ici un élément de légitimation du fonctionnement de l'État.

TABLEAU 11.2
Les fonctions de l'État

GOUVERNEMENTALE	LÉGISLATIVE niveau d'impérativité
ADMINISTRATIVE côté agissant	niveau d'exécution JUDICIAIRE côté contrôlant

Source : BERGERON, G., 1965, 1978, 1984.

Dans la théorie de Bergeron, on reconnaît une fonction par son mode de fonctionnement. Ainsi, la fonction gouvernementale se distingue par sa souplesse, son informalité et sa prise de décision par consensus, contrairement à la rigidité, la formalité, les délais et les votes, selon le principe de l'opposition, qu'on trouve du côté de la fonction législative. La fonction administrative se distingue aussi par son pouvoir d'initiative, par la généralité de ses décisions, par sa structure hiérarchique et par sa responsabilité de mettre en application ou de réaliser ses propres décisions ; quant à la fonction judiciaire, elle est passive (elle doit attendre qu'on lui demande de juger d'un litige), procède cas par cas, n'est pas vraiment hiérarchisée (un juge inférieur n'est pas sous les ordres d'un juge supérieur) et, enfin, elle déclare la loi mais ne l'applique pas.

Cette typologie fait la lumière sur plusieurs aspects de la vie politique. Par exemple, elle donne une nouvelle explication des lenteurs et du formalisme à la fois des législatures et des tribunaux. Leur fonction en étant une de contrôle, il est important qu'on n'essaie pas de faire adopter des décisions à la hâte, que le débat contradictoire permette aux opposants de faire valoir leur point de vue et que le vote formel enregistre les pour et les contre. Mieux, en distinguant l'acteur de la fonction, cela nous aide à identifier les différents rôles qu'un acteur politique peut jouer. Par exemple, dans les systèmes parlementaires canadien et québécois, un ministre participe aux quatre fonctions identifiées par Bergeron : gouvernementale, en tant que membre du Conseil des ministres décidant des politiques à proposer à la législature et à la population ; législative, en tant que membre de la législature ; administrative, en tant que chef d'un ministère ; judiciaire, lorsque le Conseil des ministres doit statuer sur un appel d'un tribunal administratif, ou gracier un inculpé, ou encore décider d'abandonner des poursuites judiciaires proposées ou entamées.

D'autres avantages découlent de cette approche fonctionnaliste. Ainsi, l'analyse comparée en est facilitée, car en cherchant les responsables des diverses fonctions dans différents pays ou à différentes époques, on peut éviter les pièges que nous tendent des titres similaires cachant des fonctions différentes ou, à l'inverse, des fonctions identiques ayant des titres différents.

Le fonctionnalisme nous rappelle aussi que toute politique aura des conséquences autres que celles qu'elle a prévues et qu'elles peuvent être positives ou négatives pour l'organisation. Distinguer la fonction et l'acteur nous permet de qualifier les cas où les fonctionnaires assument des pouvoirs autrefois dévolus aux ministres, aux députés et aux juges. Ce sont, dans le vocabulaire de Bergeron, des cas de cumul de fonctions (quand un même organe exerce plusieurs fonctions), de dédoublement (quand un organe propre à une fonction exerce une seconde fonction) ou encore de suppléance (quand un organe ajoute à ses fonctions, faute d'un autre plus approprié). Ainsi, on peut dire qu'il y a eu, dans les temps récents, un cumul de fonctions chez l'administration au dépens des trois autres fonctions.

Malgré d'indéniables vertus, le fonctionnalisme a des inconvénients ; nous avons retenu les deux plus importants. L'accusation d'un biais conservateur reste valable malgré la réplique de Merton, car il y a une tentation « de célébrer l'harmonie du moment comme le seul système possible » (Crozier, 1963). Comme nous l'avons vu, la tendance du fonctionnalisme est surtout d'expliquer pourquoi certaines activités persistent et non de chercher des solutions de rechange. Cela peut être très utile au réformateur qui risque de rater sa réforme s'il ignore les fonctions latentes d'une pratique qu'il cherche à éliminer ; mais il peut aussi être frustré si on se sert d'un tel raisonnement sous prétexte de lui apprendre qu'aucun changement n'est possible.

Aussi, le fonctionnalisme fait des propositions difficiles à prouver. D'une part, il se base sur un raisonnement déductif et, même si ses affirmations sont très plausibles, il n'est pas certain qu'elles soient les seules qui puissent expliquer un phénomène observé. D'autre part, un problème considérable surgit lorsqu'il s'agit de définir l'unité sociale pour laquelle une activité est dite fonctionnelle ou dysfonctionnelle. Est-ce la société entière ? si oui, laquelle ? On conçoit facilement que ce qui est fonctionnel pour une municipalité ou une entreprise privée peut être dysfonctionnel pour le Québec ou le Canada. Le fédéralisme canadien est constamment appelé à traiter avec des provinces ou des régions qui considèrent que l'équilibre actuel joue contre leurs intérêts. Donc, plusieurs problèmes surgissent lorsqu'on tente d'analyser les fonctions vitales d'un système social. Il reste quand même que le fonctionnalisme considère que l'administration est l'une des grandes fonctions de l'État, celle en fait qui a connu la plus grande expansion des temps modernes.

Le systémisme

La notion de système est déjà présente dans la théorie fonctionnaliste, car la notion de fonction vitale implique un organisme dont l'existence en dépend. Cependant, avec la théorie systémiste l'orientation change, car on s'intéresse non seulement à la manière dont les composantes d'un organisme complexe contribuent à sa survie, mais aussi à ses échanges avec l'environnement. Dans tout système organisé, écrit Vincent Lemieux (1979), on trouve des mécanismes de *régulation*, pour conserver l'équilibre des composantes, et d'*adaptation*, pour maintenir le système face à son environnement externe.

Rappelons brièvement quelques idées du systémisme que nous avons esquissées au chapitre 2. Cette approche insiste sur l'interdépendance des éléments qui sont organisés en vue d'un but ou d'une finalité. Un système ouvert transforme l'énergie, la matière et l'information qu'elle reçoit de l'environnement (des intrants, ou « inputs ») en productions qui sortent à leur tour dans l'environnement (des extrants, ou « outputs »). Par définition, il faut qu'il y ait équilibre entre les intrants et les extrants, sinon le système ne pourrait survivre longtemps. Dans le cas d'une entreprise, ceci se comprend facilement, car elle utilise les ressources qu'elle reçoit sous forme de revenus provenant de la vente de ses produits ou de ses services pour obtenir les biens et services fournis par ses employés, ses actionnaires, ses fournisseurs, etc. Dans une administration publique, la relation est plus complexe, mais il est évident que toute administration de ce genre doit satisfaire une demande ou bénéficier d'appuis politiques, sinon elle ne pourra obtenir pendant longtemps les ressources essentielles provenant des taxes ou autres revenus publics. C'est par la rétroaction, ou *feed-back*, que le système s'informe de l'adéquation entre ce qu'il offre et ce que l'environnement attend de lui.

Nous reviendrons sur l'application de ces notions à l'administration publique. Notons, pour l'instant, quelques autres caractéristiques des théories systémistes. Elles se distinguent des méthodes analytiques traditionnelles par deux notions importantes. D'une part, elles sont *holistiques*, c'est-à-dire qu'elles veulent saisir les systèmes dans leur totalité. Pour cette théorie, le tout est plus que la somme des parties ; il ne suffit donc pas de découper le système en morceaux et de les analyser pour le comprendre : si on peut comprendre les parties en partant de l'ensemble, on ne peut pas par contre comprendre le système en partant des parties (Landry et Malouin, 1976). Cela peut paraître très académique comme observation, mais son importance est grande puisque c'est une critique de la méthode analytique pratiquée dans les pays occidentaux depuis au moins Descartes. C'est une incitation à se pencher sur les relations entre les éléments d'un système plus que sur les éléments eux-mêmes.

Enfin, notons deux propriétés des systèmes en ce qui concerne leurs composantes. D'une part, les systèmes ouverts tendent à suivre le principe de la complexité croissante, passant d'un état indifférencié à un état de spécialisation des parties (Roig, 1971). Cette observation correspond à des théoriciens de l'organisation qui, depuis longtemps, ont noté qu'une organisation développée aura des sous-systèmes spécialisés de production (ou de réalisation), de direction (ou d'état-major) et de soutien (ou de services auxiliaires) (Gournay, 1978 ; Ouellet, 1968). La spécialisation des parties tend à se heurter à un autre principe de l'analyse systémiste, celui de la hiérarchie. Ce principe pose une limite à l'autonomie des parties, car la poursuite d'une finalité exige une discipline, sinon le système risquerait d'éclater. Néanmoins, la tension née de l'opposition de ces deux principes est une des caractéristiques des systèmes évolués.

En science politique, le systémisme a été introduit par David Easton, pour qui le système politique est :

> un ensemble complexe de processus par lesquels certains facteurs (inputs) sont transformés en cette sorte de produits (outputs) que nous appelons des politiques, décisions et mesures d'application dotées d'autorité (*authoritative*) (1974, p. 18).

Pour André Bernard, le système politique est l'ensemble des actions menant aux décisions impératives ou obligatoires pour une société donnée. Ce n'est pas tout le système social, loin de là, mais c'est la partie cruciale en ce sens qu'elle implique les régulations autoritaires des relations internes et externes. En ce sens, le système politique s'étend au-delà de l'État, car il comprend non seulement l'État, les partis politiques et les groupes de pression, mais aussi les églises, les syndicats, l'école, la famille, etc., dans la mesure où ces institutions contribuent à cette régulation.

Néanmoins, l'État est au cœur du système politique, car son rôle régulateur lui permet d'agir comme « agent intentionnel de changement social ». Or, le moindre regard sur l'État moderne montre que c'est par les multiples facettes de l'administration « que l'État se manifeste le plus multiple, le plus constant et le plus « voyant » dans le social quotidien » (Bergeron et Pelletier, 1980, p. 10).

Si on tente de schématiser le système politique comme nous le faisons au tableau 11.3, on se trouve face à une constatation dramatique : aucune des décisions « impératives » de l'appareil politique de l'État (les fonctions gouvernementale et législative de Bergeron) ne peut imposer quoi que ce soit aux acteurs sociaux sans l'intervention de l'administration. La même chose est vraie en ce qui concerne les tribunaux judiciaires. Aucune loi, décret, ou jugement de la cour n'a d'effet sans les interventions des exécutants que sont les policiers, soldats, percepteurs, enquêteurs, inspecteurs, etc., chargés de la fonction administrative. Le tableau 11.3 nous montre que la « boîte noire » au cœur du système politique est composée de deux sous-systèmes dont les décisions de l'un (le politique) sont les autorisations et les instructions que l'autre (l'administratif) a besoin pour travailler à produire les extrants étatiques (biens et services, aide technique ou financière, contrôles et information).

TABLEAU 11.3
L'activité gouvernementale

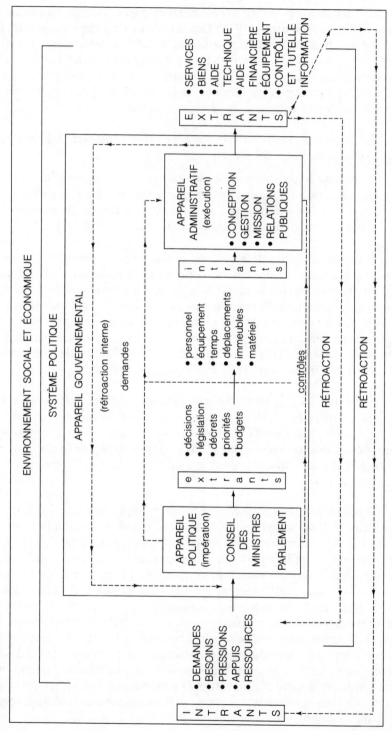

Source : Michel Barrette.

Le simple fait de schématiser ainsi permet de saisir d'un coup d'œil toutes les possibilités que le sous-système, volontairement ou non, amende, amplifie, dilue ou détourne, par ses actions, la volonté politique exprimée par la législature et le gouvernement.

Pour bien comprendre la présence de l'administration à toutes les étapes du processus politique, voyons-les selon le vocabulaire de Jean-William Lapierre (1973). Avant la prise de décision politique, il y a un filtrage et une réduction des demandes. Le filtrage tend à déterminer les groupes et les individus qui méritent l'attention des décideurs politiques. Il se base sur des critères sociaux et culturels (classe sociale, groupe racial ou ethnique, langue, etc.) du demandeur, mais aussi sur son statut au sein du système politique. Ici, l'administration joue un important rôle de sélection en choisissant ses interlocuteurs parmi les groupes qu'elle juge « responsables », « sérieux », « représentatifs », etc. Bien sûr, les partis politiques et les groupes de pression jouent ce rôle d'une manière plus visible dans la société, comme ils le font pour réduire le nombre de demandes et leur accorder une priorité. Ces luttes, qui sont absolument nécessaires puisqu'aucun système n'est capable de satisfaire toutes les demandes, ont donc lieu lors de congrès de partis politiques, dans les assemblées syndicales, au sein de comités et devant les médias d'information. Néanmoins, l'administration avise le gouvernement de la gravité et de l'urgence des problèmes et de la probabilité qu'ils puissent être résolus dans des délais et à des coûts raisonnables.

À l'étape de la prise de décision, le rôle de l'administration est encore accru, car la plus grande partie de la planification et la totalité de la programmation lui reviennent. Une fois les grandes priorités décidées par le gouvernement il reste, comme nous l'avons vu au chapitre 3, toute cette opérationalisation à faire pour fixer des objectifs limités dans le temps et agencés les uns aux autres avec, en plus, des ressources allouées à chacun. Ce monopole d'au moins la programmation n'est pas dû simplement au triomphe de l'impérialisme bureaucratique. Il faut que les services administratifs préparent la programmation budgétaire selon les normes et la terminologie administrative, sinon on ne pourrait comparer convenablement des propositions touchant des domaines et des secteurs différents. C'est pourquoi le rapport d'une commission d'enquête, aussi détaillé soit-il et aussi complet soit l'accord autour de ses recommandations, doit être longuement examiné par les services administratifs pour voir ses implications techniques, budgétaires et administratives.

Bien sûr, l'étape de l'exécution appartient à l'administration, soit comme responsable, soit comme surveillant de l'agent non étatique à qui on confie une mission publique (par exemple, le comité de mise en marché d'un produit agricole). Même à l'étape finale, celle de la rétroaction, l'administration joue un rôle de grande importance. Dans la société, le *feed-back* se confond habituellement avec les demandes, car rares sont les problèmes où l'État n'est jamais intervenu auparavant. Donc, les ministres et les députés apprennent, à l'occasion de demandes politiques nouvelles ou renouvelées, quel a été l'impact des actions antérieures de l'État dans un secteur donné. S'il appartient surtout aux intéressés de faire valoir leur point de vue, l'administration tient le personnel politique au courant des résultats obtenus dans le passé et ce, au moyen de rapports, études, sondages, etc. Elle va plus loin, comme nous l'avons vu au chapitre précédent, car elle consulte les groupes les plus représentatifs et les mieux structurés dans tous les domaines de son intervention et elle se fait leur interprète auprès du pouvoir politique. De cette façon, le processus de rétroaction s'associe aux processus de filtrage et de réduction des demandes.

Le systémisme constitue donc une approche globale qui permet de repérer tous les intervenants dans les processus vitaux du maintien d'un système politique. Il nous rappelle que l'administration publique est un sous-système du système politique et que tous les deux sont ouverts aux influences de leur environnement, donc aux changements technologiques, économiques, sociaux et culturels. Par cette approche dynamique, il évite les erreurs d'une pensée mécaniste qui, dans le passé, a trop souvent réduit l'étude de l'administration à l'étude des organigrammes et des textes réglementaires.

Le systémisme n'échappe pas à la critique. Quand on cherche à s'en servir, on se bute au problème de désignation du système qu'on veut étudier. La difficulté vient du fait que toute organisation sociale a les caractéristiques d'un système. Si on fait l'étude d'un ministère du gouvernement québécois ou canadien par exemple, on peut le faire en considérant que c'est lui le système. Cependant, il fait partie du système administratif, lui-même sous-système du système qu'est l'État et ainsi de suite. Les unités administratives se comparent aux poupées russes : les unes s'insèrent dans les autres jusqu'à un point tel qu'on ne sait plus si elles sont autonomes ou si elles sont des parties intégrantes de totalités plus vastes.

La deuxième critique que l'on pourrait adresser au systémisme est qu'on ne sait pas trop quel doit être le critère de réussite d'un système. Pour bon nombre d'auteurs, la survie est le test ; cette notion est parfois représentée par l'idée qu'il doit assurer sa reproduction (Barel, 1973). Cependant la survie, surtout dans le secteur public, peut parfois être assurée par une organisation qui fonctionne très mal. Ne faut-il pas se demander avec quel succès le système poursuit ses objectifs ? quelles sont ses réalisations par rapport à ses objectifs ? (Etzioni, 1960 ; Gosselin, 1974). De telles questions ouvrent deux perspectives ; d'une part, on reproche parfois au systémisme de suggérer qu'un système puisse avoir des besoins. C'est un glissement que la plupart des auteurs n'ont jamais voulu faire, car il attribue en quelque sorte une personnalité ou une existence propre au système (Silverman, 1972, p. 124) ; d'autre part, si le système n'a pas de besoins, qu'en est-il des participants à un système social ? Ne faut-il pas se demander qui profite des pratiques observées ? D'ordinaire, le systémisme se borne à des observations qui concernent les équilibres nécessaires pour la survie du système. Ce genre de raisonnement attire la critique, notamment de la gauche, qui l'accuse d'ignorer les relations de pouvoir (Monière, 1976, p. 233).

En fait, le systémisme n'explique pas d'où viennent les demandes, ni pourquoi les ressources sont réparties de manière inégale dans une société[3]. De cette façon, il paraît indifférent aux objectifs ou aux buts du système, ce qui en fait, aux yeux de la critique de la gauche, un soutien de l'idéologie dominante. Une autre critique de ce genre est que le systémisme s'intéresse trop au fonctionnement régulier et harmonieux des systèmes et qu'il néglige ou traite comme anormales les tensions ou ruptures issues des comportements déviants, donc qu'il déforme le rôle et la place des mouvements révolutionnaires dans une société.

Quant à nous, tout en reconnaissant le poids de ces critiques, nous croyons que le systémisme fournit un modèle, ou grille d'analyse, très utile. Nous verrons, dans la section suivante, qu'il peut être complété par d'autres théories politiques.

Le marxisme

Le marxisme est une sorte de théorie systémiste. Ainsi, il a été reconnu, par des auteurs soviétiques, que le systémisme est valable à condition d'y ajouter le matérialisme historique et la lutte des classes (Gvichiani, 1974 ; Afanasyev, 1975, p. 173-208 ; Schwartz, 1973, p. 208). Comme c'est le cas pour les autres théories rencontrées ici, nous verrons comment l'administration s'est imposée à la théorie marxiste en tant qu'objet digne d'intérêt. Pour les fins de cet exposé, il convient de considérer séparément le problème de l'administration dans l'État capitaliste et celui de la bureaucratie dans l'État communiste.

Dans la théorie marxiste, les rapports de production sont « la fondation réelle de la société », tandis que la politique, le droit et l'idéologie font partie de la « superstructure » engendrée par cette « infrastructure » économique. Donc, « ce n'est pas l'État qui explique les rapports sociaux, mais les rapports sociaux qui engendrent l'État » (Chevallier et Loschak, 1978, p. 260). Pour Marx, la bureaucratie moderne naît avec la corporation, la division sociale du travail créant un besoin de coordination des parties ainsi séparées (Lefebvre, 1966, p. 122-123). Dans un langage plus simple, Marx et Engels ont écrit, dans le *Manifeste communiste* de 1848, « Le Gouvernement moderne n'est plus qu'un comité qui gère les affaires communes de la classe bourgeoise toute entière ». La question est alors de savoir si ce comité et ses agents, les bureaucrates, sont complètement dominés par la bourgeoisie ou s'ils jouissent d'une certaine autonomie par rapport à la classe dominante.

Déjà à l'époque de Louis-Napoléon Bonaparte (1852-1870), Marx reconnaissait que, par peur de la révolution, la bourgeoisie française laissait l'État gouverner, la société civile étant ainsi sous la tutelle d'une « armée de fonctionnaires » (cité par Birnbaum, 1977, p. 15). Avec la croissance de l'État capitaliste moderne, les auteurs marxistes contemporains acceptent généralement la notion d'une « autonomie relative de l'État » vis-à-vis des classes dominantes[4]. Cette autonomie s'explique de plusieurs façons. Depuis Marx, on reconnaît que les investissements de l'État ont un effet de retour sur l'infrastructure ; la construction de canaux, de chemins de fer, de havres, de ponts et de routes influence grandement le développement économique. Avec l'extension du rôle de l'État, cet effet prend de plus en plus d'importance. Les capitalistes se tournent vers lui, soit pour obtenir des subventions, des dégrèvements fiscaux ou des contrats, soit pour assumer des frais d'investissements qu'ils ne peuvent ou ne veulent prendre en charge (par exemple, la construction de « méga-projets » comme le développement de la Baie-James ou les nouveaux équipements nécessaires pour protéger les ouvriers ou l'environnement). On dit alors que l'État joue un rôle d'accumulation de capital. Dans ce processus, écrit James O'Connor, la bureaucratie d'État agit comme le bras administratif des corporations géantes, car sa fonction consiste à permettre aux entreprises de réaliser des profits, tout en faisant payer aux contribuables les frais de cette largesse (O'Connor, 1974, p. 113).

Selon les auteurs marxistes, l'État moderne a une seconde fonction qui lui donne plus d'autonomie ; ce rôle est appelé la légitimisation par O'Connor, et l'amortissement des conflits sociaux par Jean-Jacques Chevallier (O'Connor, 1973, p. 6 ; Chevallier, 1975, p. 338). Il s'agit de toutes les situations où l'État intervient pour protéger les citoyens (ouvriers, consommateurs, locataires, etc.) des dégâts causés par la production et le commerce dans la société capitaliste. Ce rôle de légitimisation comprend aussi les grands programmes de prestations, les pensions de vieillesse, les allocations familiales, l'assurance-maladie, l'assurance-chômage, l'aide sociale, etc. Cette théorie de l'autonomie relative propose que l'État capitaliste entreprenne ces activités, parfois contre l'opposition des classes, ou du moins une partie des classes dominantes, mais c'est dans le but d'assurer à long terme « la reproduction élargie » du capitalisme. C'est de cette façon seulement que l'on pourra contenir les forces sociales antagonistes au capitalisme.

Toujours selon cette théorie, ce n'est qu'en apparence que l'État capitaliste peut aller contre les intérêts de la classe dominante. En réalité, l'État est la « condensation » du rapport de forces au sein de la classe dominante et son autonomie lui permet de surmonter les clivages qui existent entre ses différentes fractions (Chevallier et Loschak, 1978, p. 267). C'est une des faiblesses de cette théorie, à savoir qu'elle semble instaurer un mécanisme désintéressé et infaillible. Si elle veut simplement dire qu'il y a une limite à ce que la bourgeoisie et ses alliés accepteront de la part d'un gouvernement social-démocrate ou marxiste, cela nous paraît évident. Cependant, elle prête souvent une sorte de clairvoyance aux institutions étatiques, comme si elles pouvaient toujours savoir ce qui convient le mieux pour protéger les intérêts du capital à long terme et comme si les capitalistes auraient toujours la sagesse de distinguer, parmi les mesures étatiques désagréables, celles qui leur sont favorables et celles qui ne le sont pas. La théorie de l'autonomie relative de l'État a aussi un inconvénient majeur du point de vue de l'analyse : elle ne peut pas être infirmée. Si l'État suit de manière évidente les intérêts de la classe dominante, cette théorie l'a prévu, mais elle peut aussi expliquer les cas où l'État semble aller contre ces intérêts (Blais, 1980, p. 81).

Or, l'administration est au cœur de cette relation, car ce sont ses agents qui font fonctionner la machine étatique. Quelle est leur position dans la lutte des classes ? Peuvent-ils avoir des intérêts opposés à ceux de la classe dominante ? un pouvoir autonome ? Au fond, pour les auteurs marxistes la réponse est négative, mais ils y apportent des nuances. Certains, comme Poulantzas, considèrent que les bureaucrates ne peuvent pas avoir de pouvoir autonome, leur pouvoir provenant de leur rôle au sein de l'État capitaliste (Poulantzas, 1968, p. 165). D'autres admettent l'existence d'un pouvoir techno-bureaucratique, mais soulignent les origines sociales communes des élites administratives publiques et privées et les multiples liens qui les unissent (Miliband, 1969, p. 74 ; Bon et Burnier, 1971, p. 115-121 ; Olsen, 1980, p. 122-124).

Le pouvoir administratif a amené les auteurs marxistes à substituer à la notion de propriété juridique celle de contrôle réel des moyens de production, car il n'est plus nécessairement vrai que le propriétaire légal est maître de sa propriété. D'une part, le pouvoir technocratique peut enlever le vrai contrôle aux actionnaires d'une entreprise privée ou du personnel politique dirigeant d'un gouvernement (Paillet, 1971), et d'autre part, il ne suffit pas de nationaliser une société privée pour que celle-ci passe au service de la collectivité. Le « capitalisme d'État » est une expression des auteurs marxistes pour désigner les cas où les politiques de l'État ou les entreprises publiques sont, en réalité, au service des classes dominantes (O'Connor, 1973, p. 13-32; Tcheprakov, 1969). Finalement, la théorie de l'autogestion socialiste suppose que les ouvriers peuvent contrôler la vie de leur entreprise, même s'ils n'en sont pas les propriétaires juridiques (Mandel, 1970, p. 319).

Ainsi, l'État capitaliste et son administration développée ont incité les auteurs marxistes récents à modifier la théorie générale afin de tenir compte de ce pouvoir relativement nouveau. Pour ce qui est des États socialistes, il existe un débat, depuis les années 20, entourant la question du pouvoir des bureaucrates étatiques. Constituent-ils une nouvelle classe ? Un courant qui remonte à l'un des instigateurs de la Révolution russe, Léon Trotsky, prétend que oui et dénonce cette nouvelle classe dirigeante (Trotsky, textes réunis en 1975, aussi *Arguments/1-La bureaucratie*, 1976, p. 155-262). D'autres, comme

Mao Tsé-Toung, ont constamment lutté contre la bureaucratisation de la révolution (Tsien, 1973, p. 47-54 ; Whyte, 1973).

Le débat était d'une importance cruciale pour le marxisme car, selon sa thèse, lorsqu'on aurait aboli les classes, on pourrait abolir la bureaucratie (Miliband, 1969 ; Chevallier et Loschak, 1978). On assisterait alors au « dépérissement de l'État » au stade ultime du communisme. En pratique, l'effondrement des régimes communistes de l'U.R.S.S. et de l'Europe orientale a discrédité le modèle d'État et de l'économie planifiée qu'ils pratiquaient. Sur le plan théorique, il en reste une critique radicale de l'État capitaliste (Dunleavy, 1982).

Par sa croissance dans la société industrielle et post-industrielle, l'administration est devenue un obstacle ou un moyen auquel toute pensée révolutionnaire doit désormais accorder son attention. À l'étude de l'administration des pays capitalistes, le marxisme apporte un point de vue critique très utile. En effet, il oblige le chercheur à se demander quelle est la vraie nature de cet État, ses origines et son rôle. Il l'invite à aller au-delà des apparences pour découvrir les intérêts qui sont favorisés ou protégés par l'État. Au sujet des élites bureaucratiques, le marxisme soulève aussi la question de leur appartenance de classe et celle des bases réelles de leur pouvoir. La plus grande faiblesse que nous avons soulignée chez ces auteurs concerne l'ambiguïté qui entoure la notion d'autonomie relative de l'État. Le pouvoir accru de l'administration publique est l'une des raisons du développement d'un tel concept, c'est un hommage à sa puissance.

CONCLUSION

Dans ce chapitre, nous avons évoqué la place qu'occupe l'administration dans les idées politiques, qu'elles appartiennent aux idéologies ou aux théories. Traditionnellement, chez les unes comme chez les autres, elle tenait une place fort limitée. Maintenant, avec l'intervention accrue de l'État dans tous les domaines de la vie économique et sociale et une expansion de son pouvoir, on accorde de plus en plus d'attention à l'administration. Jamais très appréciée par les idéologies de gauche ou de droite, l'administration publique est aujourd'hui attaquée de toutes parts. Toutefois, les trois grandes tendances théoriques examinées nous ont appris qu'elle jouait un rôle essentiel au sein du système politique.

Les différentes approches théoriques font aussi une place à l'autonomie accrue de l'administration. Les délégations de pouvoir imposées par le nombre et la complexité des tâches, de même que les arbitrages que doit faire l'administration entre les différents groupes qui composent sa clientèle sont à l'origine de cette autonomie. Cependant, le développement de groupes organisés dans tous les secteurs de la société constitue un défi à cette autonomie, car pour chaque politique aujourd'hui, il y a un public organisé et averti. Poussées à leurs limites, ces deux tendances nous mènent l'une à la technocratie, l'autre au corporatisme ; les deux ne sont d'ailleurs pas incompatibles, car les technocrates peuvent jouer la stratégie corporatiste pour échapper à la domination des élus.

Il reste que, quelle que soit la théorie, une vision du fonctionnement de l'État, de ses exigences et de ses dangers doit faire une large place à l'administration. Aucune des grandes valeurs, que ce soit la liberté, l'égalité, la démocratie, la justice, l'émancipation nationale, etc., ne peut être respectée sans l'apport des fonctionnaires. L'administration publique demeure donc un défi pour les théoriciens et les idéologues.

NOTES

(1) Sur les différentes acceptions du mot « libéralisme » à l'heure actuelle, voir S. Dion, 1986.

(2) On retrouvera des synthèses de ces débats dans Bernier et Boismenu (1983, première partie), Rocher (1984) et Gow (1990). Pour le point de vue de la droite, voir Bénéton (1983), Simon (1981), Friedman et Friedman (1979) et Lepage (1978). Pour celui de la gauche, consulter Gorz (1980), Rosanvallon (1981) et Crozier (1987).

(3) Un cadre d'analyse systémique peut être adapté à des approches théoriques opposées. Ainsi, Léon Dion (1971) s'en sert pour bâtir une théorie pluraliste tandis que des auteurs marxistes s'en servent aussi, comme nous le verrons plus loin.

(4) Sur cette question, voir Ralph Miliband, 1969 ; Nicos Poulantzas, 1968 ; James O'Connor, 1973, 1974 ; Cot et Mounier, 1974 ; Chevallier et Loschak, 1978 ; Panitch, 1977 ; Olsen, 1980 ; Todd, 1982.

BIBLIOGRAPHIE

AFANASYEV, V. G. (1975) *The Scientific Management of Society*, Moscou, Éditions du progrès.

ARCHIBALD, C. (1983) *Un Québec corporatiste?* Hull, Éditions Asticou.

ARGUMENTS 1 (1976) *La bureaucratie*, Paris, Union générale d'édition (10/18).

BACCIGALUPO, A. (1978) *Les grands rouages de la machine administrative québécoise*, Montréal, Agence d'Arc.

BAREL, Y. (1973) *La reproduction sociale*, Paris, Éditions Anthropos.

BÉLANGER, A.-J. (1974) *L'apolitisme des idéologies québécoises. Le grand tournant de 1934-1936*, Québec, PUL.

BELL, D. (1965) *The End of Ideology*, 2e éd., New York, Free Press.

BENETON, Ph. (1983) *Le fléau du bien*, Paris, Robert Laffont.

BERGERON, G. (1965) *Fonctionnement de l'État*, Paris, Armand Colin.

BERGERON, G. (1978) *La gouverne politique*, Québec, PUL.

BERGERON, G. (1984) *Pratique de l'État au Québec*, Montréal, Québec/Amérique.

BERGERON, G. et PELLETIER, R. (1980) *L'État du Québec en devenir*, Montréal, Boréal Express.

BERNARD, A. (1976) *La politique au Canada et au Québec*, Montréal, PUQ.

BERNIER, G. et BOISMENU, G. (dir.) (1983) *Crise économique, transformations politiques et changements idéologiques*, Montréal, ACFAS.

BIRNBAUM, P. (1977) *Les sommets de l'État*, Paris, Seuil.

BLAIS, A. (1980) « Orientation de la recherche », *in* R. Landry (dir.) *Introduction à l'analyse des politiques*, Québec, PUL, p. 55-104.

BON, F. et BURNIER, M.-A. (1971) *Les nouveaux intellectuels*, Paris, Seuil.

BOUDON, R. et BOURRICAUD, F. (1982) *Dictionnaire critique de la sociologie*, Paris, PUF.

CHEVALLIER, J. (1975) « L'intérêt général dans l'administration française », *Revue internationale des sciences administratives*, Vol. 41, p. 325-350.

CHEVALLIER, J. et LOSCHAK, D. (1978) *Science administrative*, Tome 1, Paris, LGDJ.

COT, J.-P. et MOUNIER, J.-P. (1974) *Pour une sociologie politique*, Tomes 1 et 2, Paris, Seuil.

CROZIER, M. (1963) *Le phénomène bureaucratique*, Paris, Seuil.

CROZIER, M. (1987) *État modeste, État moderne*, Paris, Fayard.

DE ROSNAY, J. (1975) *Le macroscope*, Paris, Seuil.

DION, L. (1969) « Politique consultative et système politique », *Revue canadienne de science politique*, Vol II, p. 226-244.

DION, L. (1971) *Société et politique, la vie des groupes .1 Fondements de la société libérale .2 Dynamique de la société libérale*, Québec, PUL.

DION, S. (1986) « Libéralisme et démocratie : plaidoyer pour l'idéologie dominante », *Politique*, Vol. 9, p. 5-38.

DUNLEAVY, P. (1982) « Is There a Radical Approach to Public Administration », *Public Administration*, Vol. 60, p. 215-233.

DUNLEAVY, P. et O'LEARY, B. (1987) *Theories of the State*, Londres, Macmillan.

DYE, T. (1972) *Understanding Public Policy*, Englewood Cliffs, Prentice-Hall.

EASTON, D. (1974) *L'analyse du système politique*, Paris, Armand Colin.

ETZIONI, A. (1960) « Two Approaches to Organizational Analysis : A Critique and a Suggestion ». *Administrative Science Quarterly*, Vol. V, p. 257-278.

FOUGÈRE, L. (1966) *La fonction publique*, Bruxelles, UNESCO.

FRIEDMAN, M. et FRIEDMAN, R. (1979) *Free to Choose*, New York, Avon.

FULLER, B. (1980) *Manuel d'instruction pour le vaisseau spatial « terre »*, Montréal, Jean Basile.

GORZ, A. (1980) *Adieux au prolétariat. Au-delà du socialisme*, Paris, Éditions Galilée.

GOSSELIN, G. (1974) « Pour qui, pourquoi les organisations existent-elles ? », *Relations industrielles*, Vol. XXIX, p. 726-748.

GOURNAY, B. (1978) *Introduction à la science administrative*, 3ᵉ éd., Paris, Armand Colin.

GOW, J.I. (1990) « L'administration publique dans le discours politique au Québec, de Lord Durham à nos jours », *Revue canadienne de science politique*, Vol. 23(4), p. 685-711.

GVICHIANI, G. (1974) *Organisation et gestion*, Moscou, Éditions du progrès.

HAMEL, J. (1984) « Évolution des idéologies et croissance du secteur public québécois », *in* A. Riverin (dir.) *Le management des affaires publiques*, Chicoutimi, Gaëtan Morin, p. 327-346.

LANDRY, M. et MALOUIN, J.-L. (1976) « La complémentarité des approches systémique et scientifique dans le domaine des sciences sociales », *Relations industrielles*, Vol. XXXI, p. 379-400.

LANDRY, R. (1980) *Introduction à l'analyse des politiques*, Québec, PUL.

LAPIERRE, J.-W. (1973) *L'analyse des systèmes politiques*, Paris, PUF.

LEFEBVRE, H. (1966) *Sociologie de Marx*, Paris, PUF.

LEMIEUX, V. (1979) *Les cheminements de l'influence*, Québec, PUL.

LEPAGE, H. (1978) *Demain le capitalisme*, Paris, Librairie générale française.

LESAGE, M. (1975) *Les institutions soviétiques*, Paris, PUF, Que sais-je ? nº 1590.

MANDEL, E. (dir.) (1970) *Contrôle ouvrier, conseils ouvriers, autogestion*, Paris, François Maspero.

MERTON, R. (1953) *Éléments de méthode sociologique*, Paris, Plon.

MILIBAND, R. (1969) *L'État dans la société capitaliste*, Paris, François Maspero.

MONIÈRE, D. (1977) *Le développement des idéologies au Québec*, Montréal, Québec-Amérique.

MORROW, W. (1980) *Public Administration. Politics, Policy and the Political System*, 2ᵉ éd., New York, Random House.

NIOCHE, J.-P. (1982) « Science administrative, management public et analyse de politiques publiques », *Revue française d'administration publique*, N° 24, p. 635-649.

O'CONNOR, J. (1973) *The Fiscal Crisis of the State*, New York, St. Martin's Press.

O'CONNOR, J. (1974) *The Corporations and the State*, New York, Harper.

OLSEN, D. (1980) *The State Elite*, Toronto, McClelland and Stewart.

OUELLET, L. (1968) « Concepts et techniques d'analyse des phénomènes administratifs », *Revue canadienne de science politique*, Vol. I, p. 310-335.

PAILLET, M. (1971) *Marx contre Marx. La société technobureaucratique*, Paris, Denoël.

PANITCH, L. (1977) *The Canadian State. Political Economy and Political Power*, Toronto, University of Toronto Press.

POULANTZAS, N. (1968) *Pouvoir politique et classes sociales*, Tome II, Paris, François Maspero.

RICHARDS, J. (1983) « Social Democracy and the Unions : What's Left ? » *in* G. Bernier et G. Boismenu (dir.) *Crise économique, transformations politiques et changements idéologiques*, Montréal, ACFAS, p. 439-455.

ROCHER, F. (1984) *La crise de l'État-Providence : éléments d'un débat théorique*, Note de recherche n° 14, Département de science politique, Université de Montréal.

ROIG, C. (1971) *Théorie du système administratif*, Grenoble, Institut d'études politiques.

ROSANVALLON, P. (1981) *La crise de l'État-Providence*, Paris, Seuil.

SCHWARTZ, D. (1973) « Recent Soviet Adaptations of Systems Theory to Administrative Theory », *Journal of Comparative Administration*, Vol. V, p. 233-254.

SILVERMAN, D. (1972) *La théorie des organisations*, Paris, Dunod.

SIMON, W. (1981) *L'heure de la vérité, halte aux dépenses publiques*, Paris, Économica.

TCHEPRAKOV, V. (1969) *La capitalisme monopoliste d'État*, Moscou, Éditions du progrès.

TODD, J. (1982) « The Politics of the Public Service : Some Implications of Recent Theories of the State for the Analysis of Administrative Systems », *European Journal of Political Research*, Vol. 10, p. 353-366.

TSIEN, T. (1973) *L'administration en Chine populaire*, Paris, PUF.

WEIL, P. (1964) *Le droit administratif*, Paris, PUF, Que sais-je ? n° 1152.

WHYTE, N. (1973) « Bureaucracy and Modernization in China : the Maoist Critique », *American Sociological Review*, Vol. 38, p. 149-163.

Conclusion

Stéphane Dion
James Iain Gow

L'administration publique forme un champ de connaissances tellement diversifié qu'il faut une méthode pour en dégager le tableau d'ensemble. Dans ce manuel, c'est la dimension politique qui a guidé le cheminement au fil des chapitres, de préférence à une approche managériale, juridique ou économique. Il convient de revenir en conclusion à cette dimension politique, car en plus d'être sous-jacente à tous les thèmes abordés dans ce livre, elle offre une clé pour étudier les développements futurs de la pratique administrative des États.

LA DIMENSION POLITIQUE DE L'ADMINISTRATION

La doctrine de la neutralité politique de l'administration a été présentée à quelques reprises dans ce livre. Elle suggère que les élus du suffrage universel décident seuls, alors que les fonctionnaires leur prêtent assistance et veillent à l'exécution conforme des décisions prises. Les élus évitent de politiser l'administration et, en retour, celle-ci s'en tient à son rôle d'exécutante fidèle. L'administration est subordonnée au pouvoir politique mais distincte de lui. À priori, c'est un non-sens de prêter un caractère politique à une administration neutre. Or, l'objectif de ce manuel était de démontrer le contraire, à savoir : l'administration publique comporte indubitablement une dimension politique et aucun de ses aspects ne peut être considéré en abstraction de cette dimension. Pour s'en convaincre, il suffit de reprendre un à un les thèmes des différents chapitres de ce manuel.

C'est ainsi qu'il a été démontré, dès les deux premiers chapitres, que la doctrine de la neutralité de l'administration n'est pas universelle dans le temps ou dans l'espace. En réalité, elle est fille d'une conception précise de la politique et de l'État : le libéralisme. Sous son volet politique, le libéralisme est une philosophie qui recherche l'équilibre entre la cohésion sociale et la liberté des individus. Cet équilibre doit reposer sur un dispositif institutionnel de poids et contre-poids, dont les plus cités sont le partage des pouvoirs entre l'Exécutif et le Législatif, l'indépendance des tribunaux, la liberté de la presse et les droits du citoyen inscrits dans la Constitution. L'administration statutaire, affranchie des luttes politiques, est venue prendre place à l'intérieur de ce dispositif institutionnel. On comprend bien en quoi la référence à la neutralité de l'administration consolide la démocratie libérale.

Protégée des caprices du pouvoir, l'administration assure une continuité dans le traitement des affaires publiques. Elle gagne la confiance des citoyens en offrant des gages d'indépendance à l'égard de l'arbitraire politique. Une fonction publique ouverte à tous, régie par des critères de compétence et non de docilité partisane, est vue comme la condition d'un recrutement de qualité.

À des degrés divers, cette doctrine de la neutralité est la base de la légitimité de l'administration dans les pays occidentaux. On se réfère à elle en théorie, quitte à s'en écarter dans la pratique. Elle fixe des limites à l'emprise des élus sur les fonctionnaires. En principe, il est exclu que l'adhésion au parti soit une condition d'embauchage ; la loi interdit que le service rendu au public soit régi par des considérations partisanes. Ces principes administratifs, qui paraissent naturels dans les pays libéraux, sont envisagés d'une toute autre manière dans les régimes à parti unique. Dans ces pays, l'administration est au service de l'État-parti qui s'investit lui-même de la légitimité du peuple.

La neutralité de l'administration est une conception politique de l'État et du service public. Et, dans la mesure où la politique définit le pouvoir au sens large, l'administration est en soi un phénomène politique, car elle renferme un univers très riche de relations de pouvoir. Les fonctionnaires sont en fait des individus terriblement normaux qui, comme nous, se soucient de leur intérêt et cherchent à faire valoir leurs idéaux et préférences. À cet effet, ils utilisent les leviers d'influence à leur disposition. Voilà pourquoi, bien que les administrations soient neutres théoriquement, on ne saurait méconnaître la nécessité d'une analyse stratégique des relations de pouvoir en leur sein, qu'il soit question des structures ou des processus administratifs, des finances publiques ou de la gestion du personnel, des règles bureaucratiques, de la technocratie et des contrôles institutionnels, ou encore de l'ouverture au public et de l'influence des idéologies les plus répandues.

D'abord, les processus : la décision n'est pas le pur reflet de l'*imperium politique*, car elle résulte en bonne partie des processus administratifs. D'où l'importance stratégique des lignes d'autorité et de responsabilité, des réseaux de communication, des mécanismes de coordination et de la nomenclature des tâches et autres procédures de fonctionnement. Les structures : les ministères les aménagent sous la pression de réseaux d'influence multiples et non en suivant à la lettre les critères établis de saine gestion. Forcément, le choix entre structures centralisées et décentralisation met en jeu les équilibres de pouvoir entre unités de base et autorité de tutelle. Les finances publiques : le budget est une mesure de la capacité d'action gouvernementale dans un contexte où les besoins excèdent toujours les ressources. Sur ce plan, les fonctionnaires sont à la fois juges et parties : ils informent les élus des dépenses nécessaires alors que leur intérêt est généralement de laisser croître ces dépenses dans la mesure où elles signifient pour eux des salaires plus élevés, de nouveaux embauchages, des conditions de travail plus agréables et, éventuellement, de meilleures chances de carrière. La fonction publique : la gestion du personnel met en jeu la compétence et l'épanouissement professionnel des fonctionnaires. Elle implique aussi des contraintes politiques puisqu'elle circonscrit l'autorité de l'État employeur. La convention collective signée, une phéthore d'exigences ne pourront plus être formulées par les élus à moins de renier leur propre signature. Or, les relations patronales-syndicales ne se présentent pas de la même façon dans le secteur public que dans le secteur privé, car la mission publique de l'État ne saurait se résumer au seul critère de la rentabilité ; il peut financer les revendications de ses employés à même la dette et, par ailleurs, en tant que législateur, il peut suspendre ou restreindre leur droit de grève par un décret, une loi spéciale ou une nouvelle législation.

L'administration publique est une organisation bureaucratique et, comme telle, on la décrit souvent comme un instrument rationnel, purement technique et distinct du pouvoir politique. En fait, ses traits bureaucratiques — hiérarchie, spécialisation, formalisation des règles — ne sont pas qu'affaire de technique, mais relèvent surtout des relations de pouvoir entre les agents publics en quête à la fois de contrôle et de sécurité. Afin de briser les rigidités bureaucratiques, les élus cèdent parfois à la tentation de politiser les fonctionnaires et d'exiger d'eux zèle et enthousiasme militant, dérogeant ainsi à la doctrine de la neutralité administrative.

C'est au sommet de l'État, dans le face à face entre les ministres et les hauts fonctionnaires, là même où les responsabilités se concentrent, que l'imbrication de la politique et de l'administration est le plus poussé, à un point tel que les rapports paraissent souvent inversés. Lorsque l'administrateur décide et que le politique entérine, il convient de parler de technocratie et non de neutralité de l'administration. Si un tel renversement du pouvoir paraît guetter la société moderne, les élus conservent néanmoins de nombreux atouts. Et plutôt qu'une caste unifiée, les hauts fonctionnaires forment de toute évidence une catégorie divisée selon des clivages analogues à ceux qui traversent l'opinion.

En apparence, il n'est rien de plus apolitique qu'un contrôle administratif dont l'objet est, par définition, de vérifier la juste exécution des tâches du point de vue de la régularité juridique, technique ou financière. Et pourtant, dès que survient l'imprévu, l'erreur, la faute grave, la question politique par excellence se pose invariablement : qui est responsable ? le contrôleur ou l'exécutant ? Alors naissent les débats autour de l'enjeu du contrôle, déclenchant une ronde d'accusations mutuelles entre le supérieur et le subordonné, l'organisme autonome et l'autorité de tutelle, le ministre et ses collaborateurs immédiats. Contrôle et confiance, collaboration et vérification, autant d'axes de comportement qui renvoient fondamentalement à la dimension politique.

La relation politique entre l'élu et le fonctionnaire n'aurait pas autant d'importance si elle ne concernait que ces deux partenaires. En fait, elle se répercute sur l'ensemble du système social. Par sa mission même, l'administration dispense un service public à la population en plus d'être à la disposition du gouvernement élu. Une question est alors laissée en suspens : les fonctionnaires sont-ils au service de la population ou de ses représentants ? On comprend en quoi le rôle social de l'administration est lié à la conception qu'une société se fait de la démocratie. Dans les pays comme le Canada, on considère que le fonctionnaire est avant tout aux ordres des élus de la majorité, mais qu'en second lieu certains dispositifs doivent le placer à l'écoute de l'usager, du contribuable, des regroupements de citoyens, etc. L'équilibre précaire entre la primauté des élus et l'ouverture au public pose à l'administration d'aujourd'hui l'un de ses plus grands défis.

La place de l'administration dans le système politique fait appel à la notion de démocratie ainsi qu'à l'ensemble des idées politiques. L'enjeu ici devient le juste équilibre entre l'État et la société civile. À un pôle, les théories de l'État minimal : la société doit reposer sur l'initiative librement exercée de ses membres, l'autorité de l'État n'intervenant que pour faire respecter les règles indispensables de juste concurrence. À l'autre pôle, les théories de la société planifiée : l'État prend sur lui toutes les responsabilités sociales et oriente l'action des particuliers selon des objectifs collectifs. Entre ces deux pôles se déploie l'éventail des solutions mitoyennes qui, avec plus ou moins de bonheur, cherchent à concilier la liberté de chacun et l'égalité de tous, l'initiative privée et la sécurité collective, la règle de la majorité et les droits des minorités, le dynamisme du marché et la concertation sous le chapeau de l'État. L'administration influence les arbitrages rendus entre ces différents idéaux en même temps qu'elle en subit les conséquences.

La revue rapide des chapitres de ce manuel a permis de rappeler combien l'administration, avec ses moyens d'action et ses modes de fonctionnement, est intégrée au système politique. Bien sûr, le phénomène administratif ne se résume pas à la seule dimension politique. L'étudiant en administration publique devra étendre ses connaissances au droit, à l'économie et à la gestion. De toute nécessité, il devra également acquérir une solide formation en méthodologie et apprendre à consulter la documentation officielle et les bibliographies spécialisées. Le voilà maintenant en possession du sujet ; il ne lui reste qu'à approfondir les différents aspects et choisir des champs de spécialisation.

Une difficulté qu'il aura à surmonter est la rapidité du changement : à peine aura-t-il mémorisé un organigramme ou déchiffré un code de procédure, qu'une réforme viendra tout remettre en cause. L'administration est un univers changeant qui réagit à sa façon aux oscillations de la conjoncture comme aux grandes mutations sociales. Les débats d'aujourd'hui en sont un nouvel exemple.

LA REMISE EN QUESTION DE L'ÉTAT ET L'AVENIR DE L'ADMINISTRATION PUBLIQUE

Tout au long des chapitres nous avons signalé les différents problèmes qui existaient à l'heure actuelle, que ce soit du côté des administrateurs publics, du personnel politique, des citoyens ou des groupes d'intérêt. Nous allons réunir ici les éléments constituants d'une critique qui alimentent la remise en question du rôle de l'État dans les sociétés occidentales ; nous nous demanderons ensuite si une diminution du rôle de l'État mènerait à une baisse d'influence de l'administration publique.

La remise en question de l'État

Après un quart de siècle de croissance, les États occidentaux connaissent, depuis la fin des années 1970, une remise en question de leur rôle. À la suite de la crise de l'énergie des années 1970 et de l'inflation qu'elle a provoquée, les conditions économiques difficiles du début des années 1980 ont rendu urgent un débat qui durait depuis quelques années déjà. Une déception vis-à-vis de l'État providence semblait se manifester parce qu'il aurait échoué dans ses tentatives pour limiter les effets des cycles économiques traditionnels par le truchement des déficits budgétaires en périodes de récession. De plus, il aurait aussi échoué dans sa lutte contre les inégalités, créant plutôt une armée de personnes dépendant des prestations sociales, sans grand espoir pour eux de revenir un jour à l'autonomie financière. Finalement, et surtout, il en coûtait de plus en plus cher aux contribuables, et même avec des budgets toujours plus élevés, l'État était incapable de maintenir le niveau de services auquel la population était habituée (Gow, 1983, p. 17). Cette remise en question, qui était proposée par des critiques de tendances idéologiques diverses, prenait de telles proportions que certains ont parlé d'une crise de l'État providence (Rosanvallon, 1981 ; G. Bernier et G. Boismenu, 1983).

En ce qui nous concerne, le fait important à signaler est que l'administration est perçue comme l'une des sources du problème plutôt que comme l'un des facteurs de solution. On dirait que l'administration publique est aujourd'hui victime de ses succès passés, c'est-à-dire de sa croissance en termes d'effectifs, de ressources matérielles et de pouvoirs. Une image très générale de ces différentes formes de croissance et des réactions politiques qu'elles ont provoquées est esquissée au tableau 1.

Ce tableau met en relief l'imbrication des questions politiques et administratives en administration publique. Puisque bon nombre de ces thèmes ont déjà été abordés dans les chapitres précédents, nous nous limiterons à quatre idées générales qui s'y retrouvent, à savoir : un État plus pro-

TABLEAU 1
Croissance de l'administration publique et réponses politiques

Éléments de croissance	Éléments de réponse politique
1. Croissance des dépenses et de la dette publiques	1. Compressions budgétaires Évaluation des programmes
2. Accroissement des effectifs et amélioration des conditions de travail	2. Accès à l'égalité en emploi Évaluation du rendement du personnel Privatisation par voie de contrat
3. Augmentation du nombre d'organismes autonomes	3. Privatisation, par vente, des entreprises publiques
4. Prolifération de la réglementation	4. Déréglementation
5. Expansion des pouvoirs bureaucratiques et technocratiques	5. Imputabilité politique des fonctionnaires Accès à l'information
6. Négociation collective des conditions de travail	6. Baisse des droits syndicaux

ductif, un État réduit (« moins d'État »), l'égalité de tous les citoyens et citoyennes et la démocratie représentative. Les deux premiers thèmes sont présents chez les conservateurs et les néo-libéraux qui, eux, veulent réduire le champ d'intervention de l'État afin de favoriser une remontée de l'initiative privée, notamment par un retour au marché. Les thèmes de l'égalité et de la démocratie ont été davantage privilégiés jusqu'ici par les socialistes, les sociaux-démocrates et les libéraux modérés, mais le clivage dans les deux cas est loin d'être parfait.

En ce qui concerne la recherche d'une plus grande productivité, l'idée semble faire l'unanimité du personnel politique. Par exemple, l'idée de vérifier la « valeur reçue en contrepartie de l'argent dépensé » figure dans les nouvelles responsabilités attribuées par la *Loi du vérificateur général*, adoptée à l'unanimité par l'Assemblée nationale du Québec le 20 juin 1985. Cette recherche prend essentiellement trois formes. Elle passe par les compressions budgétaires et l'élimination des programmes jugés moins importants, par l'évaluation des programmes et des fonctionnaires et par le recours de plus en plus fréquents aux services contractuels pour remplacer des services assurés auparavant par des fonctionnaires.

La recherche d'économies est intimement liée à l'évaluation des programmes et des personnes. Depuis les rapports Lambert et d'Avignon de 1979, en passant par le rapport Bisaillon de 1982 et les réflexions du Conseil du Trésor du Québec (*Pour une rénovation de l'administration publique*) de 1985, jusqu'au rapport du Groupe de travail Neilsen, chargé de l'examen des programmes du gouvernement fédéral, de 1986, sans oublier les appels répétés des vérificateurs généraux, on peut dire que l'évaluation est devenue une véritable obsession des gouvernements contemporains. Or, personne ne peut s'opposer aux vertus d'économie, de rendement et d'efficacité, mais notre approche politique nous incite à faire quelques brefs commentaires.

L'évaluation représente la version actuelle de la poursuite de la rationalité qu'incarnaient, il y a peu d'années, les techniques de la budgétisation par programmes (le PPBS) ou la rationalisation des choix budgétaires (la RCB). Si on examine les leçons que l'on peut tirer de cette expérience, il semble qu'on court de nouveau le risque de croire qu'on peut procéder à des calculs rationnels en faisant abstraction du jeu politique associé à chaque activité de l'administration publique (Charih, 1990). Une évaluation rationnelle suppose que l'on a une idée claire et précise des objectifs de chaque programme gouvernemental, ce qui est loin d'être le cas.

Cette nouvelle façon de rechercher la rationalité témoigne de la percée de la pensée managériale en administration publique (Parenteau, 1992 ; Bodiguel et Rouban, 1991, p. 200-239 ; Plumptre, 1988). L'analogie avec l'entreprise privée est évidente dans deux rapports qui ont fait leur marque au début des années 1990, soit le rapport *Fonction publique 2000* du gouvernement canadien (1990) et le rapport Lemieux-Lazure (1990) d'une commission de l'Assemblée nationale québécoise. Les thèmes majeurs de ces rapports sont : le service à la clientèle, l'évaluation des programmes et des gestionnaires selon les résultats obtenus et l'imputabilité des fonctionnaires.

L'analogie avec l'entreprise privée ignore deux choses vitales en ce qui a trait à l'État : d'une part, celui-ci a des fonctions d'autorité qui n'appartiennent à aucune entreprise privée. En effet, qui sont les « clients » des forces armées, de la police, des prisons ou des inspecteurs sanitaires ? d'autre part, les décisions politiques sont les résultats de jeux de pressions et de négociations, et sont inévitablement des compromis. À ce titre, elles seront toujours évaluées sur deux plans, soit celui de leur rationalité, technique et financière, et celui de leur acceptabilité politique. Pour s'en convaincre, on n'a qu'à regarder le sort réservé à certaines propositions de restrictions budgétaires. Ainsi, si les personnes et groupes affectés par ces compressions peuvent mobiliser une opposition suffisante, elles n'auront pas lieu ou encore elles seront retardées jusqu'à un moment jugé plus opportun par le gouvernement.

Dans cette perspective, les demandes de privatisation et de déréglementation s'inscrivent dans un mouvement politique qui vise à restreindre la présence de l'État dans le jeu du marché économique. Dans le cas de la privatisation, distinguons deux aspects. Premièrement, le recours à des entreprises privées pour assurer, par contrat, des services auparavant fournis par des fonctionnaires. Suivant cet aspect, on estime que les méthodes de travail des administrations publiques sont inefficaces et que les conditions de travail concédées à leurs employés lors des négociations collectives sont trop généreuses. Deuxièmement, les propositions de vendre certaines entreprises publiques en tout ou en partie à l'entreprise privée. Cet autre aspect s'inspire surtout de la conviction que nos gouvernements sont trop intervenus dans la vie économique et qu'ils devraient agir plus comme catalyseur que comme entrepreneurs (Rapports Fortier, 1986a, 1986b). Néanmoins, il est clairement admis que des raisons d'intérêt public peuvent toujours justifier l'existence d'entreprises publiques ; il s'agit plutôt de réorienter le débat politique de façon à rendre la création et le maintien des entreprises publiques moins fréquents.

Les demandes de déréglementation, quant à elles, se présentent sous quatre aspects. Premièrement, pour les juristes, les règlements sont des décrets-lois ou de la législation déléguée, en ce sens qu'ils sont des instruments adoptés par le gouvernement ou l'administration conformément à une loi d'habilitation et qu'ils ont la même portée que la loi elle-même (Garant, 1985, p. 280-281). À Ottawa comme à Québec, ces textes ont pris des dimensions considérables ces dernières années, ils sont des centaines à couvrir des milliers de pages, dont la plupart sont d'adoption récente (Barbe, 1983, p. 229 ; Rapport Macdonald, 1985, p. 27). En termes juridiques, le problème posé par une telle prolifération est le contrôle de la légalité : celui qui jouit d'un tel pouvoir délégué ne doit pas en abuser, ni en agissant contre les intentions manifestées dans la législation, ni en excédant les pouvoirs qui lui sont accordés. Deuxièmement, les députés aussi s'intéressent à la surveillance de la législation déléguée. Ceux et celles qui votent les lois sont soucieux d'assurer un contrôle démocratique de ces pouvoirs exercés par le gouvernement et certains organismes (Rapport Vaugeois-French, 1983 ; Rapport McGrath, 1985). Troisièmement, les gestionnaires eux-mêmes sont concernés par la multiplication des textes de réglementation internes. Le désir de libérer les gestionnaires d'un carcan réglementaire excessif était l'une des raisons de l'adoption de la *Loi sur la fonction publique* du Québec, en 1983, et il guide encore les tentatives de réforme administrative du Conseil du Trésor (Gow, 1984, p. 87-88 ; Conseil du Trésor, 1985, p. 37).

Si ces trois aspects de la déréglementation sont toujours pertinents, c'est le quatrième, l'économique, le seul qui se rapproche du mouvement de privatisation, qui prédomine dans les débats publics depuis quelques années. Ainsi, la réglementation est « l'imposition, par le gouvernement, de contraintes destinées à modifier de façon sensible le comportement économique des particuliers dans le secteur privé » (Conseil économique du Canada, 1981, p. xii). Cette définition, qui rend le sens du mot anglais *regulation*, comprend une vaste gamme d'activités étatiques, allant du contrôle des industries de transport et de communication à celui des professions, de l'aménagement de l'espace urbain à la protection de la santé et de la sécurité au travail. Il s'agit de la remise en question de nombreuses interventions étatiques et de la demande d'établissement d'un nouvel équilibre entre la protection des divers intérêts publics et privés protégés par la réglementation et l'initiative économique privée.

L'idée qui sous-tend la demande de déréglementation est simple : « il y a trop de réglementation par rapport au seuil de tolérance du public et aux ressources dont on dispose pour mettre en œuvre et faire respecter les règlements » (Rapport Neilsen, 1986, p. 30).   La réglementation excessive est aussi considérée comme une intrusion inefficace dans le jeu des forces du marché   (Rapport Scowen, 1986, p. 15). Néanmoins, même cette remise en question fait une place à l'administration. En effet, d'une part elle exige le recours aux techniques d'évaluation afin d'apprécier les coûts et les avantages des règlements existants, et d'autre part, de telles études débouchent très souvent sur des réformes, tant de procédure que de fond (Conseil économique du Canada, 1981, p. 159-162 ; Rouban, 1984, p. 115).

Ainsi, nous retrouvons cette imbrication du politique et de l'administratif, même lorsqu'il s'agit de remettre l'administration en question. L'étude de la déréglementation, écrivent Trebilcock et ses collaborateurs, démontre combien les buts des interventions étatiques sont liés aux choix des instruments d'intervention (Trebilcock *et al.*, 1982). Les coûts et les bénéfices dont il est question sont autant politiques qu'économiques, et si les gouvernements canadiens ont toujours agi avec prudence dans ce domaine, c'est que dans chaque cas il y a des bénéficiaires qui s'opposent à l'abolition de la réglementation (Reschenthaler *et al.*, 1982).

Nous avons dit que deux autres thèmes inspiraient les réactions politiques esquissées au tableau 1, au-delà des idées d'un État réduit et plus productif, soit l'égalité et la démocratie. En général, l'égalité n'est pas une valeur politique au centre des débats politiques des années 1980. Au contraire, elle est en quelque sorte contestée par le thème de la libéralisation. Plusieurs considèrent, à l'instar du Conseil du Trésor du Québec, qu'avec l'instauration des grands programmes sociaux universels des années 1960 et 1970, « l'équité : c'est déjà largement fait [...] » (Conseil du Trésor, 1985, p. 39). Quoi qu'il en soit, le seul élément de réponse politique qui s'inscrive sous le thème de l'égalité est celui de l'accès à l'égalité en emploi, une revendication qui remonte au début des années 1970. Nous ne reviendrons pas sur ce qui a déjà été dit aux chapitres 6 et 10 sur la bureaucratie représentative, nous voulons seulement faire remarquer que cette demande reflète elle aussi les succès passés des administrations publiques. D'une part, elles sont reconnues comme étant des lieux de travail intéressants par les femmes et les groupes minoritaires des sociétés canadienne et québécoise. D'autre part, l'administration est un objet de revendication justement parce que, comme elle est réglementée de manière uniforme par les organismes centraux, elle peut être un lieu de transformation rapide, une fois le principe d'un changement admis.

En ce qui concerne le souci démocratique, il reflète l'inquiétude des élus face aux pouvoirs accrus des administrations. Nous avons vu que les demandes d'une plus grande imputabilité des fonctionnaires et de plus de transparence procédaient d'une volonté de restaurer l'équilibre entre la législature et l'exécutif (le gouvernement et l'administration). Quant au débat sur les droits syndicaux des employés du secteur public, il implique deux conceptions de la démocratie : d'une part, les gouvernements, avec l'appui considérable de l'opinion publique, considèrent qu'il appartient aux élus de déterminer non seulement le cadre des négociations, mais aussi les grandes lignes de la politique salariale ; d'autre part, les syndicats contestent cette interprétation et revendiquent le droit de participer à la détermination des conditions de travail de leurs membres.

Une baisse d'influence de l'administration

L'évolution du débat politique signifie-t-elle une baisse d'influence de l'administration publique ? Il est juste de se poser la question face aux compressions budgétaires et aux demandes de privatisation et de déréglementation. On peut penser que l'administration sera réduite dans sa taille et dans ses pouvoirs. Sans doute est-ce vrai dans les grandes lignes, mais c'est une réponse qui nécessite beaucoup de nuances.

Le retrait de l'État est assez relatif. Jusqu'à présent, les changements dans les dépenses et les effectifs ont été marginaux. Dans le pays où la privatisation des entreprises publiques est la plus avancée, la Grande-Bretagne, le gouvernement s'est réservé une participation substantielle dans les entreprises les plus importantes qui ont été vendues (Dangeard, 1983, p. 130-131). Plus qu'un véritable retrait, il est probable que la présence de l'État devienne plus flexible, plus subtile (Howard et Stanbury, 1984). Par ailleurs, le nombre de questions qui affichent une dimension politique est en progression constante à tous les niveaux, local, régional, national et international : de l'usage du tabac à la disponibilité des garderies, des pluies acides jusqu'aux transferts de technologie, tout se politise et le nombre d'intervenants politiques ne cesse d'augmenter (Rapport Macdonald, 1985, p. 29-35). Or, pour chaque question portée à son attention, un gouvernement doit élaborer une position, ne serait-ce que pour motiver son refus d'en assumer la responsabilité ; cette tâche implique le concours des services administratifs.

Cette idée nous rappelle que l'essence de l'administration réside non dans l'exécution, mais bien dans l'étude, la planification, la coordination et le contrôle des activités. C'est pourquoi la privatisation, même si elle conduit à la perte d'activités et d'emplois, n'atteindra pas l'administration dans son essence. À ce titre d'ailleurs, son pouvoir est fondé sur sa capacité de persuasion, forme de pouvoir par excellence au sein des organisations (Galbraith, 1983). Certes, parmi les administrations influentes, certaines ont peu de pouvoirs formels. Au Japon par exemple, il existe un système très élaboré de consultation entre l'administration et les entreprises privées, qui permet à l'administration de leur signifier ses attentes sans recourir à une réglementation formelle (Shiono, 1982). Également, en France, les organes de prospection tels que la Délégation à l'aménagement du territoire et à l'action régionale (le D.A.T.A.R.) et le Commissariat au plan ont une influence qui relève de leurs fonctions stratégiques et de leur compétence reconnue plutôt que de pouvoirs formels (Sfez, 1970).

Dans le même ordre d'idée, il semble peu probable que l'informatisation de l'administration amoindrisse le pouvoir bureaucratique. Que la rapidité et la flexibilité des systèmes d'information permettent une réduction dramatique des armées de petits fonctionnaires et une déconcentration des pouvoirs au sein de l'appareil administratif est vraisemblable. Par contre, la « société technicienne » pose une multitude de nouveaux problèmes qui exigeront fort probablement des interventions étatiques (Mercier et Parent, 1985) ; par exemple, la réglementation des expériences biotechnologiques ou la protection des droits d'auteur face à la piraterie des logiciels. Chose certaine, la multiplication des fichiers informatisés contenant de multiples informations sur chaque citoyen crée des possibilités d'abus et, comme nous l'avons vu, au moment d'adopter des lois d'accès à l'information, les gouvernements d'Ottawa et de Québec ont tenu à y associer des clauses visant la protection de la confidentialité des renseignements personnels.

Enfin, l'administration publique est un domaine de paradoxes et de contradictions. Parmi ces paradoxes, citons celui d'un régime d'imputabilité qui exigerait une croissance de l'autonomie des gestionnaires. Tous les grands rapports sur cette question sont unanimes, à savoir qu'on ne saurait tenir responsables que des gestionnaires possédant suffisamment de pouvoir pour avoir la maîtrise des opérations sous leur direction. Ainsi, pour mieux responsabiliser la haute administration, il faudrait d'abord la renforcer (Conseil du Trésor du Québec, 1987).

Reste le paradoxe de la bureaucratie : si, pour un grand nombre d'observateurs elle est la source de dysfonctions qui constituent autant d'entraves et de menaces à la démocratie, elle protège par contre les citoyens et les fonctionnaires des pires excès de la partisanerie et, par son explicitation des règles du jeu, elle crée des droits que peuvent faire valoir les citoyens contre l'État, comme les fonctionnaires contre leurs patrons. Le débat politique actuel porte en bonne partie sur le dosage qu'il faudrait établir entre les droits acquis dans une société et la flexibilité qu'exige l'adaptation à un monde qui évolue rapidement.

Sujette à des rationalités multiples, lieu de conflits comme de coopération, à la fois soutien des citoyens et menace pour leur autonomie, autoritaire et démocratique, l'administration publique est devenue l'une des fonctions vitales de l'État moderne. Dans tout avenir prévisible, elle restera au cœur de tous nos débats politiques.

BIBLIOGRAPHIE

BARBE, R. (1983) *La réglementation*, Montréal, Wilson et Lafleur.

BERNIER, G. et BOISMENU, G. (1983) *Crise économique, transformations politiques et changements politiques*, Montréal, ACFAS.

BODIGUEL, J.-L. et ROUBAN, L. (1991) *Le fonctionnaire détrôné ?*, Paris, Presses de la Fondation nationale des sciences politiques.

CHARIH, M. (1990) *La guerre des experts d'Ottawa*, Montréal, Agence d'Arc.

CONSEIL DU TRÉSOR DU QUÉBEC (1985) *Pour une rénovation de l'administration publique*, Québec.

CONSEIL DU TRÉSOR DU QUÉBEC (1987) *Pour une rénovation de l'administration publique : les actions proposées*, Québec.

CONSEIL ÉCONOMIQUE DU CANADA (1981) *Pour une réforme de la réglementation*, Ottawa.

DANGEARD, F.-E. (1983) « Nationalisations et dénationalisations en Grande-Bretagne », *Notes et études documentaires*, Nᵒˢ 4739-4740, Paris, La documentation française.

GALBRAITH, J.K. (1983) *Anatomie du pouvoir*, Paris, Seuil.

GARANT, P. (1985) *Droit administratif*, 2ᵉ éd., Montréal, Yvon Blais.

GOUVERNEMENT DU CANADA (1990) *Fonction publique 2000 : le renouvellement de la fonction publique du Canada*, Ottawa.

GOW, J.I. (1983) « Perspectives historiques sur les compressions budgétaires », *Politique*, Nᵒ 3, p. 5-26.

GOW, J.I. (1984) « La réforme institutionnelle de la fonction publique de 1983 », *Politique*, Nᵒ 6, p. 51-101.

HOWARD, J.L. et STANBURY, W.T. (1984) « Measuring Leviathan : the Size Scope and Growth of Governments in Canada », *in* G. Lermer (dir.) *Probing Leviathan : An Investigation of Government in the Economy*, Vancouver, Fraser Institute.

MERCIER, J. et PARENT, R. (1985) « Conflit entre marché et État dans la société technicienne », *Politique*, Nᵒ 8, p. 5-22.

PARENTEAU, R. (dir.) (1992) *Management public : comprendre et gérer les institutions de l'État*, Sillery, Les Presses de l'Université du Québec.

PLUMPTRE, T. (1988) *Beyond the Bottom Line. Management in Government*, Halifax, Institut de recherches politiques.

RAPPORT FORTIER (1986a) *Privatisation des sociétés d'État : orientations et perspectives*, Québec, Ministère des Finances, Ministre délégué à la privatisation, Pierre Fortier.

RAPPORT FORTIER (1986b) *De la Révolution tranquille ... à l'an deux mille*, Rapport du Comité sur la privatisation des sociétés d'État, Québec, Ministère des Finances, Ministre délégué à la privatisation.

RAPPORT LEMIEUX-LAZURE (1990) *Au service du citoyen, la raison d'être de la fonction publique du Québec*, Québec, Commission du budget et de l'administration de l'Assemblée nationale.

RAPPORT MACDONALD (1985) *Rapport de la Commission royale sur l'union économique et les perspectives de développement du Canada* (Président, Donald Macdonald), Volume I, Ottawa.

RAPPORT McGRATH (1985) *Rapport du comité spécial sur la réforme de la Chambre des Communes* (Président, James McGrath), Ottawa.

RAPPORT NIELSEN (1986) *Introduction au processus d'examen des programmes*, Groupe de travail chargé de l'examen des programmes (Président, Eric Neilsen), Ottawa.

RAPPORT SCOWEN (1986) *Réglementer moins et mieux*, Rapport final du groupe de travail sur la déréglementation, Québec, Conseil exécutif.

RAPPORT VAUGEOIS-FRENCH (1983) *Le contrôle parlementaire de la législation déléguée*, Rapport de la commission d'étude de l'Assemblée nationale (Président, Denis Vaugeois ; Vice-président, Richard French), Québec.

RESCHENTHALER, G., STANBURY, W. et THOMPSON, F. (1982) « Whatever Happened to Deregulation ? » *Policy Options*, Vol. 3(3), p. 31-42.

ROSANVALLON, P. (1981) *La crise de l'État-Providence*, Paris, Seuil.

ROUBAN, L. (1984) « Évaluation des politiques publiques et mouvement de dérégulation aux États-Unis », *Revue française de Science politique*, N° 29, p. 85-115.

SFEZ, L. (1970) *L'administration prospective*, Paris, Armand Colin.

SHIONO, H. (1982) « Administrative Guidance in Japan (Gyosei-Shido) », *Revue internationale des sciences administratives*, Vol. 48(2), p. 239-246.

TREBILCOCK, M.J., HARTLE, D.G., PRICHARD, R.S. et DEWEES, D.N. (1982) *Le choix des instruments d'intervention*. Une étude préparée pour le Conseil économique du Canada, Ottawa.

Index

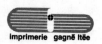

imprimerie gagné ltée

IMPRIMÉ AU CANADA